JN073495

［超復活版］

超太古、世界はカラ族と縄文神代文字で一つに結ばれていた

高橋良典
＋日本学術探検協会

ヒカルランド

◎地球上初の日本縄文世界王朝《ティルムン》は、中国では
[夏]、日本では［アソベ］の国として知られたシュメール
文明の楽園だった!!

◎3500年前の大洪水を治めて《夏王朝》を開いた「禹（う）」こそ『旧約聖書』に登場するノアのモデルとなった日本の天御中主（あめのみなかぬし）（ウトナピシュティム）だった!!

◎《出雲神宝事件》とは、カラ族の神宝（アムヒ、ヴィマナ、ラタ）すなわち紀元前日本の〝天（あめ）の浮船（うきふね）〟をめぐる争いだった！

◎大国主（おおくにぬし）が治めたという伝説の出雲（いづも）は中国・台湾・朝鮮を統治する［斉（せい）］として実在した!!
初代の王スサノヲに続き五代目の王ヲミツヌは、出雲［斉］をユーラシア大陸を二分する超大国として繁栄させたが、六代目アマフユキヌが日本に亡命。

そして七代目のオオクニヌシとその息子コトシロヌシが秦の始皇帝に国を譲る。

ナントこの秦の始皇帝こそ日本神話に登場する「ニニギ」だった!!

◎また出雲の国造りでオオクニヌシに協力したスクナヒコナは神仙道（しんせんどう）の大家、徐福（じょふく）（徐市（じょふつ））であり、熊野大社で祭られている桀御子（けつみこ）そのものだった！

◎今や、戦国時代の七大帝国を見よ!!
斉はアジア東方の大国、韓はエジプト・アラビア。
魏はインド大陸。趙（ちょう）はインドシナ半島。楚（そ）はペルシア帝国。
燕（えん）はチベット。秦（しん）はマケドニア帝国。
この秦の恵文王（けいぶんおう）がアレキサンダーだった！

◎紀元前７９２年クル王家の内紛で核戦争（バーラタ大戦）、
地球大異変に!!

◎［夏］北海道異体文字、［殷（いん）］アヒルクサ文字、
［西周］トヨクニ文字、［東周］トヨノ文字、
［斉］イヅモ文字が魔法の鍵（マスターキー）だ。

監修者：高橋良典からのメッセージ

日本を襲った3・11大震災と福島原発事故が、長い間欧米・中国の支配者たちによって封印されてきた太古日本の《カラ族》の記憶を呼び覚ますことになった。

今から2800年前まで地球の全土を平和に治めてきた原日本人《カラ族》が《ノアの洪水》後につくりあげたティルムン＝日本の輝かしい世界王朝は、王家の内紛と核戦争、及びそれによって引き起こされた地球規模の異変によって崩壊。その後、アトランティス～アッシリヤ～アーリヤ～アヤ（漢）の諸王たちによって次々に王家の記録は消され、書き変えられてきた。

しかし、それら原日本人《カラ族》が世界各地に残した碑文を日本に古くから伝わる神代(かみよ)文字で読み解くと……驚くべき歴史の真相がよみがえってくる！

はじめに

〝歴史上の大発見時代〟が始まった！

日本学術探検協会事務局長　幸　沙代子

一九六〇年代に、南米エクアドルで世界の歴史を覆す地下都市が発見された。ハンガリー生まれの探検家ファン・モーリスによって確認され、一九七二年にスイスの作家デニケンの著作によって一躍世に知られるようになったこの地下都市は、エクアドル東部の密林地帯にあって、古くからインディオの間で神々の乗り物（UFO？）が飛び出す「ロス・タヨス（太陽鳥洞窟）」と呼ばれていた。

地下を降りること二四〇メートル。そこは黄金製品の宝庫であった。なかでも謎の文字が記されたおびただしい金属板は圧巻だった。その中の一枚が、こっそりインディオの手によって聖母マリア教会のクレスピ神父のもとに持ちこまれた。

デニケンのカメラにおさめられた高さ五二センチ、幅一四センチ、厚さ四センチの黄金板は五六個の正方形で区切られ、五六の文字が記されていた。その文字は、彼が地下で目にした不思議な文字と同じものだった。これまで見たこともない奇妙な文字——デニケンはこれを異星人が残した宇宙文字ではないかと考えた。そしてアメリカやヨーロッパの学者に写しを送って検討を依頼した。

その結果、これは二三〇〇年前のインドで使われていたブラーフミー文字とよく似ていることがわかり、学者たちは懸命に解読に取り組んだ。しかし、その文字の一部はたしかにブラーフミー文字で読めたものの、全体の意味をつかむまでには至らなかった。

ところが、一九七〇年代の後半、その黄金板の写真が一人の日本人碑文学者の目にとまった。一目見て、その文字が日ごろ見慣れた文字であることに驚いた彼は、この黄金碑文を読み解くことについに成功した。彼とは、ほかならぬ本書の監修者・高橋良典（日本学術探検協会〈以下、「学術」を略し「日本探検協会」と記す〉会長）である。問題の黄金板とその解読結果は本書の中で紹介されている（詳細については高橋著『太古日本・驚異の秘宝』講談社刊を参照してほしい）。

黄金板に記されていた文字とは、いったいどんな文字だったのか——実はこれこそが本書で扱う「宇宙文字」であり、縄文時代の日本人が使っていた〝神代(かみよ)文字〟だったのだ。

その文字がなぜ南米エクアドルの地下都市から出土した遺物に記されていたのだろうか。

高橋の解読結果を知ったわれわれは、その後さらに調査を続けた。その過程で明らかになったのは、紀元前の日本の神代文字が、南米だけでなく、中国やインド、アフリカ、大西洋と太平洋を取り巻く地球の全域で使われていたという驚くべき事実である。神代と呼ばれた紀元前日本の、いまだに謎につつまれた縄文時代の文字の世界分布はいったい何を意味しているのだろうか。

この点に関して、アメリカのプレイス教授が興味深い指摘をしている。彼は、アメリカ大陸のインディオ文明のルーツが日本の縄文文明にあったというのだ。エクアドルのバルディビア遺跡から出土した土器が日本の縄文土器と酷似している点や、インディオの顔立ちと身体つきが日本人そっくりであること、また最近の遺伝子分析の結果などから、古代アメリカと縄文日本のつながりは疑いようもなくなってきた。

しかもこのような縄文文明は、アメリカ大陸だけでなく世界各地で確かめられている。そこで高橋は、縄文時代に日本の世界王朝が存在し、日本の王が世界を治めていたのではないか、世界各地に今も残る神代文字はその名残りではないかという仮説を立てた。そればかりではない。縄文文明は今から二八〇〇年前まで地球規模の広がりをもっていただけでなく、太陽系、銀河系にまで都市遺跡を残した文明だったのではないかと唱えたのだ。

青森県三内丸山（さんないまるやま）遺跡の発掘には日本中が沸き、さらに函館における縄文巨大遺跡の発掘のニュースを知って、私たちは仰天した。「いったい、今まで習ってきた歴史は何だったのか？」――報道記者が思わずもらした感想は、ニュースを耳にした大多数の日本人の感想でもあった。

これまでの歴史教科書には、紀元前の日本に高度な文明があったことはひと言も書かれていない。縄文日本に国家といえるものがあり、洗練された文字が使われていた、などと予想する人は誰もいなかった。

しかし、日本の歴史で空白のまま放置されてきた縄文文明の見直しがすでに始まっている。と同時に、これまで私たちの祖先とは無関係に思われてきた世界各地の謎の遺跡が、太古日本の宇宙文明の遺産としてよみがえろうとしている。縄文日本の神代文字を手がかりとして、日本発の〝歴史上の大発見時代〟が始まろうとしているのだ。

その主人公はもちろん、本書を手にした君たちだ。君たちがここに記された神代文字をマスターして歴史の謎解きに挑戦すれば、誰もがきたるべき宇宙世紀のコロンブスになれる。そればかりか、太古日本の王が世界を治めていた時代に地球の各地に残したわれわれの祖先の宝のありかを突きとめることさえできるのだ。

さあ、本書を片手に、君たちも〝七つの大陸〟の失われた黄金都市に向かって飛び出そう！　時代は今や地球探検――謎解きはついにゲームを超える時代がやってきたのだ!!

［超復活版］超太古、世界はカラ族と縄文神代文字で一つに結ばれていた――目次

THE FIRST GATE
第1の扉　神代文字の基礎知識

THE SECOND GATE
第2の扉 古代日本の神代文字

THE THIRD GATE
第3の扉　中国大陸の神代文字

THE FOURTH GATE
第4の扉　古代インドの神代文字

THE FIFTH GATE

第5の扉　古代地中海地域の神代文字

THE SIXTH GATE
第6の扉　アメリカ大陸の神代文字

THE SEVENTH GATE

第7の扉　環太平洋地域の神代文字

装丁　櫻井浩（⑥Design）
写真提供　南山宏、木村重信、山崎脩、日本探検協会
校正協力　麦秋アートセンター
編集協力　守屋汎
本文仮名書体　文麗仮名（キャップス）

プロローグ

文字をもっていなかったはずの紀元前の日本人。その日本人が国内はもとより世界各地に碑文を残していた、といったら君たちは驚くだろう。が、それは事実なのだ。ただし、その文字は私たちが現在使っている文字ではなく、神代文字と呼ばれる文字である。

本書では、世界各地に残された神代文字を地域別に取りあげ、わかりやすくその歴史的背景を解説し、必要に応じて解読例を示してある。

本書は碑文の解読から明らかになった新しい歴史的事実を記し、図版にはその根拠を示した。◉印には、キーワードの解説とよりくわしく知りたい方のための基本テキストをあげておいた。本書を活用して君たちもまた歴史の見直しを進め、すばらしい発見をしてくださることを願っている。

宇宙世紀の謎解きが始まった！

月や火星には、ごらんのとおり、人面岩と呼ばれる謎の遺物がある。上空からしかわからないこれらの巨大図形と同じものは、南極の一〇〇〇メートルの氷の下でも見つかっている。

また、月や火星にはこのような人面岩のほかにも数多くの人工的な建物の跡やピラミッドの存在が確認されている。

太陽系の月や火星に残されたこれらの遺跡は明らかに知的生物が残したものだ。が、その正体は何者なのだろう。彼らはわれわれ地球人とはちがった別の星の住人なのだろうか。

ここにその謎を解く手がかりがある。それは月面に残されたいくつかの〝文字〟である。図をごらんいただくとわかるとおり、月のティコ・クレーターの内壁には、アルファベットのPとA、Fに似た文字が刻まれている。

また、その他の地域にもアルファベットによく似た文字記号が刻まれている。もしもわれわれがこれらの文字を読み解くことができれば、地球を含む太陽系で、遠い昔、何があったのか――その真相に迫れるはずだ。そして特に、これらの文字が日本に古くから伝わる神代文字とかかわりが深いことがはっきりすれば、われわれ日本人の失われた紀元前の歴史の秘密も明らかになるにちがいない。

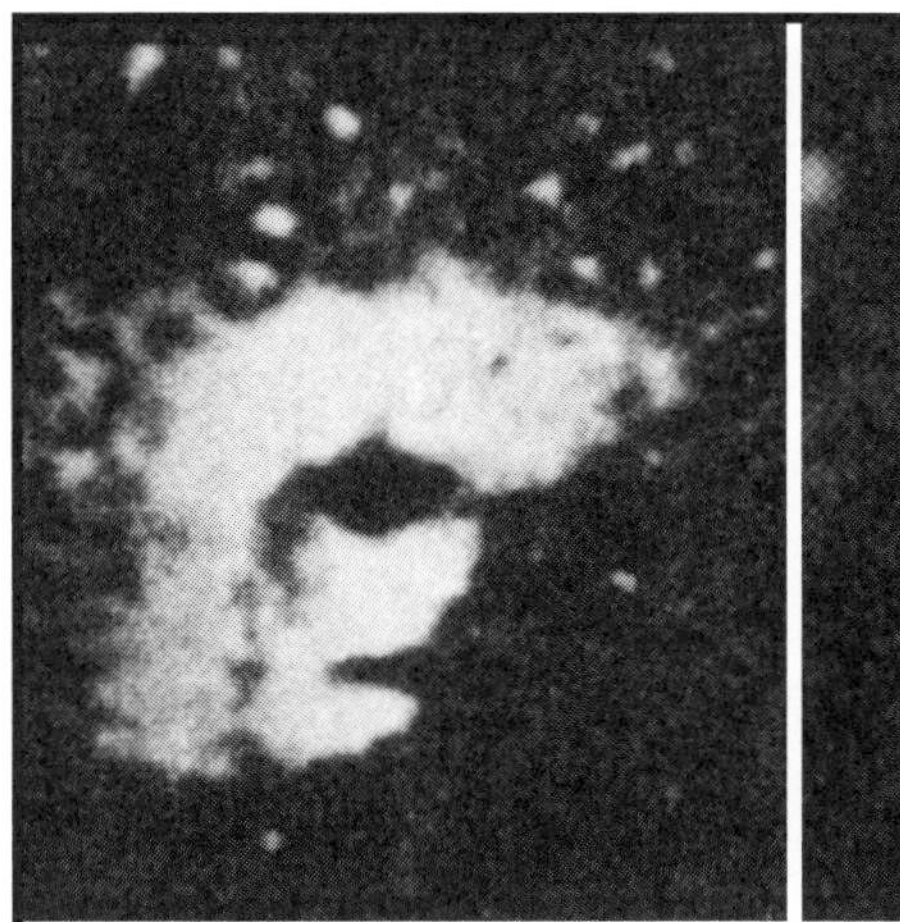
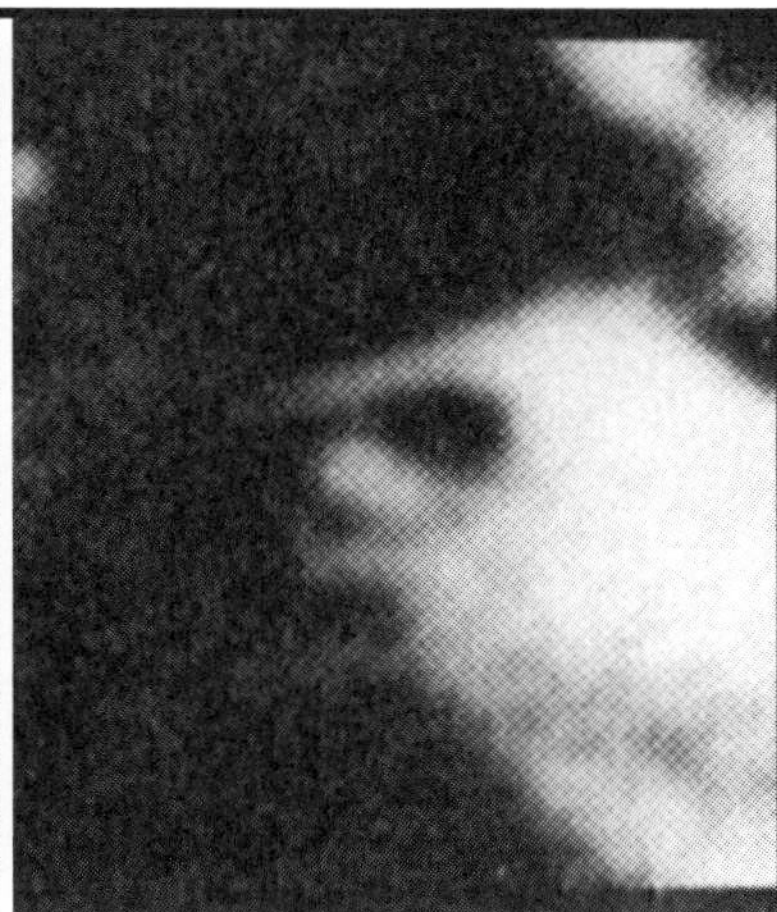

太陽系の謎の人面岩
（左）火星の人面岩、（右）月の人面岩

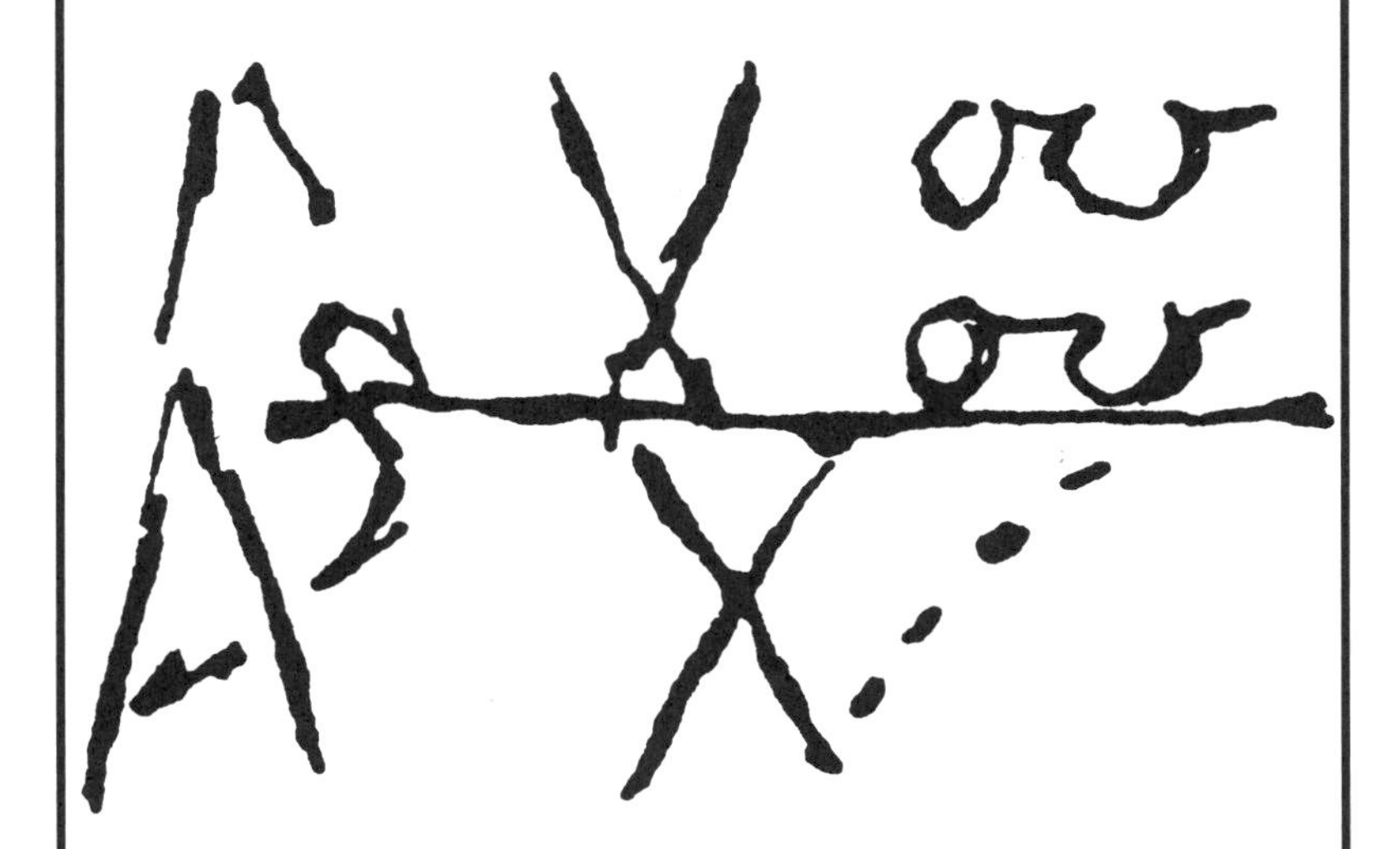

アメリカの月探査船レインジャー７号が撮影した月面写真に見える文字
紀元前のカルタゴ文字で「アシュタル」と読める。これは古代カラ族の宇宙飛行士がアポロ飛行士以前に月に到達していたことを意味するのだろうか。アシュタルはエジプトでイシスと呼ばれた天界の女王の名だ。

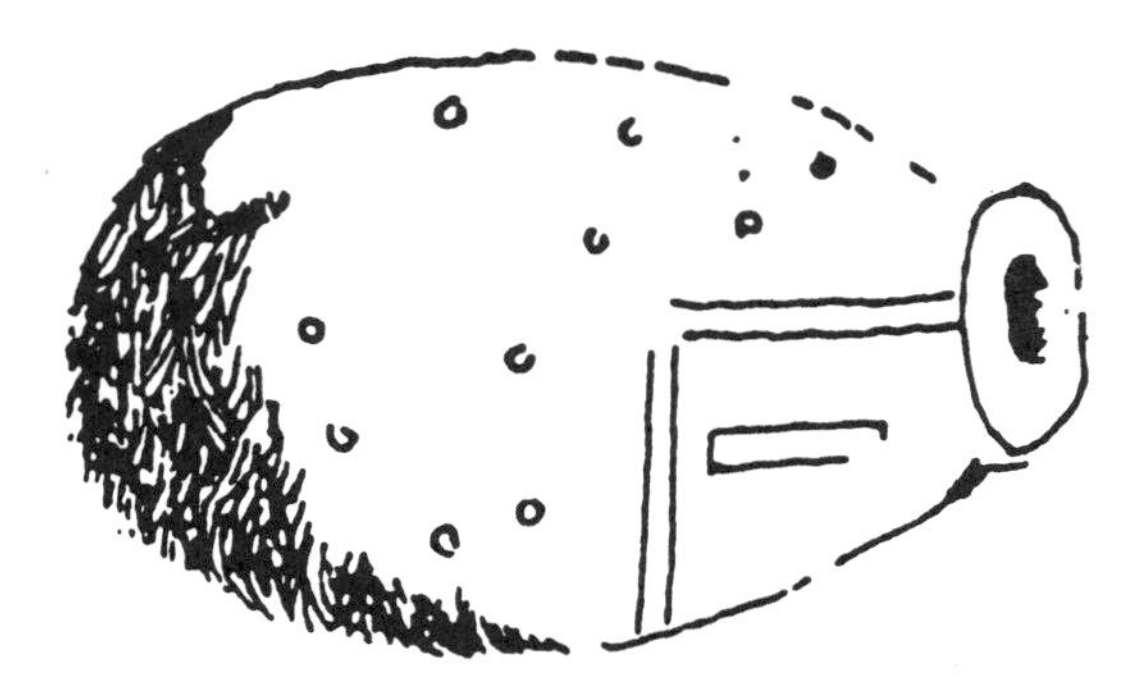

月の構造物（スケッチ）

南極の人面岩

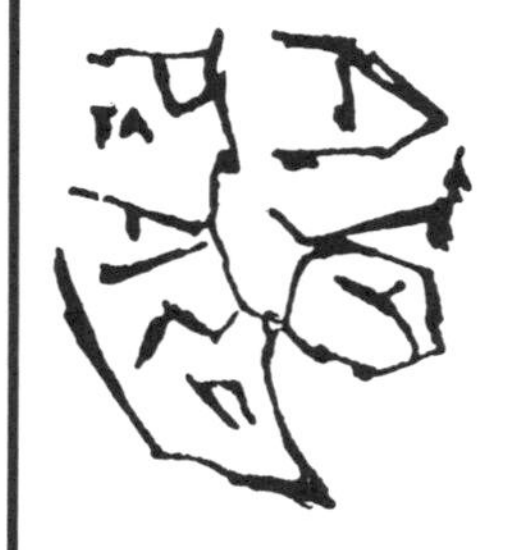

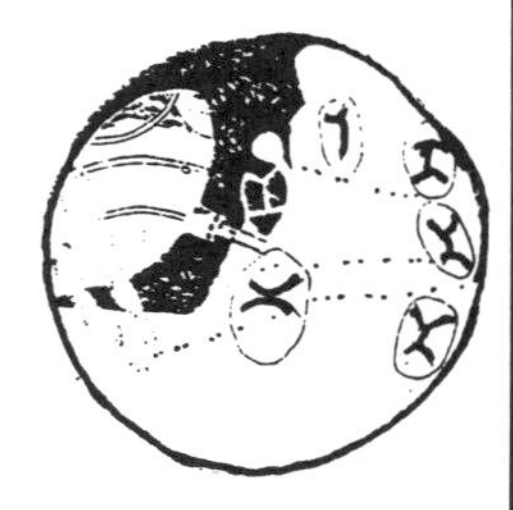

月面の謎の文字群

神代(かみよ)文字で世紀の大発見をめざそう！

紀元前の日本列島が今とはちがった地形だった頃、日本には太平洋の失われた大陸〝ムー〟から移民したカラ族（解説は29頁）の一団が住んでいたという説がある。

そのカラ族が日本に残したといわれるのが27頁の図のような文字だ。この文字を研究した琉球大学の木村政昭教授は、地球上最古の楽園、人類共通のふるさとといわれるムー大陸の実体が、異変で海底に没し去る前の琉球古陸をさしていると考えた。その時代は今から一万二〇〇〇年前のことだという。

これに対して、われわれ日本探検協会の会長・高橋良典は、その異変が発生したのは今から三五〇〇年前と二八〇〇年前であり、琉球古陸は異変前にタミアラと呼ばれた別の大陸で、ハワイ古陸がミヨイ（ムー）そのものだったのではないか、と唱えている。

二人の説のどちらが正しいかは今のところわからない。が、木村が紹介した沖縄の入れ墨の模様が、かつてチャーチワードの唱えたムー文明人の文字記号とよく似ていることは、両者を比べてみれば一目瞭然だ。そしてチャーチワードと木村が紹介したこれらの文字記号が、日本に古くから伝わる神代(かみよ)文字のいくつかと酷似していることも確かな事実である。

高橋良典は、沖縄の文字板とムー文明の文字板に共通する卍(まんじ)が、紀元前日本のカラ族の間で使われていた宇宙船ヴィマナ（別名ラー／ムー）のシンボルと一致することに気づいた。そのシンボルは、彼によれば、三五〇〇年前の大洪水後に世界各地で活躍したティルムン＝日本のカラ族が残した海洋・地下・宇宙文明のシンボルの一つだ。

とするなら、月や地球の各地に残された謎の文字群は、宇宙生命エネルギーのさまざまな形態を表わしたとみられる日本の神代文字で読み解けるのではないか。

日本探検協会はこれまで長い間、〝時代は今、地球探検〟を掲げて世界各地の謎の文字を調べてきた。それらの文字がもしも日本の神代文字で読み解けるなら、これまでの世界史がひっくり返るほどの面白い事実が続々とわかるのではないか。

その探検調査と文字解読の成果をまとめたのが本書である。本書を手にした君たちは、すでに地球探検の旅への第1ゲートの前に立っている。神代文字は私たちが地球探検の途上で次々と出くわす謎を解く鍵の鍵、つまりマスターキーだ。

さあ、君たちも本書で神代文字の知識を身につけて、地球史の究極の謎解きの旅へ出発しようではないか。

ドン・ウィルソン著『それでも月には誰かがいる！』（たま出版）
ジョージ・H・レオナード著『それでも月に何かがいる』（啓学出版）
木村政昭著『ムー大陸は琉球にあった！』（徳間書店）参照

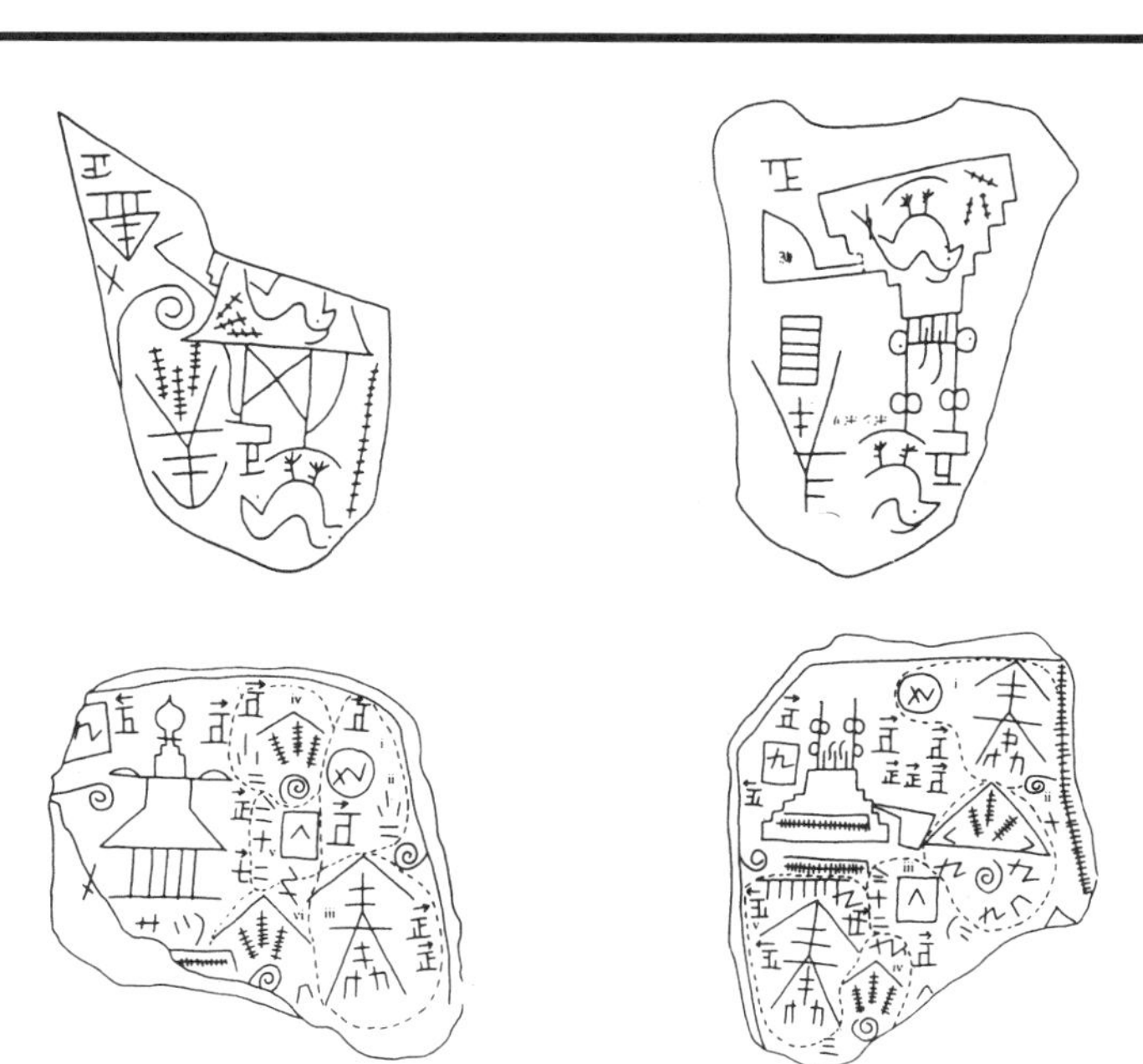

沖縄各地からこのような「ムー」の文字石が多数出土している。

沖縄県立博物館にある謎の石板からの復原図
天界との交信施設を備えた階段状ピラミッド型の巨石文明都市が描かれている。

沖縄の文字板と同じモチーフが描かれたムー文明の石板

イギリスの探検家チャーチワードが集めたムー文明のシンボル

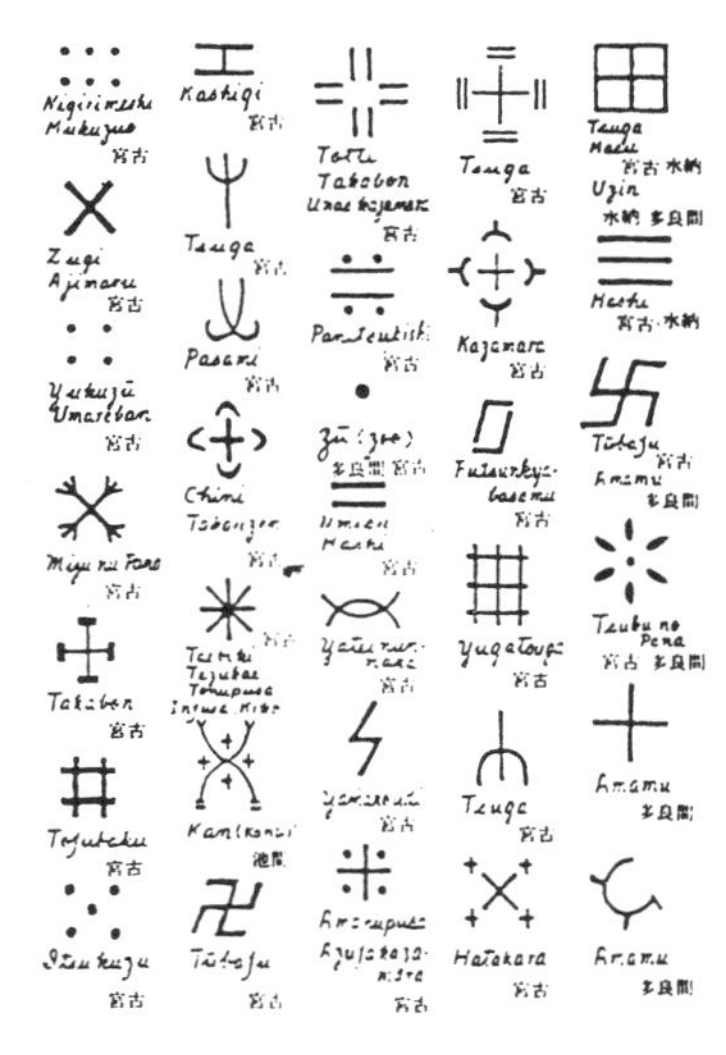

ムーの文字記号とよく似た沖縄の入れ墨模様

◉カラ族　天界からこの地球上に最初に植民した小人系の種族。のちに地球へ植民を始めた巨人系の種族と混交してクル族と呼ばれるようになった。

前八世紀以降、現在まで地球の独占支配を企てているアッシリヤ～アーリヤ～アヤ（漢）の好戦的種族は、今から三千数百年前に小人族との和解を拒んで地球から追放された巨人系のエリート科学者集団の子孫であり、エイリアン（ビジター）として地球再征服のために戻ってきた人々ではないかという説がある。

カラ族（クル族）は今から二八〇〇年前まで地球全土を治めていたティルムン＝日本の天皇家とともに一体であったが、前八世紀にエイリアンがクル（カラ）の王家にしかけた陰謀によって分裂し、バーラタ＝トロイ戦争とそれによってひき起こされた地球規模の異変のために、かつての輝かしい歴史を失ってしまったとみられる。

しかし、日本に伝わる『竹内文書』は、前六〇九年にカムヤマト（神武）がアッシリヤ（アーリヤ／アヤ）の反乱分子を一時的に制圧する前まで、日本の天皇家が地球の全地を平和的に治め、五色人と呼ばれたカラの諸民族の繁栄を実現していたと述べている。――参考図書には飛鳥新社刊『古代日本、カラ族の黄金都市を発見せよ!!――失われた文明をめぐる70の謎』探検協会［著］がある。

第1の扉　神代文字の基礎知識

THE FIRST GATE

ヨセフと
イサクに
船を降せる
神を見よ……

君たちは紀元前の〝宇宙文字〟を知っているか？

紀元前の日本と世界では、基本的にアヒルクサ文字、イヅモ文字、トヨクニ文字、北海道異体文字の四種類の神代文字が使われていた。

それぞれの文字がいつ頃から使われ始めたか、これまでの研究でははっきりしなかった。が、探検協会の調査では、これら四種の文字の中で最も古いのが北海道異体文字（三五〇〇年前）であり、それに続くのがアヒルクサ文字（三二五〇年前）、トヨクニ文字（三〇〇〇年前）、イヅモ文字（二八〇〇年前）であることがわかった。

紀元前の日本人がカラ族と呼ばれ、ティルムン＝日本のカラ族の王が太陽系の星々を治めていた時代に各地で使われていたのがこれらの文字だったのではないか。それぞれの文字はティルムン第一王朝（シュメール／夏）と第二王朝（インダス／殷）、第三王朝（エジプト／周）、第四王朝（中国／東大国）の時代に太陽系のカラ族の間で使われていたとみられるのである。

そのティルムンが太古日本そのものであったことは、これから本書を読み進むにつれて明らかになるだろう。

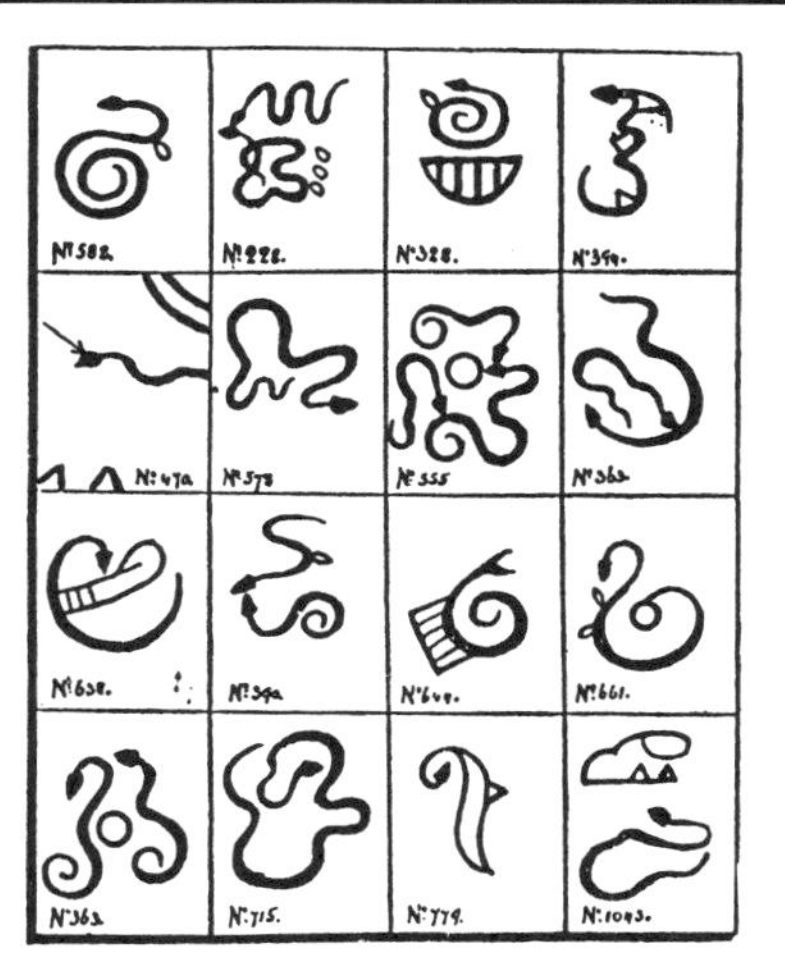

ムー文明の宇宙文字

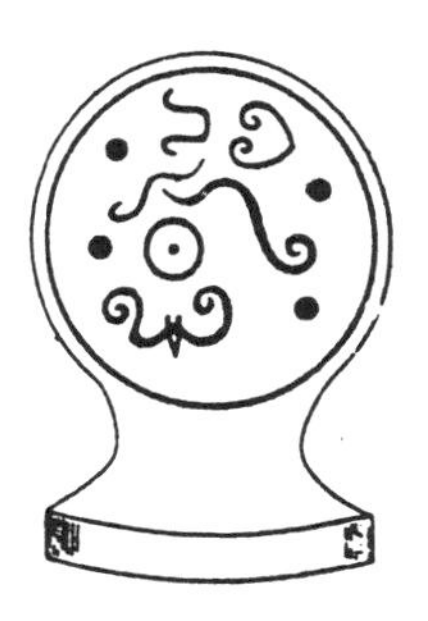

カラ族の王家の紋章

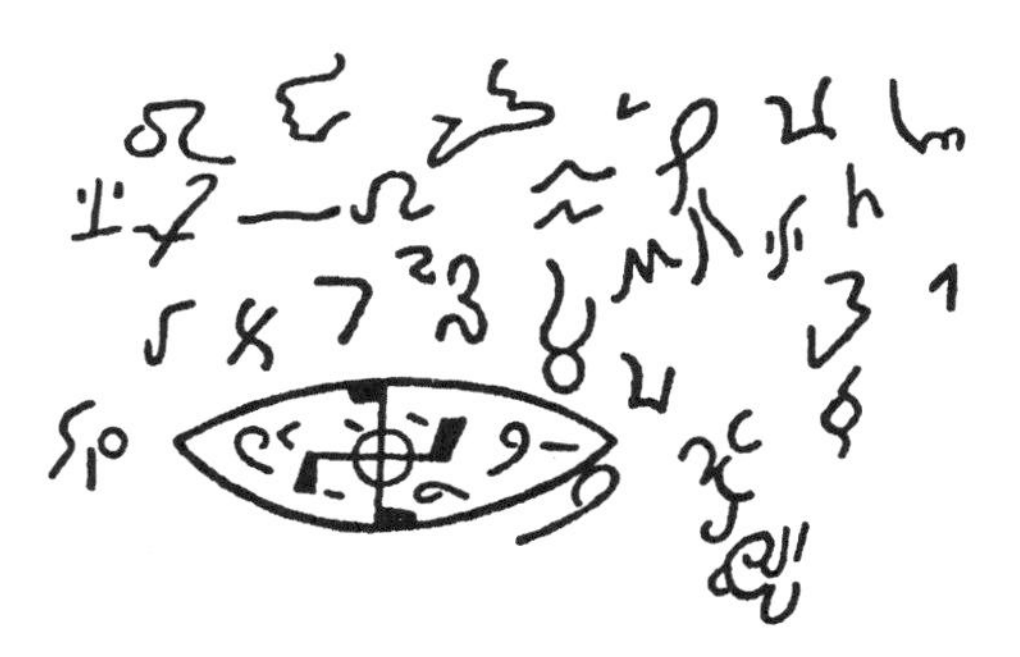

日本の宇宙文字で書かれた謎の碑文

身近にあった！　謎の文字群　天狗の正体は宇宙人？

吾郷清彦著『日本神代文学』（大陸書房）参照

この世に今も天狗がいる、などとは誰も信じない話ではある。が、ひと昔前まではそうではなかった。実際に天狗に会った人もいるし、天狗の神隠しにあった人もいる。そんな天狗は、どうやら善良な天狗だけではない。人に悪さをする天狗もいたらしい。

伊豆・伊東の仏現寺(ぶつげんじ)に残された〝天狗の詫び証文〟は、その昔（万治元年／一六五八年頃）、村人に悪さをした天狗が捕まったとき、これからはもう悪いことはいたしません、という反省と誓いの言葉を記したものだという。

しかし、それがほんとうかどうかは誰もわからない。なぜなら、この証文に書かれた文字は誰にも読めない〝天狗文字〟だからだ。天狗界の消息にくわしかった某仙人は、この文字を神代文字の一種として知られるアヒルクサ文字で読み解けると言ったが、その結果を話すことなく世を去った。

この天狗文字とよく似た文字は、出雲の佐太(さた)神社や淡路の伊弉諾(いざなぎ)神社、立山中宮・雄山(おやま)神社のお札(ふだ)にも記されている。が、これらの文字もまた何と書いてあるのか。もしも日本各地の神社や仏閣に伝わるこのような謎の文字を読み解くことができれば、君たちもまた天狗界

天狗文字によく似た文字で書かれている淡路・伊弉諾神社（右）と立山中宮・雄山神社（左）のお守り札
解読結果は44頁を参照。

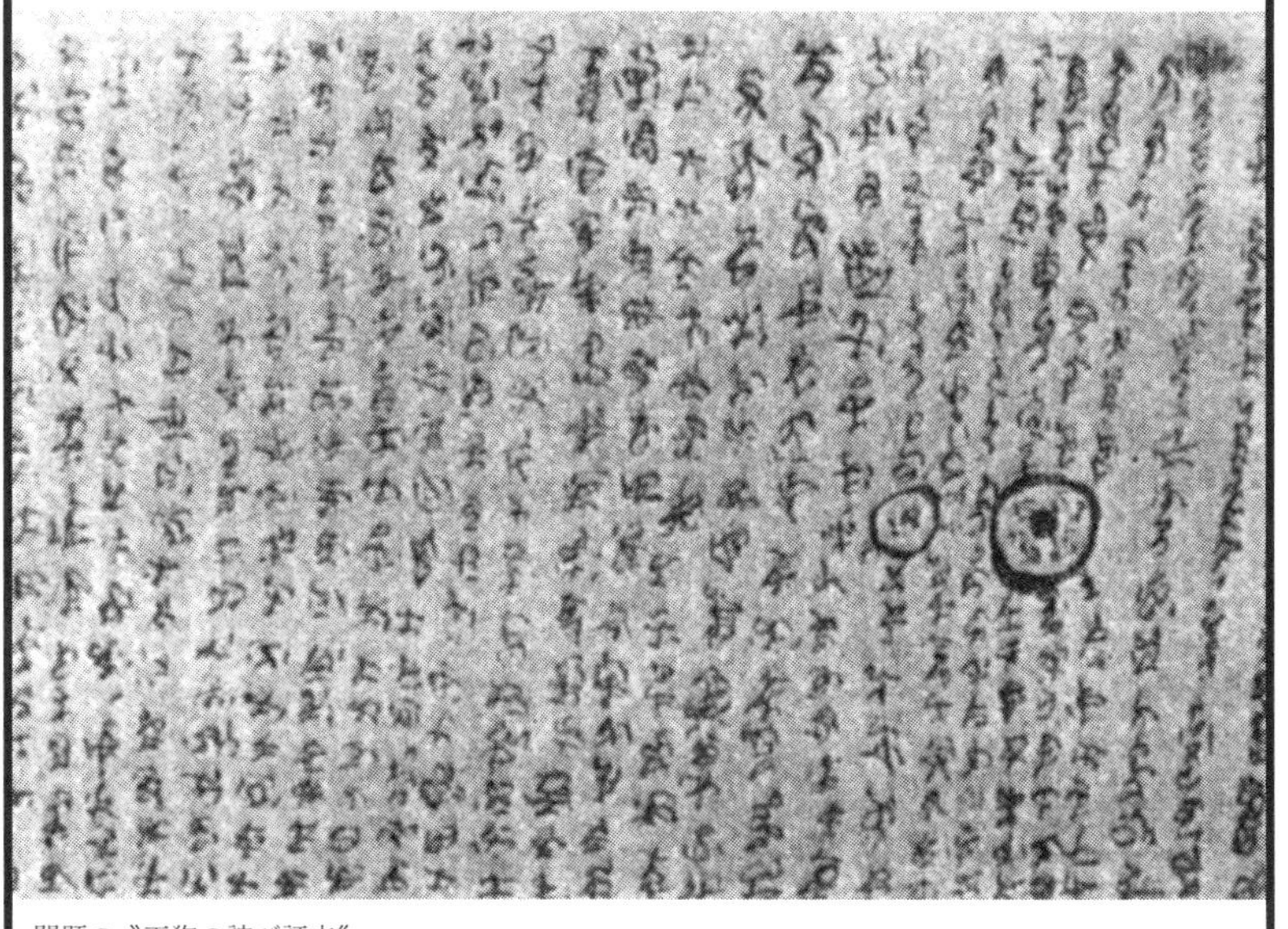

問題の〝天狗の詫び証文〞
ここには何と書かれているのか、読み解いた人は誰もいない。

の秘密をつかんで、神仙道の達人になれるかもしれない。あるいはひょっとしたら、遠い昔、別れ別れになった天界の兄弟に会えるかもしれない。そんな謎解きの楽しみが天狗文字にはある。

ではこれからさっそく、日本各地の天狗ゆかりの神社に出かけて、天狗文字解読の準備にかかろう。もしかしたら、この天狗といわれてきた者の正体は宇宙からの訪問者ではなかったか。天狗が残した文字を読み解くことができれば、私たちは霊界と宇宙の秘密に迫り、思いがけない発見をすることができるのではないだろうか。

日本の神社の護符を読んでみよう

古来、天狗は神の使いといわれてきた。「天狗」は文字どおり〝天駆ける狗(いぬ)〟であり、神社の入口を守る狛犬(こまいぬ)(高麗犬(こまいぬ))の兄弟でもある。

天狗はいろいろな神通力をもっていた。額につけた兜巾(ときん)は〝第三の目〟を開く装置であり、胸につけた〝お札〟は神通力をひき出すための覚え書きらしい。背負った箱には〝虎の巻〟と〝隠れ蓑〟が収まり、手に持った〝葉うちわ〟は重力操作の秘密道具だったと考えられる。

日本各地の神社には古くから、これら天狗ゆかりの品々が保管されていたという。天狗の秘密を知りたいなら、ここに取り上げたいくつかの神社のお守り札とご神璽(しんじ)の文字を読み解く能力を身につけなければならない。なにしろ天狗界の秘密は奥深い。そもそも天狗は歴史発祥の地といわれるシュメールで〝ディンギル〟と呼ばれた天神である。そして古代の日本では、縄文宇宙服土偶で有名な青森県津軽の地に降臨してトンカル(東日流)の神と崇められた霊妙きわまりない存在だからだ。

天狗の額の兜巾は古代ヘブライの神官が額につけたトフィリンそのものだし、胸のお札もユダヤの神官が胸につけたエフォド(お札)そのものである。三〇〇〇年前のヘブライ人は

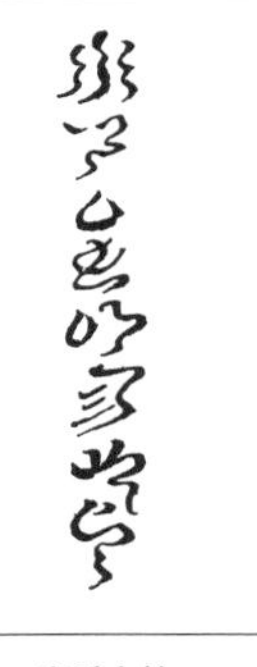

出雲大社

宮城県岩沼の竹駒稲荷神社の神璽

塩釜神社の神璽

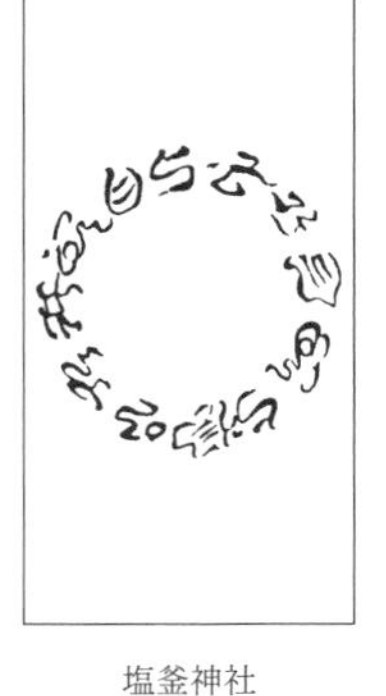

塩釜神社

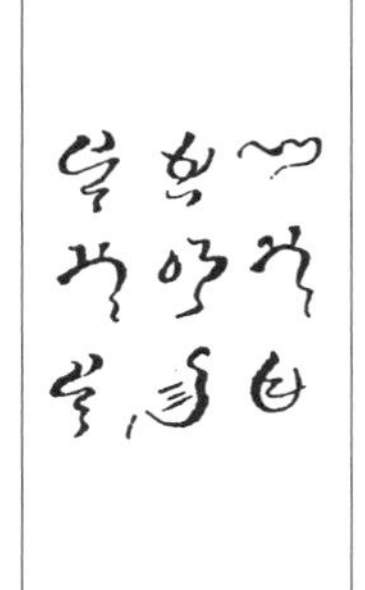

氷川神社

都々古別神社

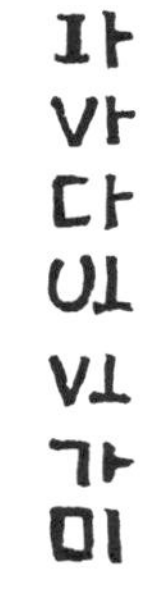

東京・世田谷区北沢八幡神璽

神から授かった知恵を書き記した「トーラの巻物」を〝虎の巻〟として大切にしていた。そのような伝統は古代ヘブライ語で「マソリット」と呼ばれていたが、これがどうやら日本の〝祭り〟の語源らしい。とすると、天狗たちのルーツはシュメールの神々やヘブライの神官たちに求められるかもしれない。それとも、天狗の名が示すとおり、宇宙からの異星人に求められるのだろうか。

伊勢神宮に太古の秘密が隠されていた！

天狗文字とよく似たふしぎな文字がある日本各地の神社の中でも、最大級の文字の宝庫とみられる伊勢神宮。ここは、日本の天皇家の祖アマテラスをまつるきわめて由緒ある大社だ。伊勢神宮の神宮文庫には、ごらんのとおり、古くから〝学問の神様〟として崇められてきた菅原道真や、平将門をはじめとする平安時代の有力者の奉納文が一〇〇点近く収められている。が、その文字は漢字でも仮名でもない。アヒルクサ文字やイヅモ文字と呼ばれてきた出所不明の謎の古代文字なのだ。

日本ではこれまで、奈良時代以前、漢字以外の文字もなければ、漢字以前の文字もなかったことになっている。が、どうだろう。神宮文庫には、奈良時代に活躍した太安万侶（おおのやすまろ）（『古事記』の編者）や稗田阿礼（ひえだのあれ）（『古事記』の語り部）、舎人親王（とねりしんのう）（『日本書紀』の編者）らが残した各種の神代文字奉納文が伝わっているのだ。奉納文の文字は六種類以上あるが、それぞれの文字が仮名の成立以前から使われていたことははっきりしている。とすると……。

丹代貞太郎・小島末喜著『伊勢神宮の古代文字』（私家版）参照

菅原道真のアヒル文字奉納文

藤原忠文のイヅモ文字奉納文

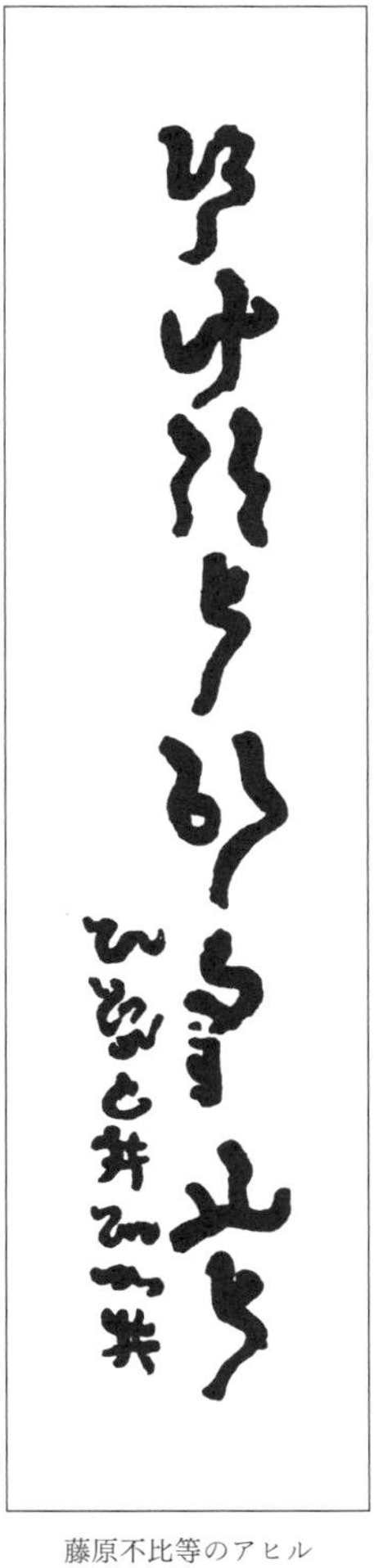

藤原不比等のアヒルクサ文字奉納文

三条公冬の絵文字奉納文

宗良親王のアワ文字奉納文

平将門のタネコ文字奉納文

基本文字をマスターしよう

その①アヒルクサ文字

伊勢神宮の奉納文九九点に使われた日本の古代文字の中で、全体の六割近く（これまでの調査では五七点）を占めるのがアヒルクサ文字だ。

アヒルクサ文字は九州・対馬の阿比留家に伝わる神代文字の一種で、江戸時代の国学者・平田篤胤（ひらたあつたね）がアヒル文字の草書体とみなしてそう名づけた文字である。

そのアヒル文字が一五世紀に成立した李氏朝鮮ハングル文字（諺文（おんもん））のルーツと唱えられたところから、アヒル文字で書かれた神宮文庫の奉納文は、こともあろうにGHQの圧力を受けた神宮皇学館学長の山田孝雄（よしお）によって「ニセモノ」扱いされた。

しかしこれらの奉納文は、明治五年に朝彦親王殿下が教主を務める神宮大教院の手で書写復元された皇室ゆかりの権威ある品々である。過去千数百年にわたって日本の伝統と文化遺産を守り続けてきた伊勢神宮の神宮教院が私たちをだますためにこれらの奉納文をでっちあげたなどということはありえない。

伊弉諾神社の神璽
アメノ
カクリ
ノミヤ

雄山神社の神璽
タチヤ
マノカミ
ノシルシ

35頁のお札の解読結果

ヒ ム モ シ ツ タ ウ リ ス レ
ツ ナ チ キ ワ ハ オ ヘ ア ケ
ミ ヤ ロ ル ヌ ク エ テ セ
ヨ コ ラ ユ ソ メ ニ ノ ヱ
イ ト ネ ヰ フ カ サ ク ホ

右神代文字者推古天皇端正元己卯年所執於當社也相
傳云天八意命之御作厩戸皇子之御書也
伊夜比古神社神主
高橋兼之
廿文明九丁酉歳

新潟の伊夜比古神社に伝わるアヒルクサ文字

東京・五日市の阿伎留神社に伝わる銅板の写し

伊勢神宮のアヒルクサ文字奉納文
上記の文字表と見比べれば、なんと書かれているかわかる。解読結果は46頁を参照。

アヒルクサ文字の解読例①

美しの杜にあった！ 神のみ宝

日本各地の神社にはアヒルクサ文字で書かれた記録が今もいくつか秘蔵されている。長野県駒ヶ根市赤穂町の美女森大御食神社に伝わる『美社神字録』もその一つだ。全文アヒルクサ文字とアワ文字を混用して記されたこの記録には、左記のような内容が記されている。

この『美社神字録』は、古史古伝の研究者として名高い吾郷清彦が一九六七年に復刻し、その解読文を『美しの杜物語』と題して『日本神学』誌上に紹介したものだ。ここには「美しの杜、大御食乃社の御宝、頭槌の御剣、一尺五寸、磨刃、五寸余一分云々、八花形の御鏡、直径、八寸余」と書かれている。

その執筆者は、遠い昔、アマテラスを岩戸から世に出した知恵者の神・思兼尊の子孫にあたる赤須彦と伝えられるが、正確な成立年代はわからない。

しかし半田稲荷（東京都葛飾区東金町）の神さびたアヒルクサ文字碑文を見ると、この『美社神字録』もよほど古い時代に原版が作られたものとみられる。

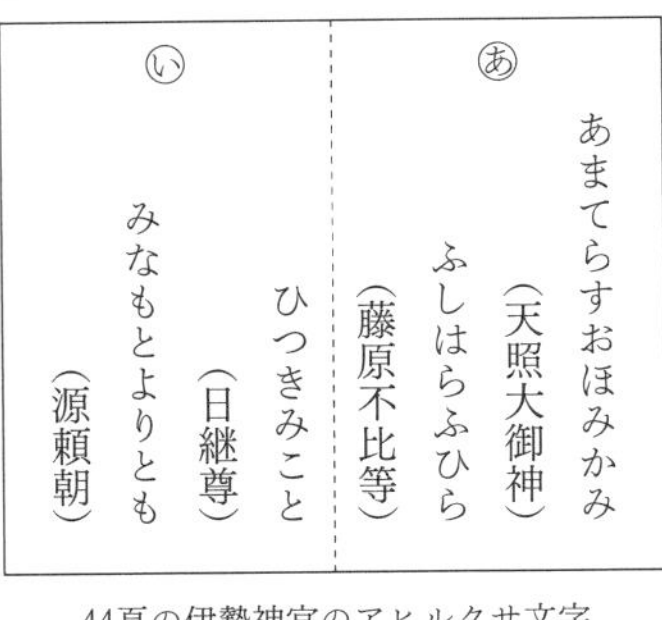

44頁の伊勢神宮のアヒルクサ文字奉納文の解読結果

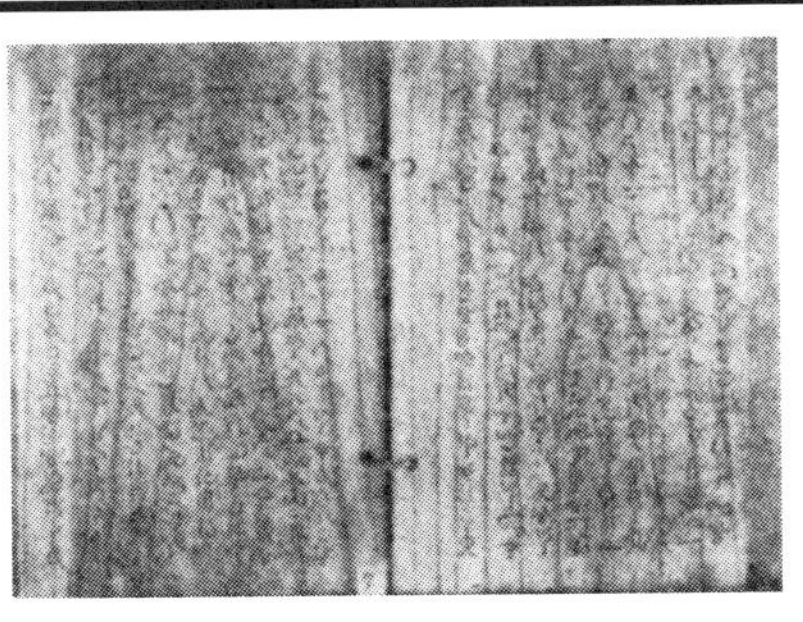

『美社神字録』木簡

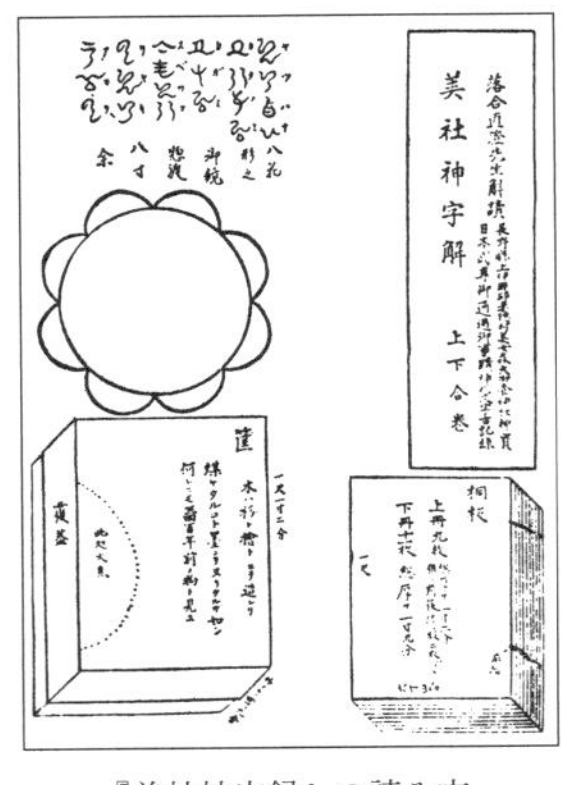

『美社神字録』の読み方

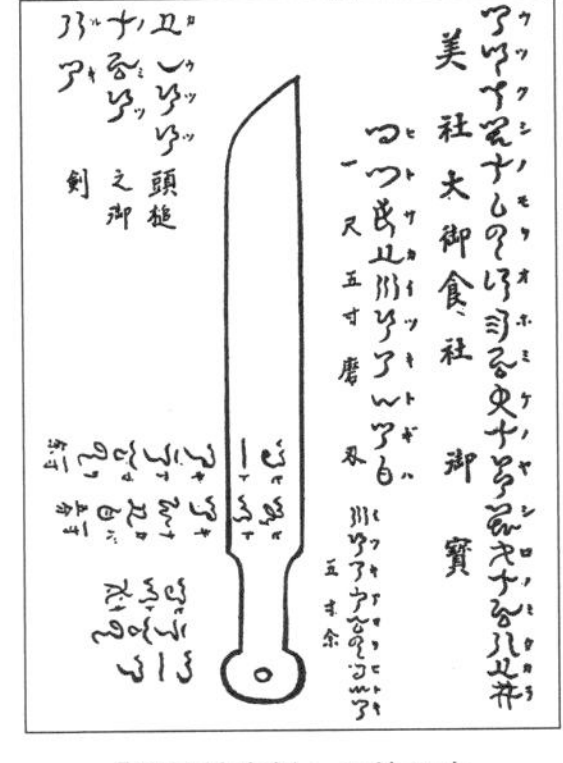

『美社神字録』の読み方

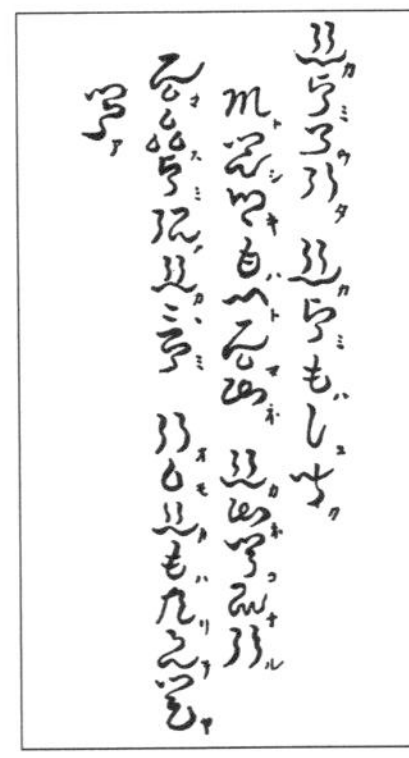

半田稲荷碑文
解読例は、1887年（明治10年）に来日した考古学者ケンペルマンによってドイツ語の雑誌に紹介されたものだ。

アヒルクサ文字の解読例②

神宝の守り手はなぜ消されたか？

古代の日本では美社のように鏡と剣、そして勾玉の三種が大切にされてきた。かつては宮中の賢所に祭祀されていた八咫鏡は、一説によれば、平安時代の初めに筑波の女体山にひそかに移されたという。筑波の女体山で見つかった次頁の図の鏡が問題の八咫鏡であるかは不明だが、この鏡の表面にもアヒルクサ文字が刻まれている。

このほかにもアヒルクサ文字が刻まれた古代の遺物はいくつもある。にもかかわらず、その存在が長いあいだ隠されてきたのはなぜか？

それは六六三年の白村江の敗戦で日本が中国（唐）に占領され、漢字以前の文字記録をことごとく消されてしまったからではないか。

九州・高千穂山中に残された石碑には、漢字以前の文字（神代文字）の秘密を最もよく知っていた稗田阿礼らが闇の勢力によって暗殺されたと記されている。

日本の神代文字とそれを用いて書かれた古い記録を抹殺しようとした恐るべき力が、これまで一三〇〇年余り、日本固有の文字の存在を否定し続けてきたことが十分に考えられるのだ。

高千穂碑文の解読結果

		従来の読み方		新しい読み方
1	[illegible]	㋪	は（ヒ）〔従来との一致点はこの1字だけ〕	㋪
2	[illegible]	フ	と（フ）は別／は（エ）	エ
3	[illegible]	ミ	と（ミ）は別／は（タ）	タ
4	[illegible]	ヨ	と（ヨ）は別／は（ノ）	ノ
5	[illegible]	イ	と（イ）は別／は（ア）	ア
6	[illegible]	ム	と（ム）は別／は（レ）	レ
7	[illegible]	ナ	と（ナ）は別／は（モ）	モ
8	[illegible]	ヤ	と（ヤ）は別／は（コ）	コ
9	[illegible]	コ	と（コ）は別／は（ロ）	ロ
10	[illegible]	ト	と（ト）は別／は（サ）	サ
11	[illegible]	モ	と（モ）は別／は（レ）と同じ	レ
12	[illegible]	チ	と（チ）は別／は（キ）	キ

高千穂碑文
これまで誤って「ヒフミヨ…」と読まれてきたこの碑文には、「稗田阿礼も殺されき」と書かれていることがわかった。詳しくは『太古、日本の王は世界を治めた！』（徳間書店刊）を参照。

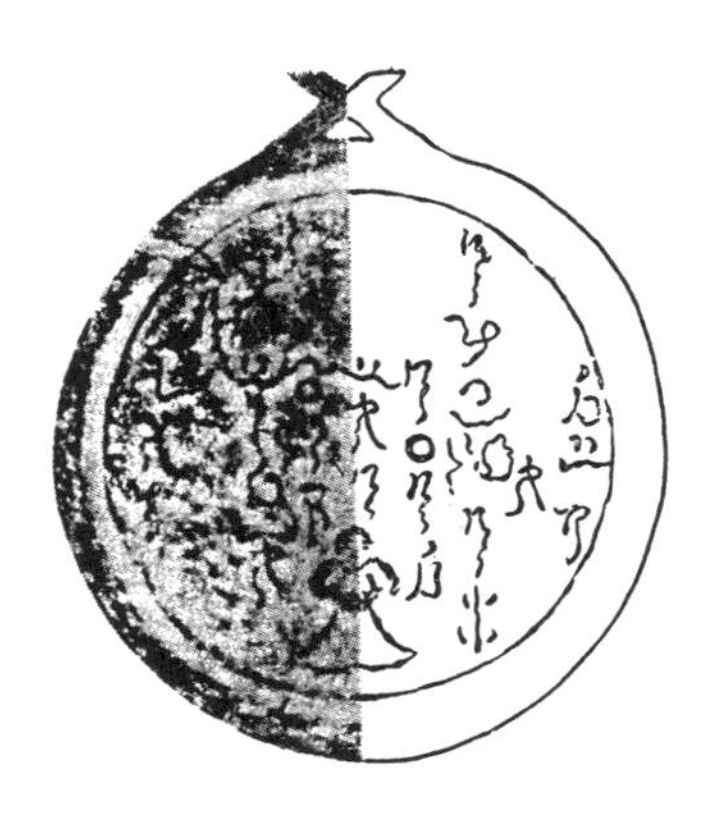

筑波八咫鏡古字
この鏡に刻まれたアヒルクサ文字は、春日道彦によって「絵姿招ぎ　地上招ぎ　生命保持　絵姿生真写の和絵姿　作る　ニリモ」と読まれた。しかし、別の読み方もできるかもしれない。

基本文字をマスターしよう

その②イヅモ文字

すでに見た伊勢神宮の奉納文の中には、アヒルクサ文字の奉納文のほかに、イヅモ文字と呼ばれる神代文字で書かれたものもある。

このイヅモ文字は、平田篤胤の『神字日文伝(かむなひふみのつたへ)』によれば、出雲大社の近くにある書嶋(ふみしま)石窟の岸壁に刻まれて古くから伝えられた出雲の国の文字とみなされ、〝イヅモ文字〟と名づけられた。

『日国是文字源』を著わした高畠康寿は、イヅモ文字についてこう記している。

> 出雲文字と云ふは出雲国にて発見せられたる神代文字を云ふなり。次に掲げたるは、出雲の国大社の辺りに文嶋(フミシマ)といふ島ありて、その島に石窟あり。その石窟の大巌壁に彫刻せられたりといふ。橘三喜翁がその事跡を尋ね、之を写して伝へたり。これは平心舎光頼・永岡久近・矢島受福・喜多知貴の諸氏の手に伝へられて、最後に平高潔の手にありしを写したるものなり。

このイヅモ文字は、われわれの調査によれば、すでに古墳時代の鏡や弥生時代の鏡と銅鐸にも刻まれていることが確認されている。

〔子〕ネ　〔酉〕トリ　〔午〕ムマ　〔卯〕ウ

古墳時代の鏡に刻まれたイヅモ文字

数奇な運命を経て今日まで伝えられたイヅモ文字

伊勢神宮のイヅモ文字奉納文
解読結果は52頁を参照。

イヅモ文字の解読例

イヅモ秘文には何が書かれている?

古史古伝の一書として知られる『竹内文書』によれば、イヅモ文字は上古第十五代九世豊雲野(とよくもの)天皇の作とされ、〝トヨノ文字〟と呼ばれたと伝えられる。

探検協会では、この豊雲野がポウウンヌ、すなわちポニウネを意味するところから、太古日本の豊雲野天皇がアイヌの『ユーカラ』に登場する英雄ポイヤウンペの兄、コタンカラカムイ(国常立神(くにとこたちのかみ))の息子のポニウネ神(カムイ)をさしていて、平田篤胤らによってイヅモ文字と呼ばれたトヨノ文字が成立したのは、紀元前八世紀の戦争と異変の時代(叙事詩の時代)ではなかったかと考えてみた。

このイヅモ文字は、古代の日本で祈禱(きとう)やまじないの秘事にかかわる言葉を記すために用いられた。神仙道の大家である宮地堅磐(みやじかきわ)が伝えた次頁の秘文はその代表例だ。

この秘文を読み解いて清らかな言霊(ことだま)を発すれば、不治の難病さえ治せるという、とても霊験あらたかなまじないの文なのである。

50頁の伊勢神宮のイヅモ文字奉納文の解読結果

あまのうすめのみこと（天宇受売命）
ふしはらたたふみ（藤原忠文）
あまつこやねのみこと（天児屋根命）

宮地家が伝える〝出雲のまじない文〟
50頁の文字表にもとづいて読んでみると、下記のような解読結果が得られる。

『禁厭ノ秘事秘文』の訳

①外（ソト）より感（カマ）けたる病（ヤマヒ）を禁厭（マジナ）ひ癒（イヤ）す
大己貴尊（オホナムチ）の奇しき重太宣言（シキノリコト）

②悪気（アシケ）に感（カマ）けし者の目（マ）のあたりに鏡を立て、
左に桃の木、右に柊（ヒヒラキ）を置き、
また、後（ウシロ）の左には火、右には水を置きて、
後（ウシロ）より唱へよ。

③天地（アメツチ）の中に行き交（カ）ふ火なれや、
火の氣（キ）。水なれや、
水の氣（キ）。

④あらゆる悪気（アシケ）・物（モノ）の風の共憑（ムタヨ）り纏（マツ）ひ、
感（カマ）け入る悪気（アシケ）・憑気（ツキケ）
土の上の火・水の……

イヅモ秘文の解読結果
古代医学のようすを伝えるこの一文は、出雲神話に登場するオオクニヌシの処方を記したものか？

◉ユーカラ

北海道のアイヌに伝わる世界的叙事詩。金田一京助の研究で世に知られるようになったこの叙事詩は、アイヌの祖神コタンカラカムイとその息子ポニウネカムイ、そして少年英雄ポイヤウンペなどが登場する天界と地上の一大戦争恋愛物語である。

高橋はこの『ユーカラ』に登場するポイヤウンペが、紀元前八世紀のバーラタ核戦争で活躍した英雄ドゥリヨーダナであり、トロイ戦争で亡くなった英雄アレクサンドロス・パリスと同一人物であることを、その著『謎の新撰姓氏録』（徳間書店）の中で証明している。

その③トヨクニ文字

『竹内文書』の大部分に記録用文字として使われたトヨクニ文字は、平田篤胤の『日文伝』が世に出た年（文政二年／一八一九年）の一二年後に発見されたもう一つの古史古伝、『上記（うえつふみ）』の全文を記録するために使われた文字でもある。

現在、大分県の県立図書館に保管されているこの『上記』によれば、紀元前の日本では左図のような古体象字と新体象字の二つが使われていたという。

『竹内文書』はこのトヨクニ古体象字が紀元前七世紀のウガヤ天皇の時代に広い地域にまたがって使われていたと述べている。そしてこのことを裏づけるかのように、トヨクニ文字は日本の各地、南は九州から北は北海道に到る地域の古い神社の境内で見つかっている。

第二次世界大戦前まで〝サンカ〟と呼ばれる謎の民がスサノヲの時代からひそかに伝えてきたといわれるサンカ文字は、トヨクニ文字そのものだった。そして現在使われている片仮名が、トヨクニ新体象字とよく似ているのはなぜだろうか。

古体象字				
オ	エ	ウ	イ	ア
子 コ	毛 ケ	繰 ク	木 キ	蚊 カ
麻 ソ	背 セ	巣 ス	雫 シ	刺 サ
戸 ト	手 テ	粒 ツ	乳 チ	田 タ
野 ノ	根 ネ	沼 ヌ	荷 ニ	魚 ナ
穂 ホ	綜 ヘ	[illegible] フ	火 ヒ	葉 ハ
漏 モ	目 メ	蒸 ム	身 ミ	眉 マ
夜 ヨ	柄 エ	湯 ユ	射 イ	矢 ヤ
梶 ロ	切 レ	見 ル	針 リ	腹 ラ
紆 ヲ	繪 ヱ	生 ウ	居 ヰ	輪 ワ

トヨクニ新体象字
カタカナのルーツを見直す必要がある。

トヨクニ古体象字
第２次大戦前まで、日本の秘密結社で使われていた。

太古、日本の文字はカムナと呼ばれた！

通説によれば、片仮名（カタカナ）は平安時代の初めに吉備真備が漢字の一部をとって創作した文字だということになっている。

が、われわれ日本探検協会がトヨクニ文字とカタカナのつながりを調べたところ、どうやらカタカナのルーツは吉備真備以前から象形神字と呼ばれてきたトヨクニ文字に求められることがはっきりしてきた。

その証拠に、トヨクニ新体象字とカタカナを見比べてみると、現在のカタカナの四七文字のうちほぼ半数が、新体象字そのものである。これに新体象字の濁音表記用の文字を加えれば、その割合はさらに高くなる。

ということは、平安初期に吉備真備が現在のカタカナを制定するにあたって、トヨクニ新体象字、すなわち古代日本の象形神字を手本にしたことを意味している。

ともあれ、古代の日本でカタカムナとかカタカナと呼ばれてきたトヨクニ文字で記された伝世品や遺物は多い。その代表ともいうべき『上記』には、はたして何が書かれているのか。

トヨクニ新体象字で書かれた『上記』

〔解　　読〕

大宗家　皇祖　皇太神宮　の
茸不合　三代　の　後巻
天　皇　より　記録す　奉り

〔解　　読〕

十種神宝・三種神器
万国大宗家　御世御代　の　天皇霊神
万国の大宗家　皇祖　皇太神宮　五色人乃祖神
天津神霊・国津万霊神霊守
天忍穂身天皇　記録し

トヨクニ古体象字で書かれた『竹内文書』

古代アイヌが文字をもっていた？

その昔、世界的に貴重な叙事詩『ユーカラ』を残したアイヌの言い伝えによれば、彼らの祖先は〝シュメレンクル〟とも呼ばれたという。シュメレンクルとは、紀元前のメソポタミア（今のイラク）に謎の文明を残したシュメール人という意味だ。そんなにも古いいわれをもつアイヌであるなら、当然メソポタミアに世界最古の文字を残したシュメール人と同じように、アイヌの祖先もまた文字をもっていたはずだ。が、これまでの歴史教科書には、そのような事実は一切紹介されていない。

ところが、そのアイヌは確かに文字といえるものをもっていた。左図をごらんいただきたい。これらの文字は、明治二〇年に東京人類学会誌に東大教授の坪井正五郎博士が発表したものだ。当時の国語学者・落合直澄(おちあいなおずみ)は、これらの遺物を保管していたのがアイヌであったところから、その文字を〝アイノ文字（アイヌ文字）〟と命名した。アイヌ語をこの文字で記録した例は見つかっていないが、〝北海道異体文字〟は確かに存在したのだ（この文字は正確にいえば、坪井博士の報告書に記されたように〝北海道異体文字〟と表現すべきだろう）。

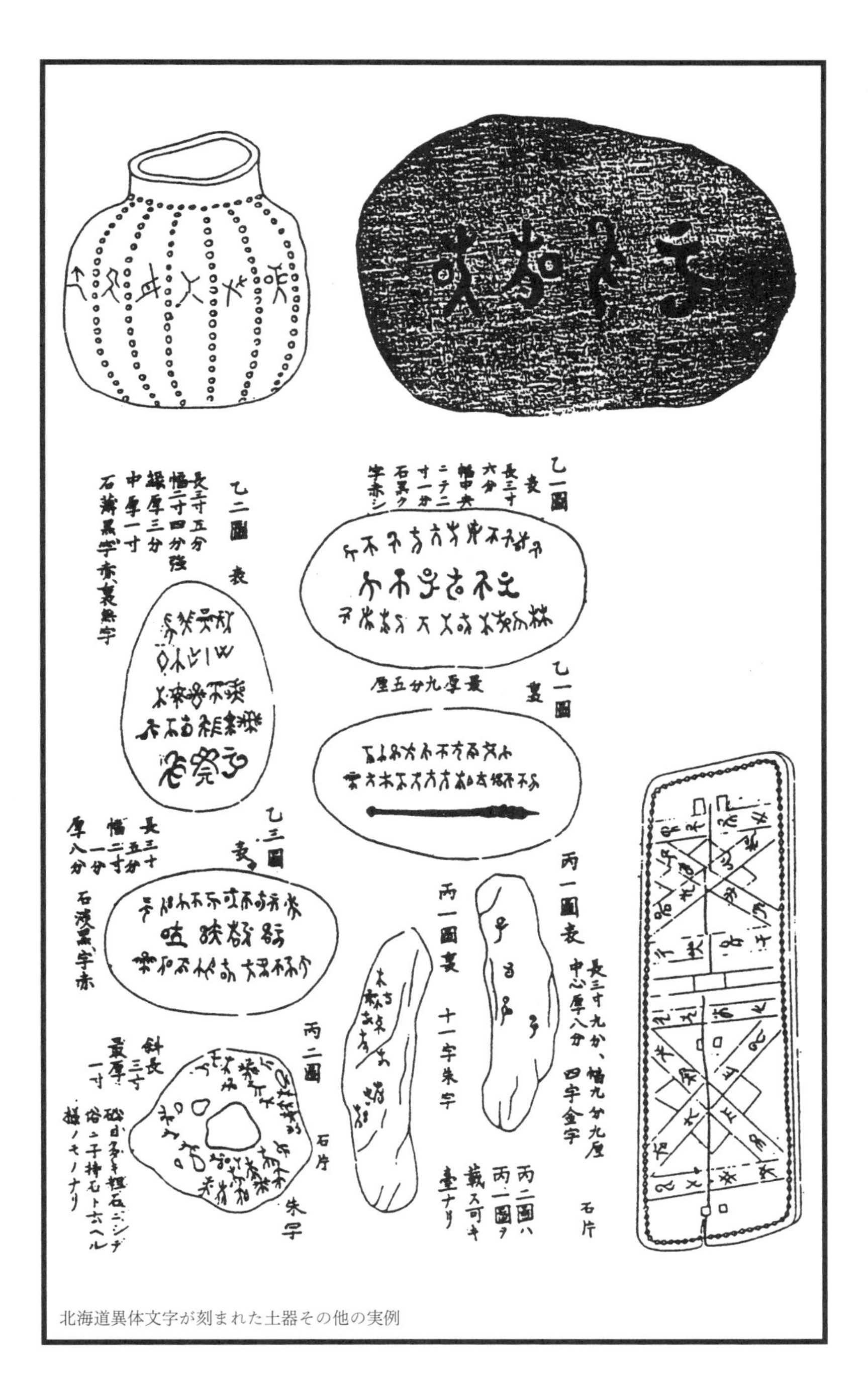

北海道異体文字が刻まれた土器その他の実例

その④北海道異体文字

問題は、このような文字の存在を北海道のアイヌがいつ頃から知るようになったか、という点である。発見当時、逓信大臣をしていた榎本武揚は、この文字を〝千古の文字（何千年も前の文字）〟にちがいないと鑑定した。この文字が日本で使われたのはいつ頃かはっきりしないが、これらの遺物とともに出土した六角柱碑文は、今から二七〇〇年前にメソポタミアの全域を支配していたアッシリヤ帝国の六角柱碑文と形がよく似ている。ということは、これらの遺物もまた、二七〇〇年前にアッシリヤとなんらかのつながりがあった人々の手で残されたことを意味していないだろうか。

落合直澄は〝アイヌ文字〟の構造を調べた結果、その読み方を左図のような五〇音図にまとめて復元してみせた。しかし彼は、それぞれの遺物に刻まれた肝心の文字については、具体的な解読結果を発表していない。これらの文字群は今もあい変わらず謎につつまれた未解読文字なのだ。君たちの中にこれらの文字を読み解く人が現われたら、それこそ世紀の大発見になることはまちがいない。にもかかわらず、これまで北海道異体文字の解読に挑戦してみようという人が現われなかったのはどうしたわけか？

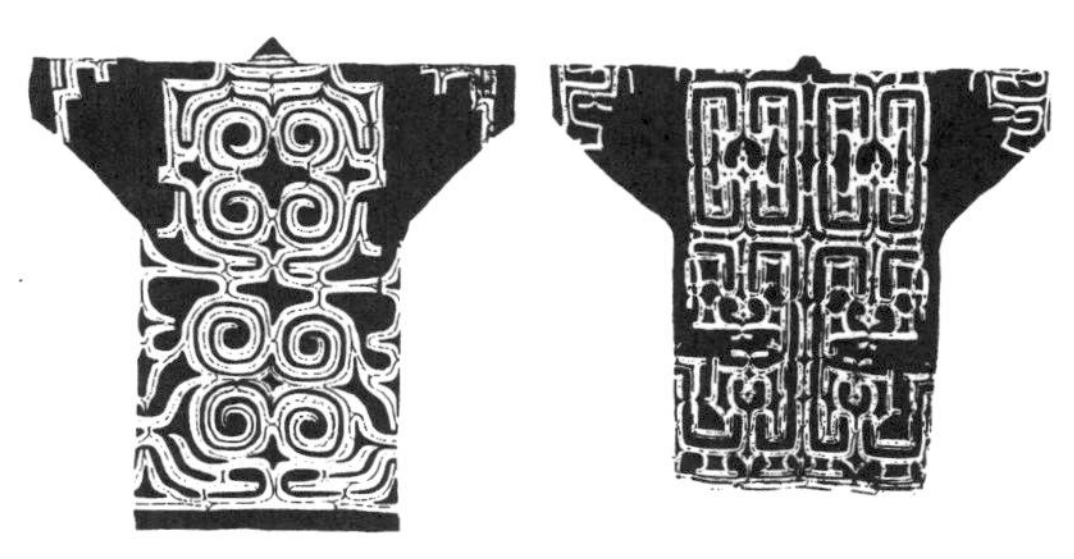

厚司（あつし）と呼ばれるアイヌの刺繡衣
縄文土器の文様とよく似たこれらの刺繡は、北海道異体文字を図柄化したものではないか？

吾郷清彦が紹介した
合体字例

は・〇一木の四字連合

なお、合体字のほかに草体と思われるものがある。

は木の草体、は・の二字連合草体

は十とＡと〇の三字連合草体、は〇との二字連合草体

右の四字は、その一例である。

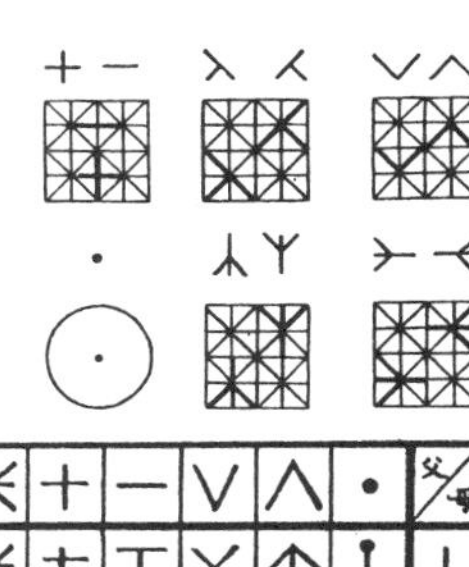

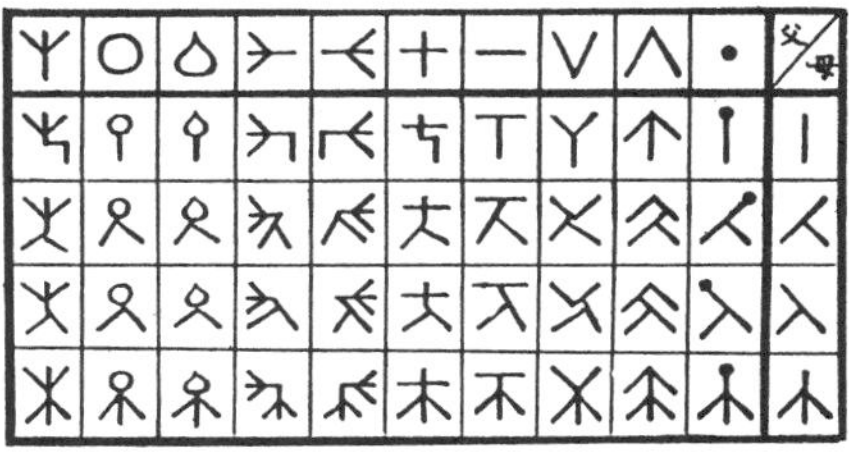

落合直澄が復元した北海道異体文字の字源と50音図

北海道異体文字の解読例

合体字(アワセナ)がカムナ解読の極意だ！

われわれ探検協会はこう考えた——これは、今までの日本の「知識人」の怠慢ではないか。明治以来の「文明開化」ですっかり西洋中心の物の見方、歴史の見方に洗脳されてしまった日本人が、自分の生まれた国の歴史をすっかり見失ってしまったからではないか、と。

日本には紀元前の縄文時代から文字があり、すべての生命と自然を大切にする高度な文明と思想があったのに、それを見失ってしまったのはなぜなのか。その原因を追求し、日本の歴史の見直しを進めていくうちに、われわれが発見したのは、縄文時代の日本で、〝永遠の生命〟と、〝豊かな自然〟に憧れていた私たちの祖先が、とんでもない事件に巻きこまれてしまったという事実である。

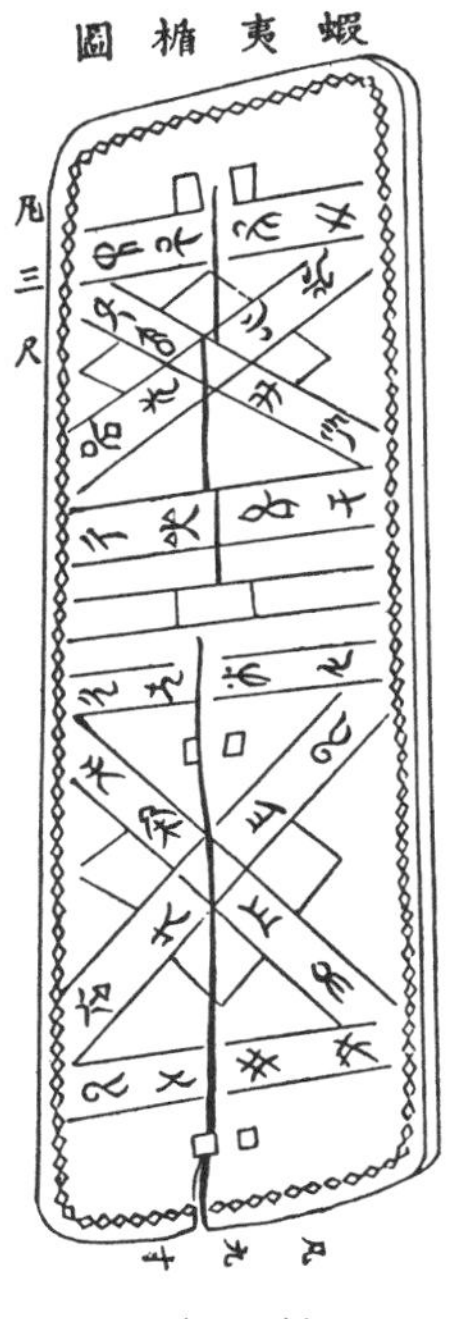

アイヌが伝えた楯
表面には北海道異体文字が刻まれている。これを読み解くのは誰か？

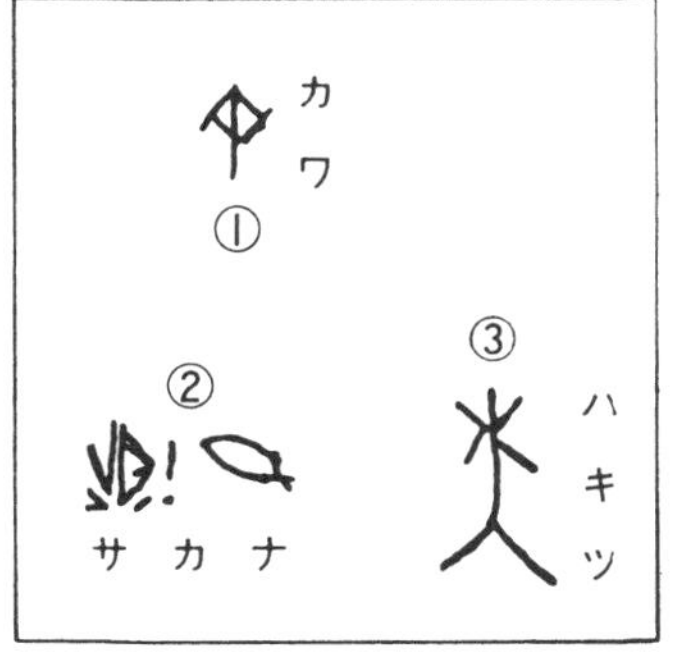

フゴッペ洞窟北壁の碑文（北海道小樽市郊外）
北海道異体文字で「イノシシ（食獣）ら居　川魚は来つ」と読める。①②③が合体字となっている。

フゴッペ洞窟の謎の刻画
翼をもった人物の絵は、アフリカや南米、シベリアなどでも見つかっている。

こんなにもある！　北海道異体文字の未解読例

　われわれがこれまでの歴史をもう一度見直してみると、紀元前のティルムン＝日本のカラ族は前八世紀のスターウォーズと地球規模の異変によって滅亡し、カラ族の縄文宇宙文明の歴史は、前七世紀以降、東洋に侵入してきたアッシリヤ～アーリヤ～アヤ（漢）人の手で次々に覆い隠されてしまったことがわかってきた。

　しかし、時代は今や大きな転換期を迎えている。太古日本の宇宙文明が再びよみがえろうとしている。その確かな手がかりが、カラ族の残したこれら太古の文字を解読することによって得られようとしているのだ。

第11図の12　獣皮金字

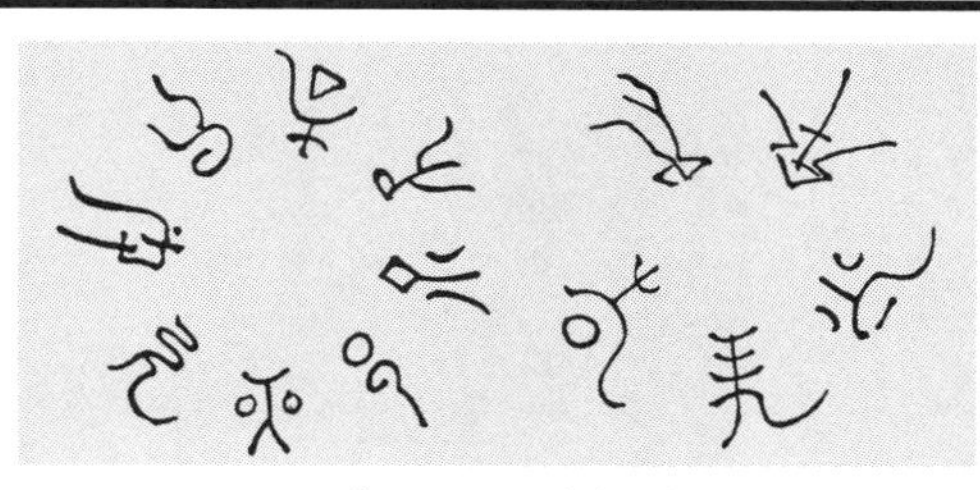

第11図の13　木皮朱字

第11図の14　木節朱字

第11図の16　日本紙朱字

第11図の17　帯状朱字（本皮朱字）

第11図の18　太刀吊朱字

第11図の19　蝦夷楯古字

第11図の15
木板朱字

落合直澄が紹介した北海道異体文字（アイノ文字）刻文の実例

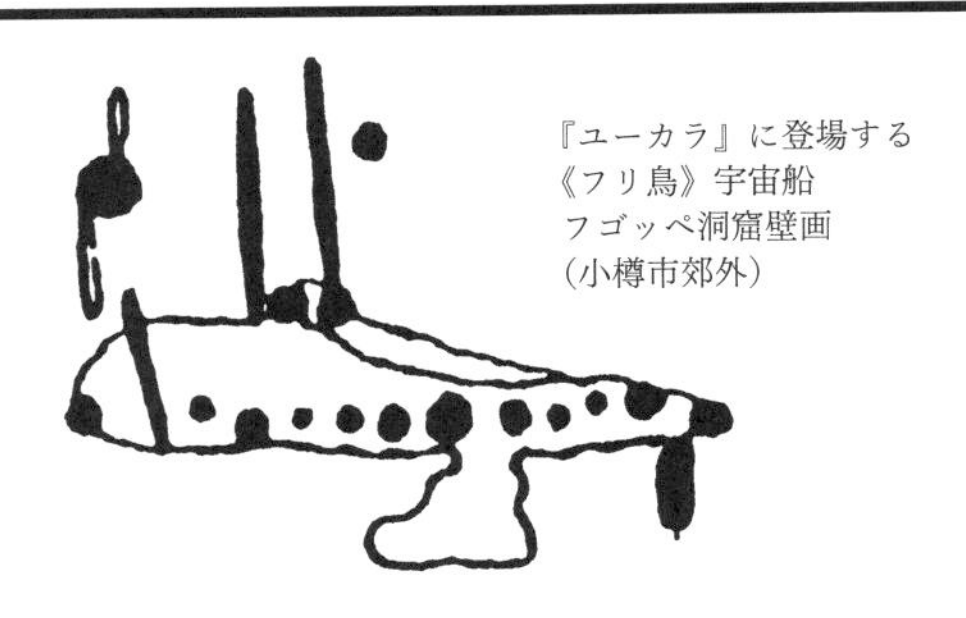

『ユーカラ』に登場する《フリ鳥》宇宙船
フゴッペ洞窟壁画
（小樽市郊外）

図番	名称	所有者	所有者の住所	摘要
十一の一二	獣皮金字	荘司平吉？	北海道余市郡余市村	所有者に？のあるは、『古字考』に明記なきも、文面より、荘司氏と推定したことを表わす。
十一の一三	木皮朱字	アイヌ人フクスケ	北海道古平郡余別村	
十一の一四	木節朱字	同　トミシュス	同　余市郡川村	
十一の一五	木板朱字	同　右	同　右	
十一の一六	日本紙朱字	荘司平吉？	北海道余市郡余市村	
十一の一七	帯状朱字	同　右	同　右	材質不詳
十一の一八	太刀吊朱字	同　右	同　右	この太刀吊りとは吊り帯であろう。
十一の一九	蝦夷楯古字	同　右	同　右	獣皮製のもののごとし。

アイノモジ使用の諸具・諸品表

第2の扉　古代日本の神代文字

ヒツキヲ
アタヘム

THE SECOND GATE

今や、伝説の神々がよみがえり始めた！

第二次世界大戦に敗れた日本は、過去半世紀の間、日本とアジアを否定して欧米に同化しようとしてきた。その結果、今日の多くの日本人は学校で日本神話を教えられることもなく、アイヌの叙事詩『ユーカラ』や沖縄の『おもろ草紙』がもつ世界的な重要性を知ることなく、「大人」になっている。

しかし、過去半世紀に日本の文部省と大学教授たちが作りあげてきた歴史の教科書は、欧米と中国の学者の説を受け売りするだけで、紀元前の日本と世界のほんとうの歴史を教えるものではない。

そもそも西洋の考古学がロゼッタ・ストーンの解読から始まったのに、日本の考古学者が日本固有の文字をまじめに研究しないのは、みずからの学問と日本の伝統を否定する行為ではないか。

しかし、真実はいつまでも沈黙してはいない。これまで否定され続けてきた日本神話の神々の名が記された遺物が、今や確かな形でよみがえり始めたのである。本書で神代文字の知識を身につけた君たちがすばらしい発見をし、地球規模の大いなる謎解きに挑戦できる時代になったのだ。

愛媛県樹之本古墳出土の鏡
表面に刻まれた銘文の文字はイヅモ文字だ。さっそく解読に挑戦してみよう。解読プロセスは71頁を参照。

樋口隆康著『古鏡』（新潮社）参照

古墳時代の文字①

島王（セマキシ）のイルヒはどこから来た？

奈良時代にまとめられた『古事記』と『日本書紀』の神代の巻に登場する「ニニギ」の名が四国出土の古墳時代の鏡にイヅモ文字で記されていたことは、われわれ探検協会にとって驚きだった。

これまでの考古学の権威によって「長相思母口忘楽未央」と〝漢字読み〟されてきた文字は、正確にいえば、「ニニギを称（たた）へまつる」と読める。これと同じことが、古墳時代の別の鏡に刻まれた文字についてもいえるのではないか。

こう考えて奈良市山陵町の〝日葉酢媛（ひばすひめ）陵〟から出土した鏡の写し（宮内庁書陵部蔵）の文字を調べてみると、さらに意外なことがわかってきた。解読結果をごらんになればおわかりのとおり、この御陵の主は〝狭木之阿毎彦命（せまきしあもひこのみこと）イルヒ〟であり、彼は〝癸未年（キミノトシ）（二〇三年）〟に、その頃〝日高見国〟と呼ばれた日本列島の東部を征服して〝オオヒコ〟と呼ばれたというのだ。

その「島王（セマキシ）」が「大句麗王（マハアクルラアマ）」の将軍であったことは何を意味するのだろうか。

69頁の樹之本古墳出土の鏡の解読プロセス

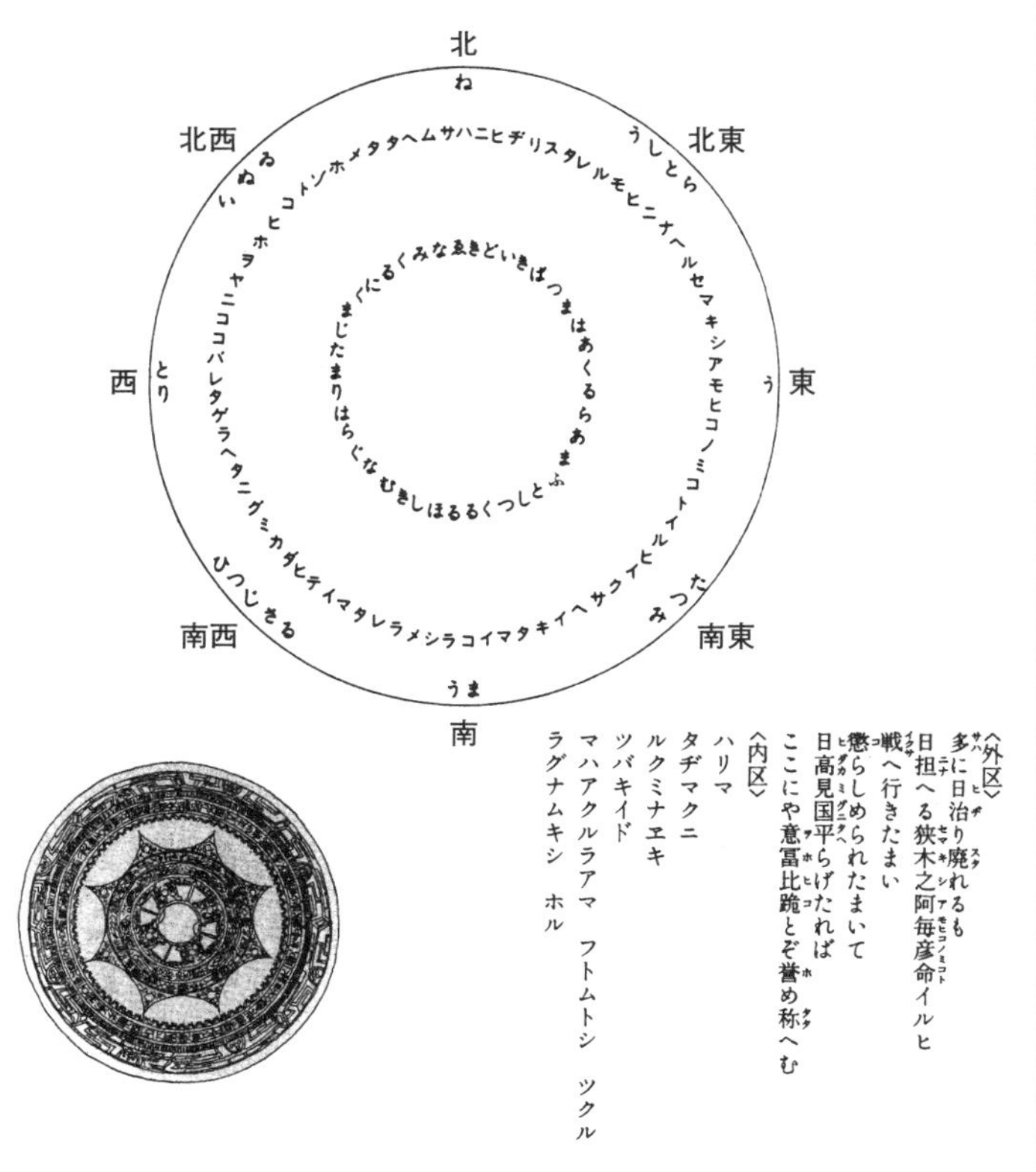

狭木之寺間陵出土の鏡（奈良市山陵町）

垂仁天皇の皇后・日葉酢媛の墓とみられてきたこの寺間陵の被葬者は、３世紀の日本で活躍したセマキシ（狭木之）という人物であることが解読結果から判明した。彼を日本に派遣したマハアクルラアマは高句麗の大王だ。鏡の作者は楽浪吉師（ラグナムキシ）である。この鏡は後漢の滅亡後に魏と手を組んで、呉・高句麗・狗奴国と戦った邪馬台女王国連合が高句麗の支配下に入ったと述べている。

古墳時代の文字②

イルヒは大句麗王(マハアクルラアマ)の将軍？

奈良県新山古墳から出土した別（左図）の鏡にはこう書かれている。

磯城島(シキシマ)に日治(ヒヂ)る
狭木之阿毎彦命(セマキシアモヒコノミコト)イルヒ
癸未年(キミノトシ)に磐余之宮(イハレノミヤ)に居(ヲ)はして
神々を祭りけることいやちこなれば

楽浪国(ラグナムクニ)代々(ヨヨ)知(シ)ろす
大句麗王(マハアクルラアマ)オケオ
これを礼(キヤ)びたまひて
絵師(エシ)に彫(ホ)らせたまひける鏡

右のような解読結果によれば、三世紀の初めに日高見国を平定した島王のイルヒは、〝磯城島〟と呼ばれた奈良県天理市南部の都にあって日本を治めただけでなく、その当時ラグナムクニ（楽浪国）にいた高句麗の大王から王権を保証されたことがわかる。
この時代に九州の邪馬台国は、中国の魏と組んで呉・高句麗と戦っていた。その邪馬台国が卑弥呼の後継者の壱與(いよ)の時代に消息を絶ったことは、邪馬台国がイルヒの統治下にはいったことを意味していないだろうか。

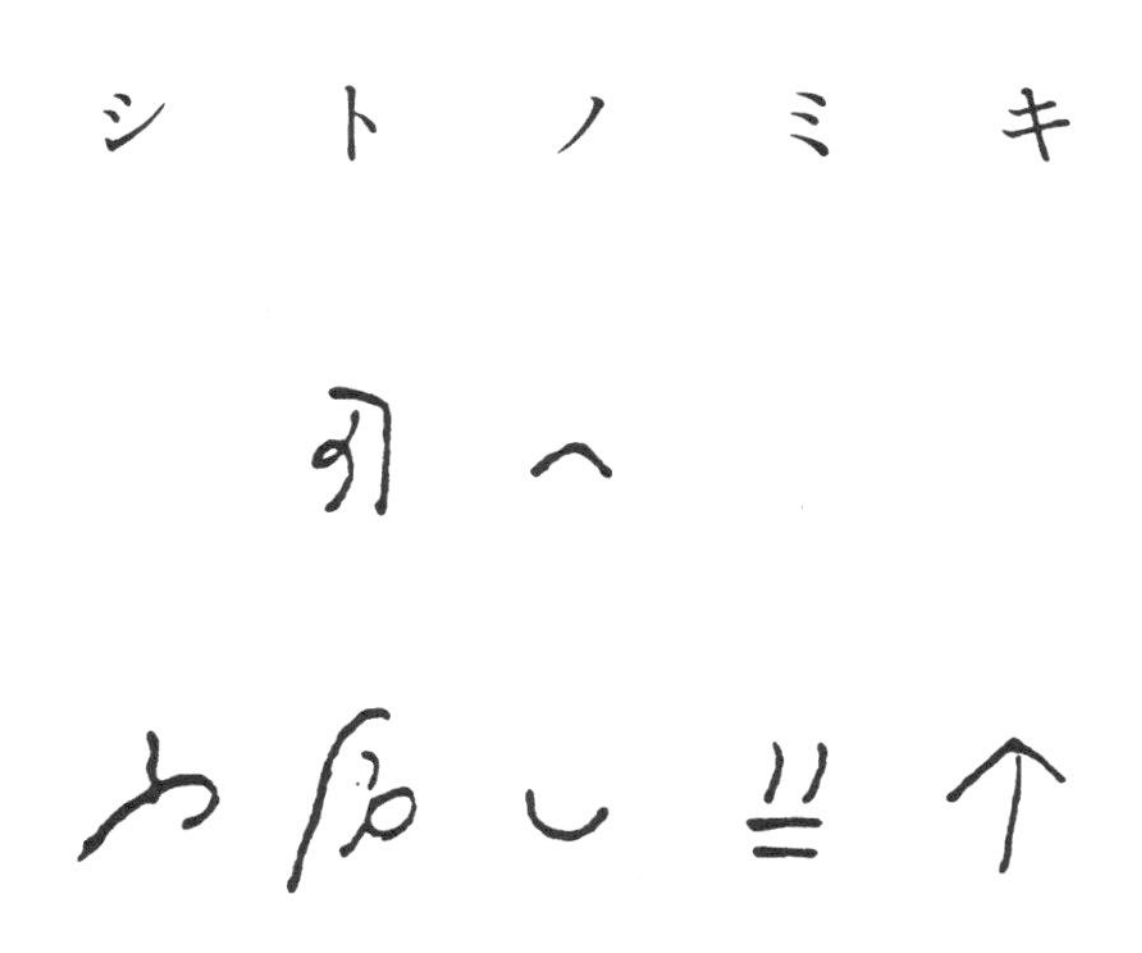

新山古墳出土鏡に刻まれた「キミノトシ」は203年？

奈良県新山古墳出土の鏡（A）

古墳時代の文字③

古代クル族は海洋騎馬民族だった！

『魏書東夷伝』に記された三世紀初頭の邪馬台国と倭国は、新山古墳出土の鏡の銘文を解読した結果、〝阿毎彦命〟と呼ばれた高句麗の将軍イルヒの軍門に降ったことがわかった。『隋書倭国伝』は、六世紀末の日本に君臨していた大王が「阿毎氏」と呼ばれたことを記している。

が、その阿毎氏はどうやら三世紀に邪馬台国を征服して日本列島の「島王」となったイルヒの子孫のようだ。

こうして三世紀から六世紀にかけての日本を治めたのが高句麗の王族将軍〝阿毎氏〟であったと考えると、この期間に日本列島に次々ともたらされた騎馬民族の古墳文化が、海のかなたの朝鮮半島と中国東北部を支配した高句麗王国の文化そのものであったことが十分に考えられる。

そして事実、当時の古墳はすべて高句麗の尺度（高麗尺）で造られているのだ。

その頃の日本人が高句麗人と同じクル族の一派として馬を大切にしたことは、左頁の鏡の銘文を読み解いてみてもはっきりと記されている。

鏡の銘文の解読結果

ここに民ら飢えたれば
斎まはりて神々を奉り　物忌みするに
務め終へたる馬らの馬供養の日も来たれば
馬肥え太り　贄待たる
その贄をば称へまつる日を迎へて
食うて生き延びたるを得たり
屠りたる馬らの供養に記す

奈良県新山古墳出土の鏡（B）
三国時代の戦乱で荒廃した日本列島にやって来た高句麗大和朝廷の将兵は、飢えをしのぐため、彼らが最も大切にしていた馬を犠牲にしなければならなかったことがわかる。新山古墳群からは、高句麗の剣や馬具も出土している。

◉高句麗　伝説の王・朱蒙（しゅもう）が紀元前の朝鮮半島・中国大陸につくった国。

四世紀の広開土王と五世紀の長寿王の時代に最盛期を実現し、七世紀の初めには隋の百万の大軍を破って中国大陸を制覇する勢いを示したが、隋のあとに興った唐と戦って六六八年に滅びたことになっている。

しかし、最近の研究によれば高句麗最後の宝蔵王の息子は日本史上有名な〝壬申の乱〟で唐の軍隊を朝鮮半島から駆逐した天武天皇ではなかったかとみられており、高句麗の王家は、三世紀から七世紀まで日本海をとりまく広大な地域を治めていた日本の天皇家そのものではなかったかと考えられる。

古代高句麗と日本のつながりを見ると、両国は同じ韓（カラ）族として共通の歴史をもっていた可能性もある。

古墳時代の文字④

仏教の〃魂の輪廻〃を信じたクルの人々

古墳時代の日本人がかつてインドや中国大陸、朝鮮半島で活躍したクル族であったことは、近年の研究で急速に明らかになり始めている。

一九九〇年に『謎の新撰姓氏録』を著わした高橋は、その中でインドのクル族がタイのチエンマイ、中国・朝鮮の久留（くる）や沸流（ふる）（高句麗の古都・通溝（つうこう））を経て日本列島にやって来たことを明らかにしている。日本探検協会が一九九〇年から九四年にかけて実施した数次のインド調査によっても、紀元前の日本人がデカン高原の各地で活躍し、日本語碑文を残したことがはっきりしてきたのだ。

日本探検協会の幸沙代子（ゆきさよこ）によれば、紀元前六世紀のインドで仏教を開いたブッダ（釈尊）はクル王イハレヒコの孫であり、当時の日本人の多くは仏教の〃魂の輪廻〃を信じていたという。その証拠の一つとみられるのが、国宝の隅田八幡（すだはちまん）人物画像鏡に刻まれた輪廻図と隠し文字である。

死と再生によってくり返される人間の一生を描いたこの画像鏡を見ても、当時の日本人が中国人とはちがった独自の宇宙観をもっていたことがうかがえるではないか。

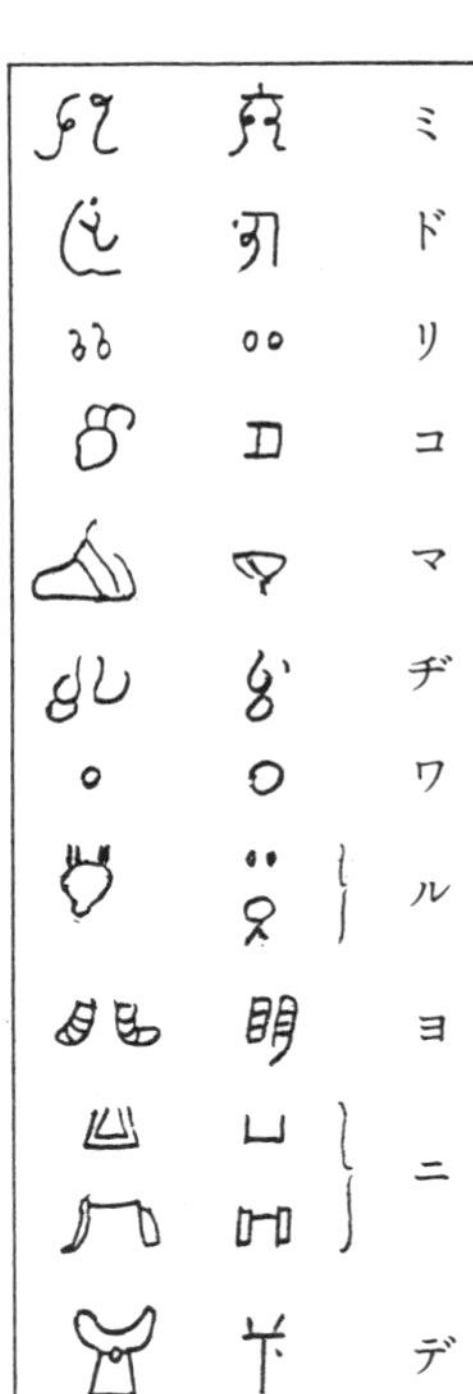

隅田八幡人物画像鏡に刻まれた輪廻図と隠し文字

解読プロセス

◉新撰姓氏録

平安時代の初めに万多親王がまとめた日本の有力氏族の家系由来記。現在の日本で最も多い鈴木・佐藤・高橋一族のルーツを記しているだけでなく、後藤田や海部、三木の祖先として知られる忌部一族の太祖・天日鷲が、エジプト・テーベ王朝最後のファラオ、アイ（日本神話の高木神～高来神～高麗神）の子孫であることなども記している。

これまで『新撰姓氏録』に登場する人名や地名はすべて日本国内の固有名詞と考えられてきた。が、この書物を詳しく調べてみると、日本人の祖先は、紀元前九世紀までエジプトのテーベを世界の都として地球各地で活躍していたカラ族であったことがわかる。

古鏡の未解読文字に挑戦しよう!

これまで日本各地の古墳から出土した鏡の文字はほとんど漢字とみなされ、漢字そのものでないときは漢字を知らない職人の手になる〝異体漢字〟として扱われてきた。

が、その異体漢字とみられてきたものの多くが日本の神代文字で意味をなすことは、すでに見たいくつかの例によっても明らかだ。

とすると、ここに取りあげたその他の異体文字鏡の銘文もまた日本の神代文字で読め、古代の日本語として意味をなすことが十分に考えられる。

従来の研究者は古代の日本に固有の文字がなかったという先入観と偏見をもってこれらの鏡をながめてきたため、われわれの祖先が残してくれた古代の大切なメッセージを読みとることができなかった。

しかし、時代は今、確実にこれまでの歴史の見直しを求めている。君たち自身がみずから日本の古代文字を発見し、自分の手でその文字を読み解いて歴史をつくり変える時代がやってきたのである。さあ、君たちもここに掲げた異体文字鏡の解読に挑戦して、新しい日本の歴史教科書をわれわれとともにつくりあげようではないか!

これらの鏡に刻まれた未解読文字を読み解いて、真実の日本史を明らかにしていこう！

日月(ヒツキ)は古代王権のシンボルだった！

学校の歴史教科書は今も相変わらず古墳時代の日本に漢字以外の文字がなかったと教え続けている。古墳時代に文字がなかったなら、それ以前の弥生時代に日本固有の文字があったと思う人は誰もいないだろう。

これまで執拗に神代文字を無視し続けてきた日本の知識人、特に大学の歴史関係者。彼らが、古墳時代の異体文字鏡をむりやり漢字にあてはめて読み解いてきた考古学の「権威」の言葉を信じて、古代の日本に固有の文字がなかったと思ってきたのもむりはない。

ところが、その「権威」が解読したという左頁の鏡の銘文をよく見てほしい。その読み方がまったくデタラメであることは一目瞭然だ。この銘文を「日之光天下大明見」と読むのは、どう見てもはなはだしいコジツケである。

それに対して、これを神代文字の一種であるイヅモ文字で読んでみるとどうか。はっきりと古代の日本語で意味をなす文としてよみがえってくるのだ。この一例を見ても、弥生時代の日本に固有の文字がなかったという教科書の記述はまちがっていることがわかるではないか。

東京国立博物館にある
弥生時代の鏡

鏡の模写図

●従来の読み方

日 之 光 天 下 大 明 見

これまでの「権威者」の読み方がいかにズサンであるかがわかる。

●新しい読み方

ヒ ツ キ ヲ ア タ ヘ ム

銘文はイヅモ文字とトヨクニ文字を混用して書かれている。「ヒツキ」は、のちに「日継」の語源となった「日月」、すなわち古代王権のシンボルを表わしている。

弥生時代の文字②

卑弥呼の宗女イヨは高句麗に帰属した？

現在の日本史教科書は、前二〇〇年頃から四〇〇年間続いた〝弥生時代〟のあと、三世紀頃から〝古墳時代〟が始まったとしている。

その古墳時代の歴史は、『古事記』と『日本書紀』に記された日本の天皇家と有力氏族の記録に基づいて組み立てられている。が、当時の遺物に刻まれた日本の文字を否定しているから、記紀の記述を直接確かめようがない。つまりこれまでの研究では、白村江の敗戦（六六三年）以前の「大和朝廷」の歴史はほとんど明らかになっていないといってもいいのだ（そもそも大和朝廷が弥生時代の邪馬台国とどんな関係にあったかもはっきりしないし、『古事記』の編者・太安万侶以前の有力氏族と天皇の実在さえも証明されてはいない）。

しかし、古墳時代と弥生時代の鏡に記された文字を読み解いていくと、思いがけない発見がある。これまでこの時代の日本人が朝鮮半島でも活躍していたことは単に文献から推測されるだけだった。が、そのことを確実に物語る弥生時代の鏡が、韓国の慶尚北道永川郡琴湖面にある魚隠洞からも出土しているのだ。

これなる鏡（カガミ）は
弗流（フル）（高句麗）の工人（タクミ）
彫（ホ）りける鏡
にあるぞ

中国陝西省出土の鏡とその解読結果

解読プロセス

チ
ヌ
タ
テ
マ
ツ
リ
シ
イ
ヨ

ヒ
ツ
ギ
タ
マ
ヘ

または
マ
ヘ

全文：茅渟（チヌ）（黒鯛）奉（タテマツ）りし壹與（イヨ）日継（ヒツ）ぎ給（タマ）へ

韓国慶尚北道魚隠洞遺跡出土の鏡
この鏡は卑弥呼のあとを継いで邪馬台女王国連合を率いたイヨ（壹與）が高句麗大和朝廷の軍門に降り、あらためて王権を保証されたことを明らかにしている。

イ
ケ
ニ
ヘ
ヲ
ナ
ム
タ
テ
マ
ツ
ル

全文：犠牲獣（イケニヘ）をなむ奉（タテマツ）る

魚隠洞出土の別の鏡
「いけにへ（犠牲獣）をなむ奉る」と読める。

天日鷲（あめのひわし）の子孫は日高見（ひだかみ）の王だった？

紀元前三世紀から紀元後七世紀にいたる一〇〇〇年間、日本列島と朝鮮半島、中国大陸にまたがる地域で、私たち日本人の祖先クル族が活躍していたことは、日本海を取り巻く各地から出土した遺物の文字の解読結果から、今ようやく明らかになろうとしている。

白村江の敗戦以前の日本列島で実際にどんな人間ドラマがあったか、ほんとうの歴史を復元するのは容易ではないが、当時の歴史を復元するうえで欠かせないのが、『新撰姓氏録』に天日鷲翔矢命（あめのひわしかけるやのみこと）の名で記された忌部（いんべ）一族の太祖の存在である。

天日鷲は『古事記』の冒頭に天御中主（あめのみなかぬし）に続いて登場する高皇産霊尊（たかみむすびのみこと）の孫である。その彼をまつる忌部一族の出身、斎部広成（いんべひろなり）が平安時代に著わした『古語拾遺』の中で、「上古文字なし」と述べたところから、この日本には漢字以前の文字がなかったことにされてしまった。しかし、四国の阿波に拠点をもつ忌部一族が弥生時代の各地に残した遺跡から出土する土器には、明らかに文字といえるものが刻まれている。このことは何を意味しているだろうか。

駿河祝部土器（静岡県出土）に刻まれた文字
これまで「サナイラホ」と読まれてきたこれらの文字は、「ナノイラホ（肴之伊羅保・供物の器)」とも読める。

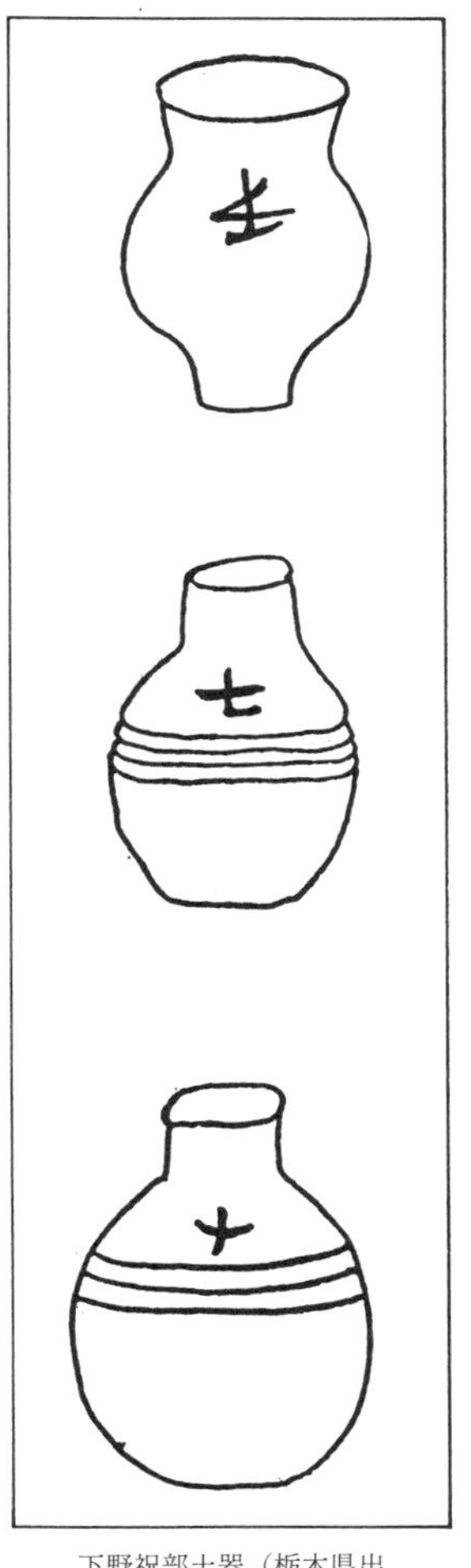

下野祝部土器（栃木県出土）に刻まれた文字
上から順に、北海道異体文字で「サチ（幸)」「ニ(丹)」「ナ(肴)」と読める。

銅鐸絵画がイヅモ文字で読み解ける?

藤原家の祖先の中臣氏とともに天皇家の祭祀をつかさどったとされる忌部氏は、わけあって「上古文字なし」と主張した。彼らが日本の神代文字を熟知していたことは、弥生時代の祝部(はふりべ)土器に文字を記したのが忌部一族であったとみられることからも確かだ。

その彼らが表向き神代文字の存在を否定したのは、六六三年の白村江の敗戦以後、中国の唐と結びついて忌部氏をはじめとする有力氏族の古い記録文書を消し去ってきた勢力が、天皇家の周囲を固めてしまったからだ。

しかし、白村江の敗戦と唐の日本占領支配によって古史古伝と神代文字の存在が許されなくなったとしても、それ以前の各地に残された遺物に刻まれた記録のすべてを抹殺することはできなかった。

その好例が弥生時代の銅鐸に記された絵文字である。兵庫県の桜ヶ丘遺跡からは、歴史の教科書にもしばしば登場する国宝の銅鐸がいくつか出土している。

それらの銅鐸の図柄を神代文字の変形として読んでみると、はたしてそこには何が書かれているだろうか。

兵庫県桜ヶ丘遺跡
出土の四号銅鐸

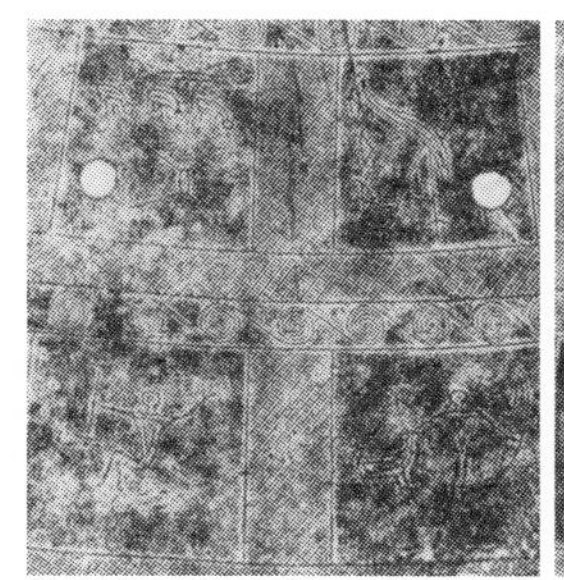

これまで弥生時代ののどかな田園風景を描いたものと
みられてきた銅鐸絵画

全文：クニミヲルニ タヅ イソニ イナクハ

意味：国見居るに 田鶴(たづ)磯にい鳴くは

イヅモ文字による解読プロセス

銅鐸文字の解読に挑戦しよう！

国見居るに　田鶴（たづ）　磯にい鳴くは

弥生時代の神戸、桜ヶ丘に生きた私たちの祖先が銅鐸の表面にこのように刻んだ言葉は、二〇〇〇年前の日本で新しい国造りを始めた指導者が六甲の山頂から大阪湾を望んだとき、海岸に美しい鶴が舞い、その鳴き声が山頂まで届いたという、実になつかしい光景を詠んだものである。

当時の桜ヶ丘の指導者が何と呼ばれていたかはわからないが、彼がこの銅鐸を作らせたその時代に日本各地で国造りが盛んに進められたことは、「国見」という言葉が示している。

そしてこの桜ヶ丘遺跡の対岸、四国の香川県から出土したといわれる別の銅鐸が、「国建てし　五十男御神（イソヲミカミ）を　伊勢宮にまつる」と記しているところから判断すれば、弥生時代の西日本で国造りをしたのは、伊勢神宮ゆかりの〝五十男御神〟であったことがわかる。はたしてこのイソヲの神は、『古事記』にスサノヲの子として国造りに励んだ神と記されているイソタケルその人であったのだろうか。

香川県から出土したといわれる銅鐸
全文：クニタテシイソヲミカミヲイセミヤニマツル
意味：国建てし五十男御神（いそをみかみ）を伊勢宮に祭る
目的：弥生時代の生活風景を絵画的に表現しながら、個々の絵の元になったトヨノモジによって、この銅鐸が五十男御神を讃えるために造られ伊勢（元伊勢宮）の祭りに使われたことをこれらの絵文字は物語っている。
[すでにあったトヨノモジを民衆にわかる絵の形で芸術的に用いた高度に洗練された表現法。原始文字ではなく装飾文字というべき。]

高橋良典著『太古日本・驚異の秘宝』(講談社)参照

縄文時代の文字①

紀元前、東日流(つがる)の王が語り始めた!

探検協会は、これまで日本固有の文字がないとされてきた古墳時代と弥生時代の遺物に確かに文字といえるものが刻まれているのを発見して以来、縄文時代の遺物にもわれわれの祖先の言葉が神代文字で記されているのではないかと考えて調査を続けてきた。

今まで大学の歴史関係者が誰ひとり手をつけなかった未知の領域であるだけに、どこから手をつけていいかわからないことだらけだった。

が、会長の高橋が最初に注目したのは、西日本で弥生時代が始まった当時もなお、兵庫県から北海道にかけて特異な遮光器土偶文化を守り続けてきた縄文晩期の亀ヶ岡文化の土面である。

紀元前二〇〇年頃まで日本列島の三分の二以上の地域をおおっていた亀ヶ岡文化の中心地は、近年、三内丸山(さんないまるやま)遺跡の発見で日本中を沸かせた青森県だ。

古くから〝東日流(トンカル～ディンギル)〟と呼ばれてきた神々の地、亀ヶ岡(神ヶ丘)から出土した土面の謎の文様は、すでに君たちも知っているアヒルクサ文字で読めないだろうか。

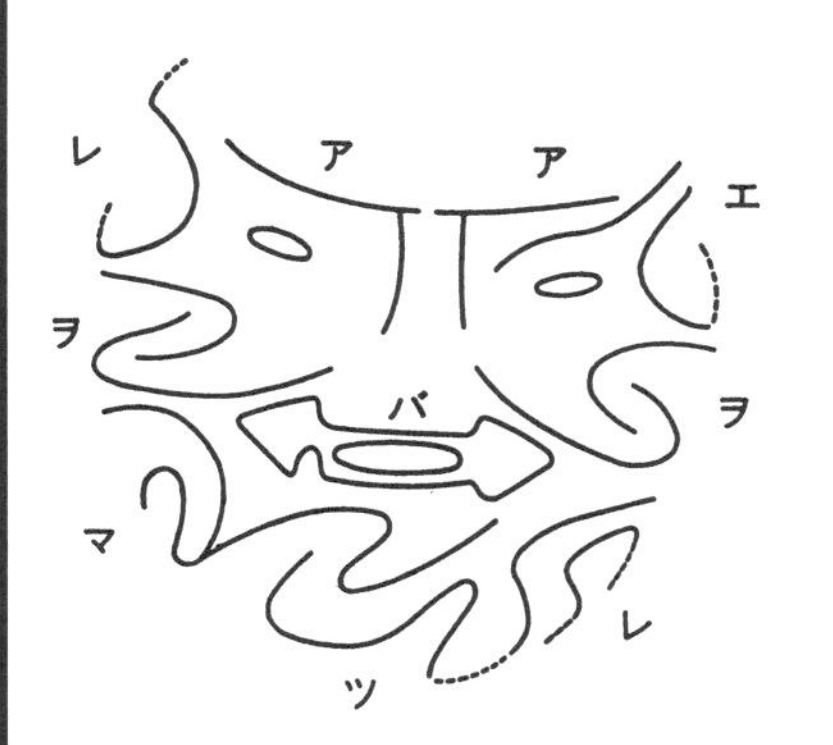

土面の模写図
土面の文様をアヒルクサ文字として読み解くと、「吾をばまつれ　饗をばまつれ」と読める。

亀ヶ岡遺跡出土の土面（東京大学人類学教室所蔵）

ア
ラ
ハ
バ
キ

青森県亀ヶ岡遺跡出土の遮光器土偶
土偶全体を隠し文字と見れば、「アラハバキ」とも読める。『東日流外三郡誌』によれば、アラハバキ神は前三世紀末に中国大陸から亡命して津軽の王となった周の王族とされる。

八〇〇〇年前からあった？　日本の神代文字

縄文晩期の亀ヶ岡の土面に刻まれた〝入れ墨〟らしき文様が、「吾（あれ）をばまつれ　饗（あへ）をばまつれ」という東日流の王の遺言をアヒルクサ文字で表わしたものであることをつきとめたわれわれ探検協会は、縄文晩期以前にも日本固有の文字があった証拠をさらに求めた。

左頁に掲げたのは、山梨県の坂井遺跡から出土した「五〇〇〇年前」の縄文中期の釣手土器だ。この土器は、縄文文化の中心が後晩期に東北地方の青森県に移る前まで、その中心があった中部山岳地帯の山梨県の神殿に灯されたランプだったとみられる。その把っ手に刻まれた文様は、これまで意味不明の装飾と考えられてきた。それをトヨクニ文字で読んでみるとどうか——なんと、「宮をまつり　贄（にへ）（おそなえ）をまつらむ」と読めるではないか！

それればかりではない。この中部山岳地帯以前に縄文文化の中心があったとみられる関東地方の夏島貝塚（神奈川県）周辺から出土した「八〇〇〇年前」の土器にもごらんのような祈りの言葉が記されていたのである。

山梨県坂井遺跡出土の釣手土器（坂井考古館所蔵）とその把っ手に刻まれた文様の解読プロセス

神奈川県出土の夏島土器
「神に栄え賜はらむ」と読める。

横浜市青葉区荏田西の
長者が原遺跡A区No.1土壙から出土した
鉢形土器の裏面に刻まれた文字
（現存の高さ19.5cm、口像径25.4×23.3cm）

3　4

1　2

1　2　3　4

カ ム イ ニ　サ カ エ タ　マ ハ　ラ ム

神(カムイ)に栄(サカ)え賜(タマ)はらむ

銘文の解読プロセス

縄文時代の文字③

われ、金山(イロホ)を見(ま)っけたり！

「八〇〇〇年前」の日本の縄文土器に文字が刻まれていた!!――こんな発見は、これまでヨーロッパと中国の学者が世界を支配するためにつくりあげてきた虚構の歴史にどっぷりとつかってきた人たちには、とても受け入れられるものではない。

なにしろ、現在の世界の文化は英語と同じ構造をもつアーリヤ系の言葉（印欧語・中国語）を話す人々の手でつくられ、中国の漢字の「元」になった甲骨文字は、ヨーロッパのアルファベットの「元」になった「五〇〇〇年前」のシュメール・エジプト文明の文字の影響でつくられたことになっている。それよりさらに「三〇〇〇年」も古い文字が日本にあったということになると、ヨーロッパや中国の立場がない。

せめても、世界最古のシュメール文字が日本で見つかったという程度にとどめてほしいというのが欧米の学者の見方だ。しかし、すでにある研究者が「シュメール語」で読み解いたという静岡県の水窪(みさくぼ)文字碑文もまた、日本の神代文字で「われ、金山を見つけたり！」と読めるからどうしようもない。

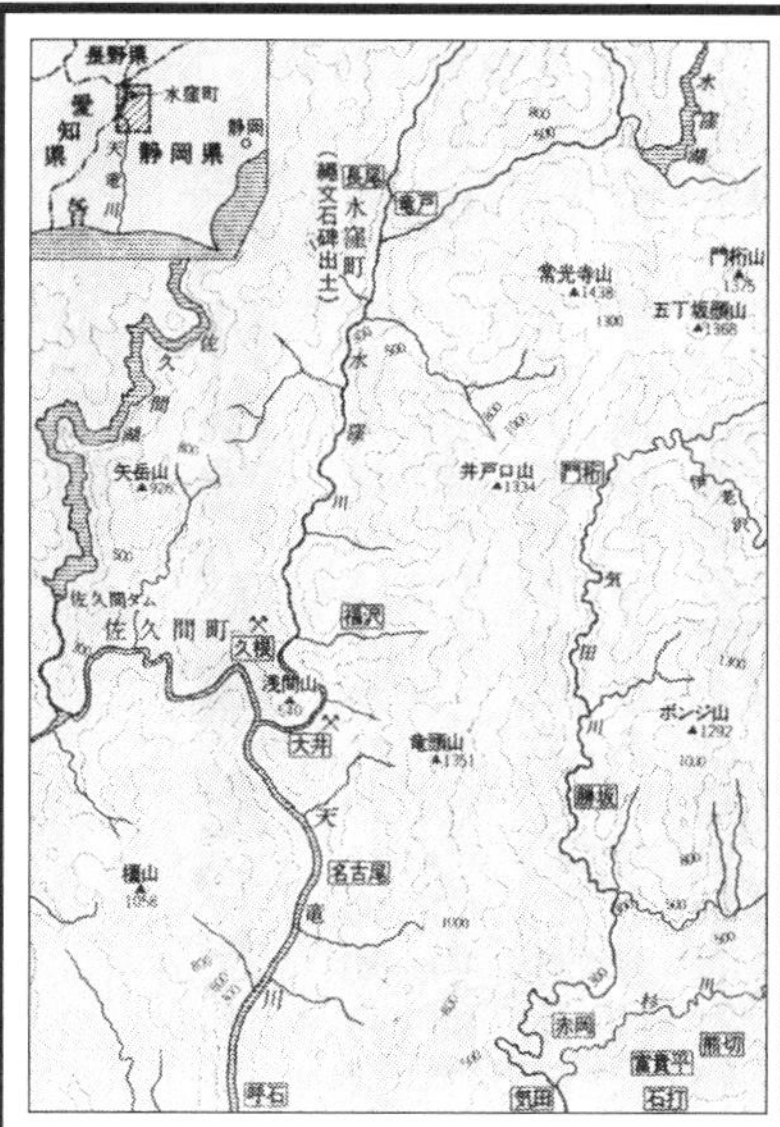

水窪遺跡周辺地図

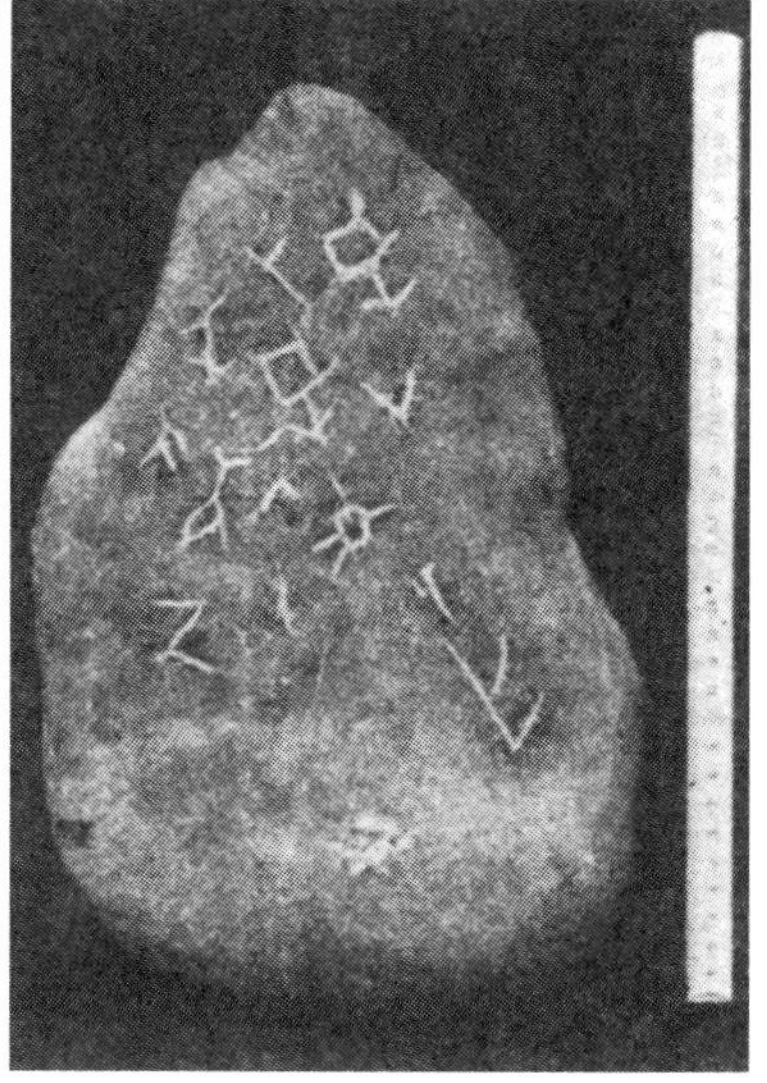

静岡県水窪遺跡出土の縄文文字石

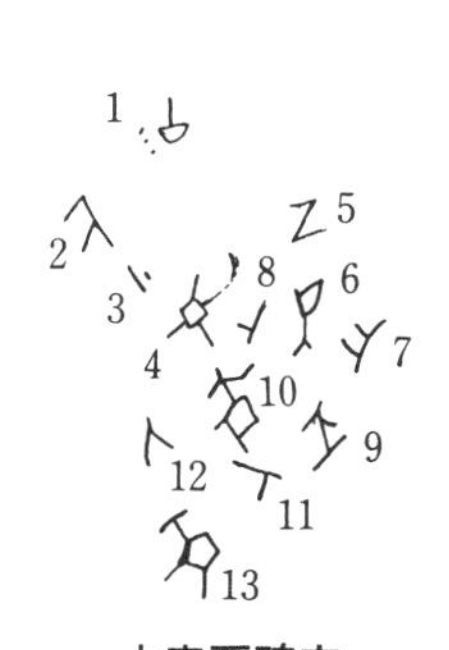

水窪石碑文

静岡県浜松市天竜区水窪町の縄文遺跡から出土した石

1　2　3　4　5　6　7　8

イ　ロ　ホ　ヲ　マ　ツ　ケ　タ　リ　フ　ル　ヘ　シ

9　10　11　12　13

カ　ヘ　ナ　ム　チ　テ　ウ　カ　チ　ケ　リ

伊老(金銅)を目附けたり(発見した)
振(フル)へし 腕(カヘナ) 以(ムチ)て 穿(ウカ)ちけり(掘った)

縄文後期
BC700年頃

ミサクボ文字の解読結果
銘文の文字はシュメール文字ではない。日本の神代文字だ。金山・銅山発見の喜びが伝わってくるではないか。縄文時代に大鉱山があったことは、長野県和田峠で最近見つかった大規模な黒曜石鉱山の存在からも確かな事実になろうとしている。

太古、日本は〝天国〟だった！

ヨーロッパの歴史学者は、われわれの知らない間に、いつのまにかエジプトの大ピラミッドは今から「五〇〇〇年前」に造られ、それより少し古いシュメール文明の諸都市は「六〇〇〇年前」に建設されたという、現在の世界史教科書の通説をつくりあげてしまった。

そのヨーロッパの最後の偉大な歴史学者といわれるイギリスのアーノルド・トインビー博士の「大作」を読むと、紀元前の日本はとるにたる文化も文字ももたない野蛮人の地で、ようやく二〇〇〇年前から中国文明の影響を受けて未開の状態を脱したかのように説かれている。

が、かのトインビー博士を生み出したイギリスの、紀元前ケルトの伝統を受け継ぐヘレフォード寺院に古くから伝わる古地図には、われわれの住む日本が〝ヘブン（天国）〟と記されている。一七世紀のイギリスの作家スウィフトが『ガリヴァー旅行記』に登場させた天空人ラピュタの文字は、なんと日本の平仮名である。どんないきさつでこうなったかはわからないが、太古の日本がヨーロッパ人の憧れの地であったことは、一四世紀のマルコ・ポーロの『東方見聞録』以来、確かな歴史的事実だったのだ。

日本探検協会編『地球文明は太古日本の地下都市から生まれた!!』（飛鳥新社）参照

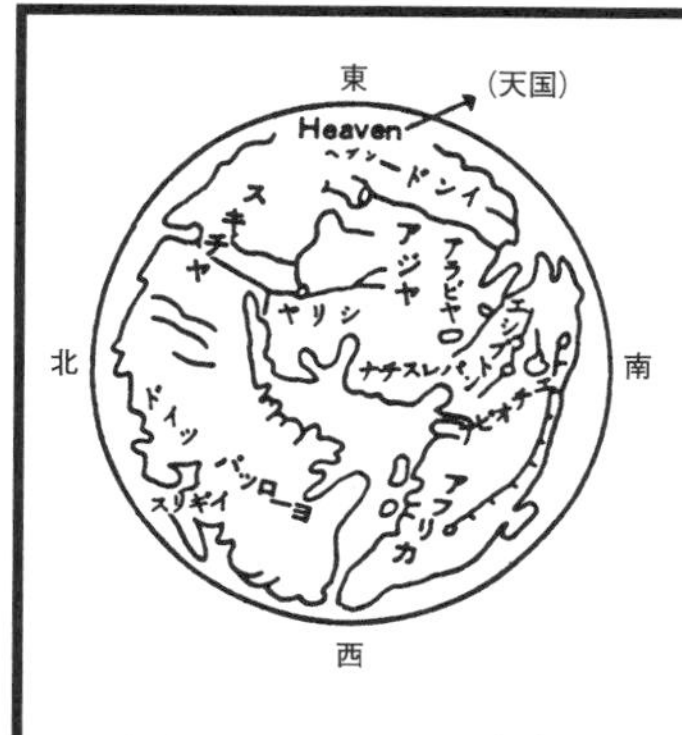

イギリス・ヘレフォード寺院に
伝わる〝天国・日本〟地図

北海道帯広支庁大樹町の尾田（オタ）でとれる砂金

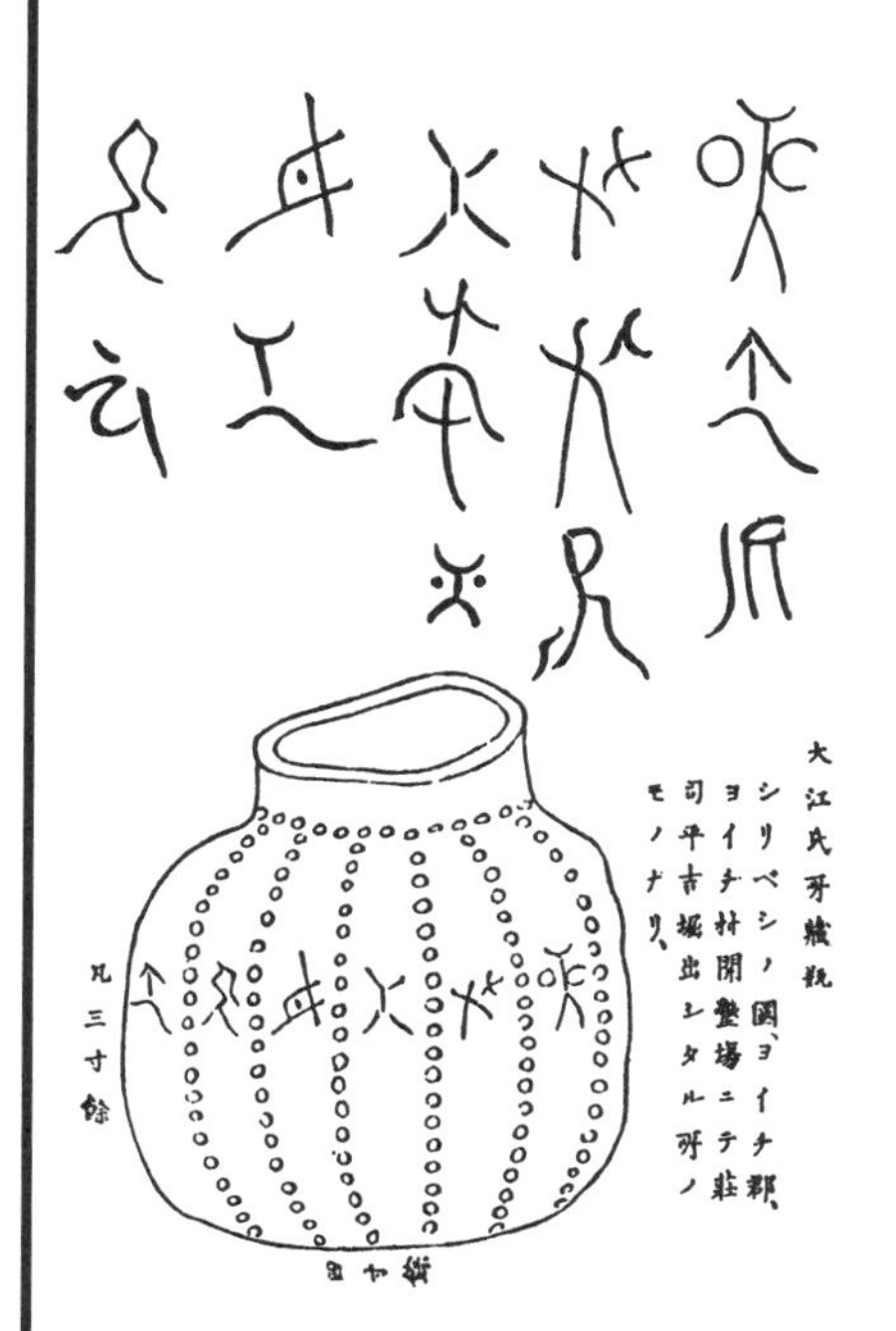

北海道の余市に伝わる土器
表面に刻まれた文字を読み解くと、アイヌの
祖先が縄文時代からこの日本列島で砂金採集
をしていたことがわかる。

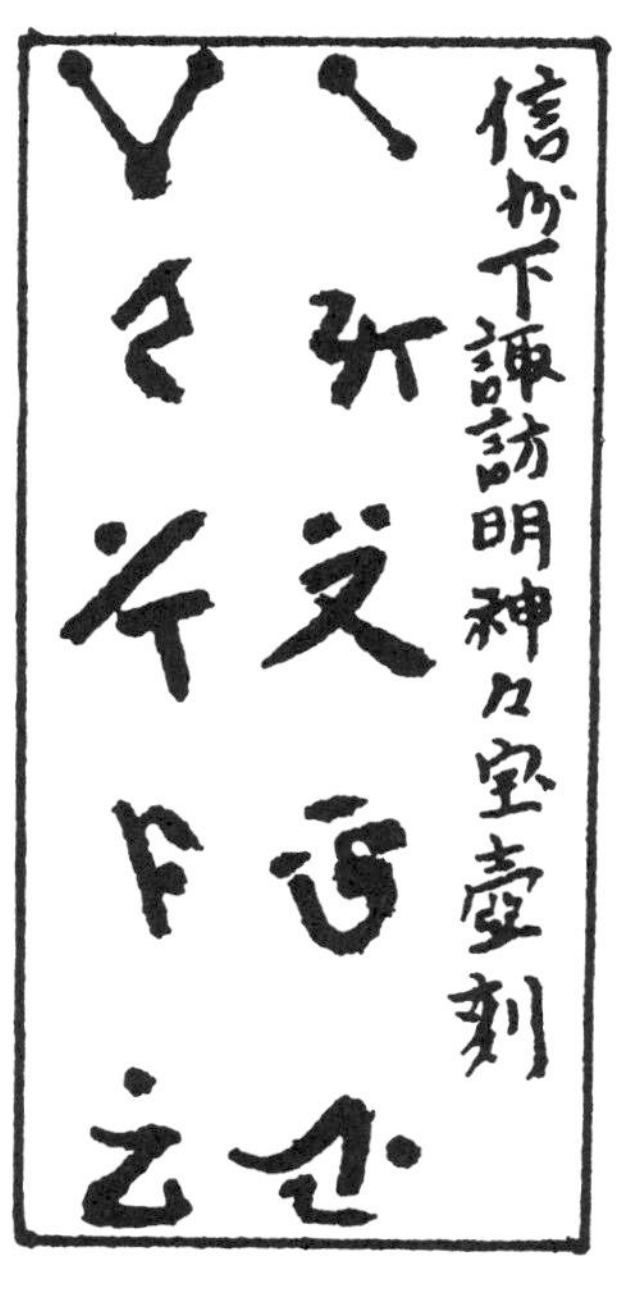

長野県諏訪大社の〝神壺〟の銘文
「アイヌあつめしオタ（砂金）さ
さげたてまつる」と読める。

謎の土版は何を物語る？

長野県の諏訪大社に伝わる〝神壺〟の文字や、北海道の余市で見つかった「アイヌ」の壺に刻まれた文字を神代文字で読み解いてみると、紀元前の日本列島は、一四世紀以来のヨーロッパ人が憧れた〝黄金の国〟であっただけでなく、中国人に儒教を広めた孔子のような偉大な人物からも「東方の礼節の国」と讃えられたすばらしい国であったことがうかがわれる。中国に伝わる世界最古の地理書『山海経』には、縄文時代の日本の神々が、中国で〝鵬〟と呼ばれた宇宙船の〝フリ〟に乗ってこの島国（フリ島〜蓬萊島）を治めたこともはっきり記されている。

が、そのような日本列島では、最初の先住民がアイヌにとって代わられるまでの間に、いろいろな事件があった。

アイヌの伝説は、彼らが日本列島にやって来たとき、そこには〝ふきの葉の下〟で雨やどりできるくらい背丈の低い小人族のコロポクルがいたと伝えている。この伝説に登場する小人族の神、ニツネカムイ（魔神）はこれまで単なる伝説の神だった。が、左頁の土版を読んでみると、そのニツネカムイは確かに実在したことがわかる。

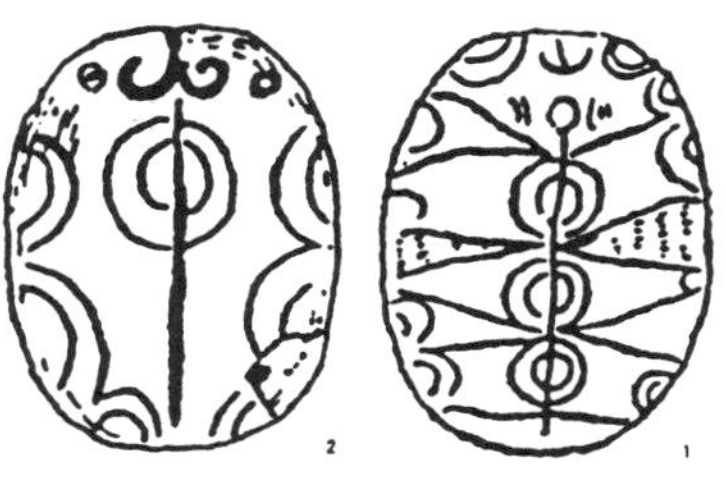

太古日本の宇宙船を思わせる謎の土版

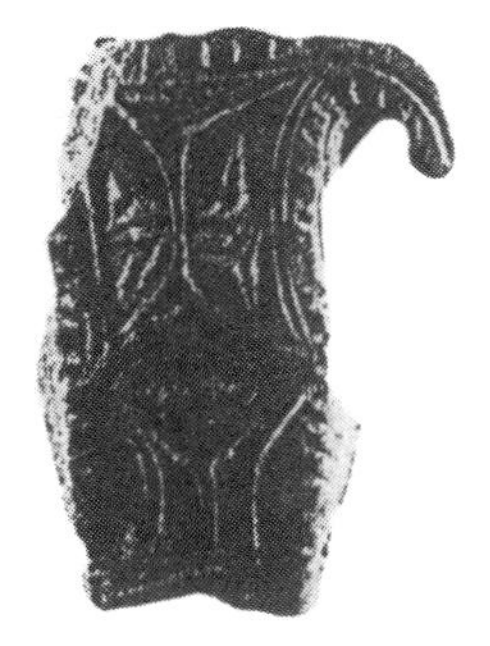

北海道斜里町の朱円遺跡から出土した縄文後期の土版

茨城県友部町の柏井遺跡から出土した縄文晩期の土版

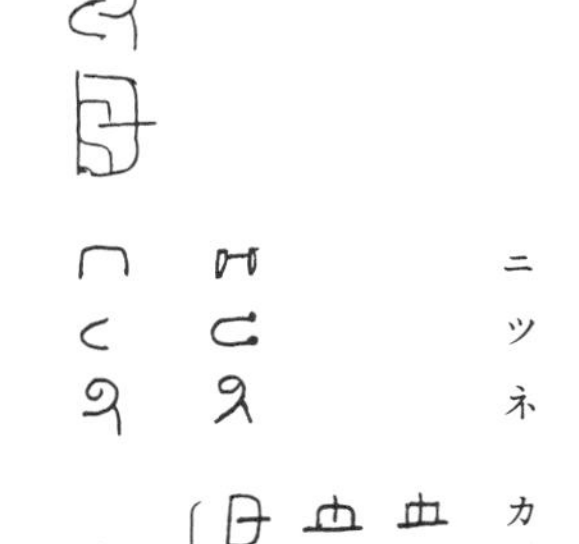

土版の文様の解読プロセス
(右) イヅモ文字で「ニツネカムイ」と読める。ニツネカムイは常に洞の中に住んでいたといわれるアイヌ伝説の小人の神だ。オイナカムイと戦って敗れ、姿を消したといわれる。この神はどうやらアイヌ〔ツボケ族〕渡来以前の先住民コロポクル〔アソベ族〕の神らしい。
(左) トヨクニ文字と北海道異体文字で「まつらばや」と読める。

◉山海経

中国に伝わる世界最古の地理書。今から三五〇〇年前に中国で夏王朝と呼ばれた日本のアソベ王朝初代の王ウソリ（禹）が大洪水ののちに作成した世界地図の解説書とみられる。詳しくは『縄文宇宙文明の謎』（日本文芸社）をごらんいただきたい。

日本列島、神代文字探検に出発だ！

今や日本列島は、世界のどこよりも面白い〝ワクワク列島〟になってきた。なにしろ、ヨーロッパのケルト伝説に登場する謎の小人族、ピクシーそのもののコロポクル（ピグミー）が実在しただけでなく、あやしげな宇宙船を駆使し、NASAの宇宙飛行士もびっくりするほどモダンな宇宙服を身につけていた人々が住んでいたところらしい、という予想外の展開になってきたからである。こうなれば、これまでのわれわれには何のゆかりもない世界史とは思いっきりサヨナラして、日本各地の謎の文字群を追ってみたほうが、よほど身近な発見が楽しめそうだ。というわけで、われわれ探検協会はただちに日本列島の各地に謎の文字を求めて旅立った。

日本各地には、ごらんのとおり、出所不明の謎の碑文がたくさんある。これらの碑文に使われている文字もさまざまで、日本人はよくもこんなにいろいろな文字を発明したり、伝えてきたものだと感心させられる。ここに取りあげたのは、日本列島に何万とある謎の碑文・刻文のほんの一例だが、その大部分はいまだに読み解かれていない。君たちがこれらの碑文を解読して〝世紀の大発見〟をするチャンスが残されているのだ。

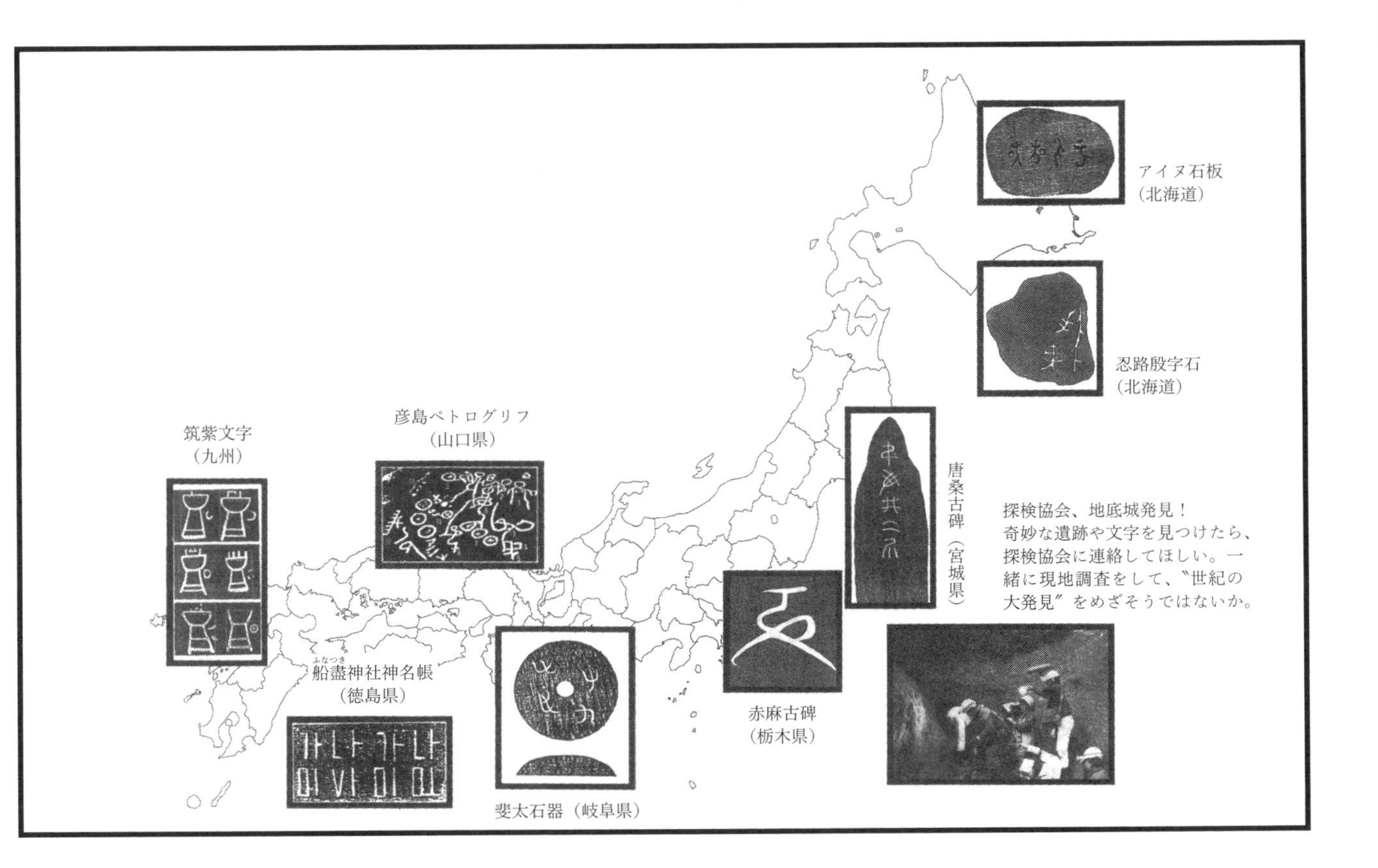
アイヌ石板
（北海道）
忍路殷字石
（北海道）
唐桑古碑
（宮城県）
探検協会、地底城発見！
奇妙な遺跡や文字を見つけたら、
探検協会に連絡してほしい。一
緒に現地調査をして、〝世紀の
大発見〟をめざそうではないか。
赤麻古碑
（栃木県）
斐太石器（岐阜県）
彦島ペトログリフ
（山口県）
船盡神社神名帳
（徳島県）
筑紫文字
（九州）

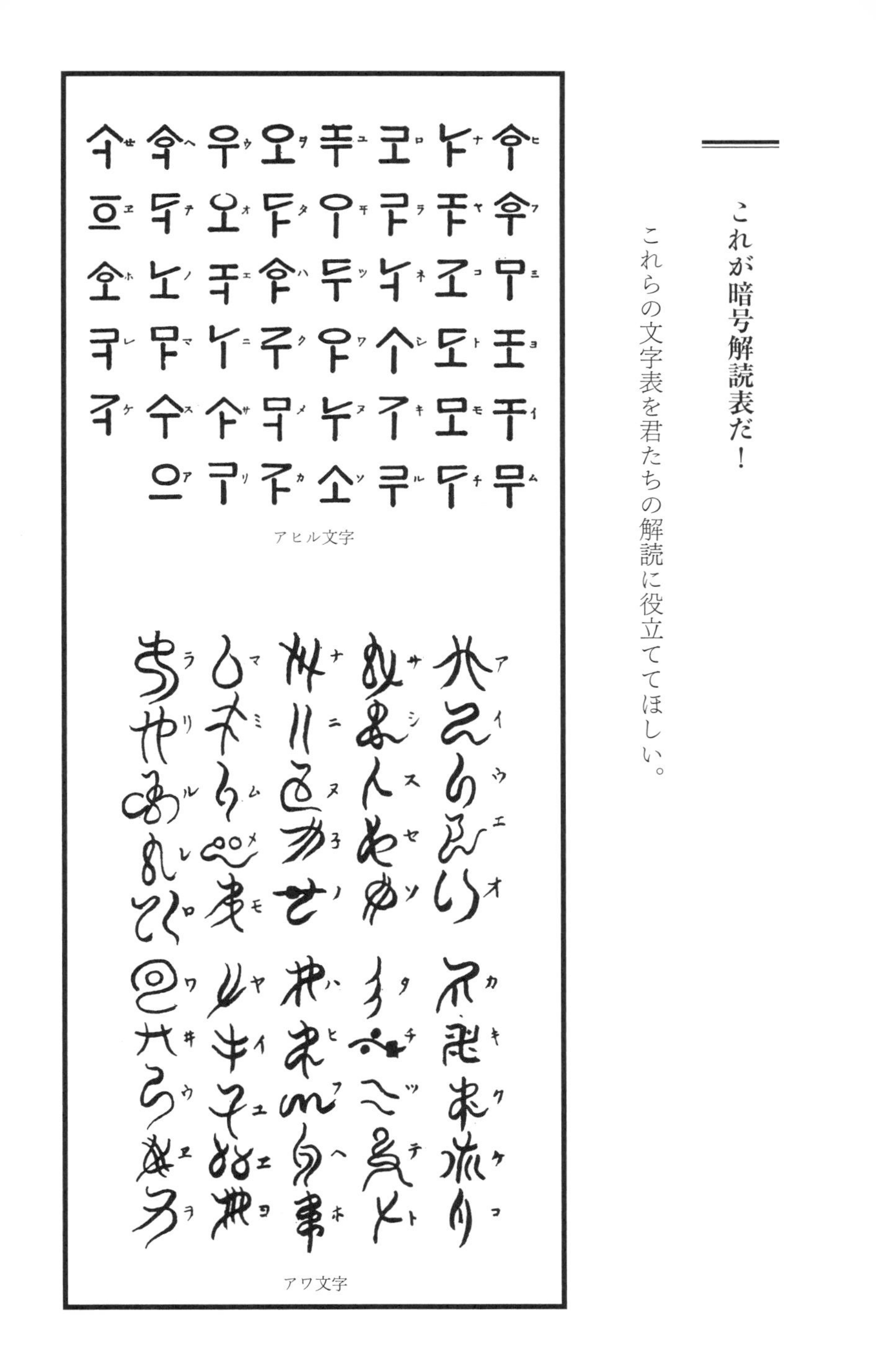

これが暗号解読表だ!

これらの文字表を君たちの解読に役立ててほしい。

アヒル文字

アワ文字

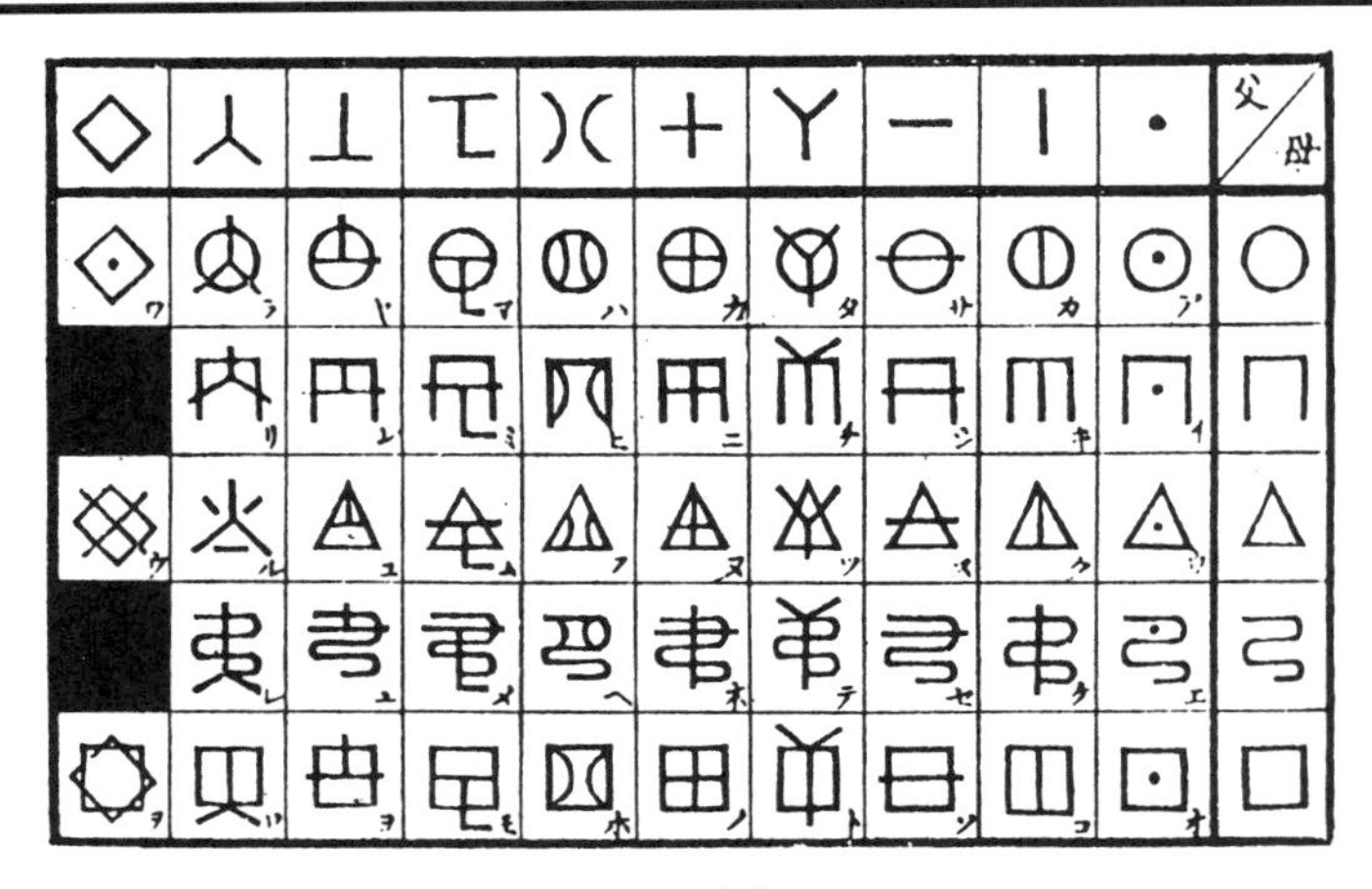

ホツマ文字

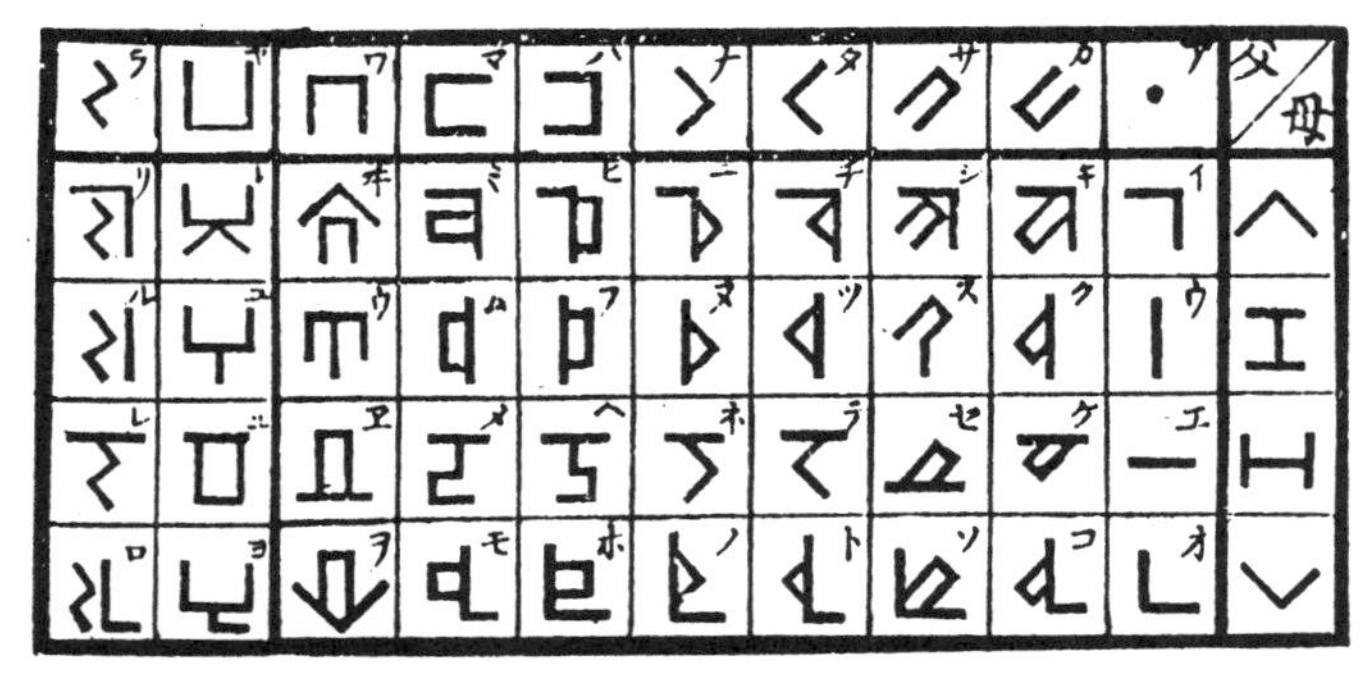

モリツネ文字

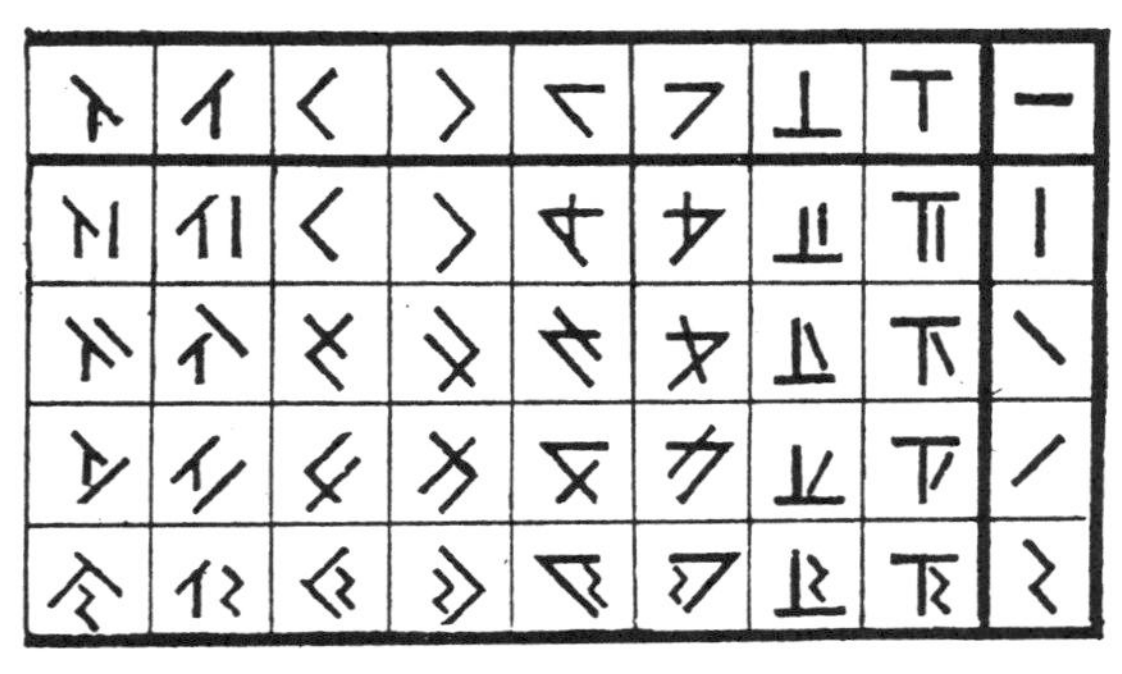

タネコ文字

列島各地のペトログリフは日本の神代文字で読める

日本各地の未解読文字のうち、かなり多くの人が知っている〝ペトログリフ（岩刻文字）〟は、従来の研究者によって今から五〇〇〇年前のシュメール文明の文字とみなされてきた。けれどもシュメール文字は、一般に〝楔形文字〟として知られ、日本のペトログリフとは似ても似つかない。かりにこのペトログリフが〝楔形〟になる前のシュメール絵文字ではなかったかと考えてみても、紀元前のシュメール語を知らない人にそれらの文字を読み解くことはできない。

が、それらのペトログリフを、日本の神代文字として読み直してみるとどうだろう。君たちにもわかる古代日本語の銘文としてよみがえるのだ。その代表的な一例が、次頁に示した山口県彦島のペトログリフだ。

彦島のペトログリフは、これまで古代のシュメール文字で書かれたシュメール語の銘文だといわれてきたが、われら探検協会の会長は、これを北海道異体文字・トヨクニ文字の混用文で「宝あつめ隠しけり」と読み解いた。その具体的な場所（9）も日本の神代文字でわかるというのだ。

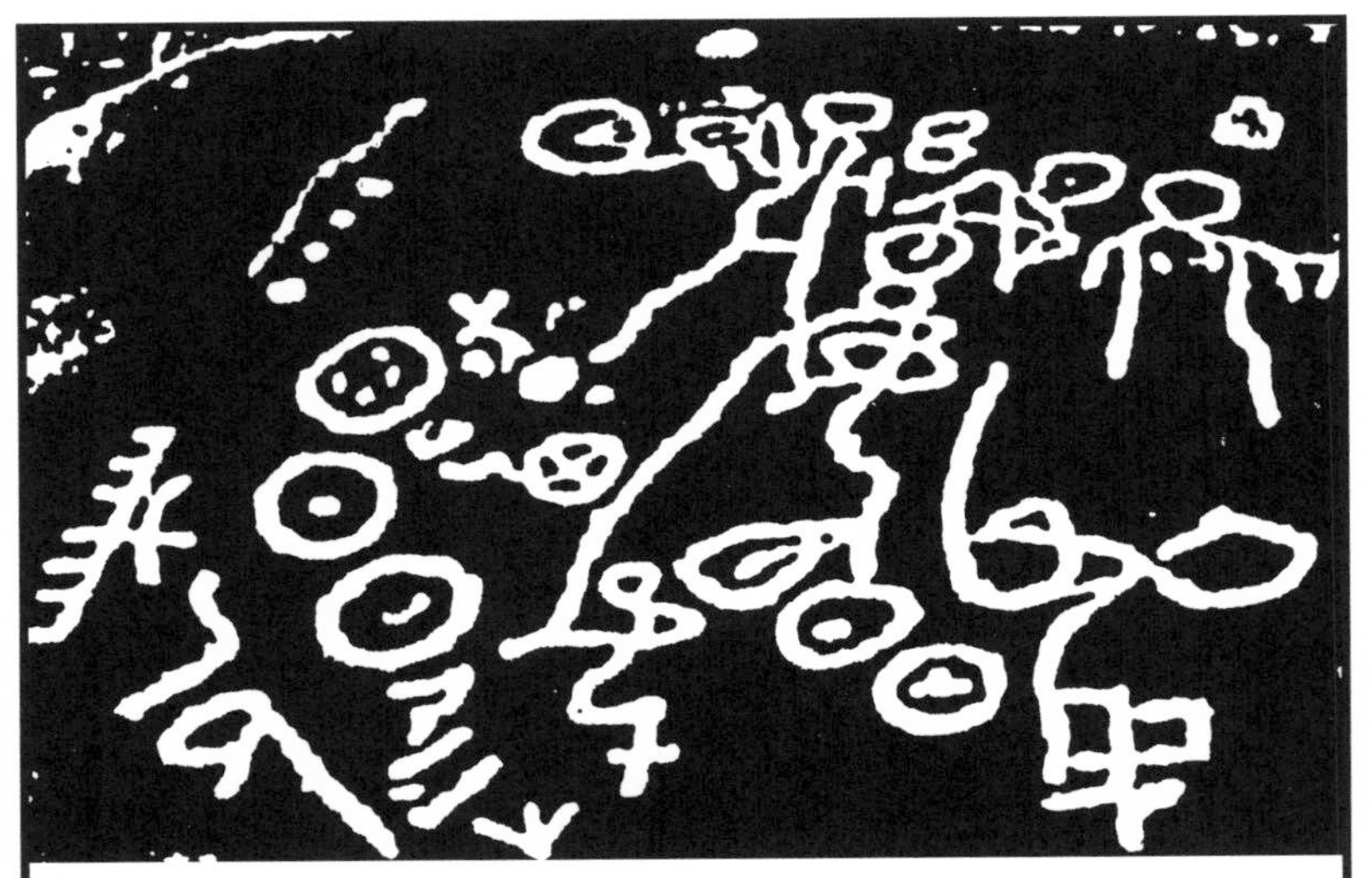

山口県彦島の杉田丘陵で発見された〝平家石〟

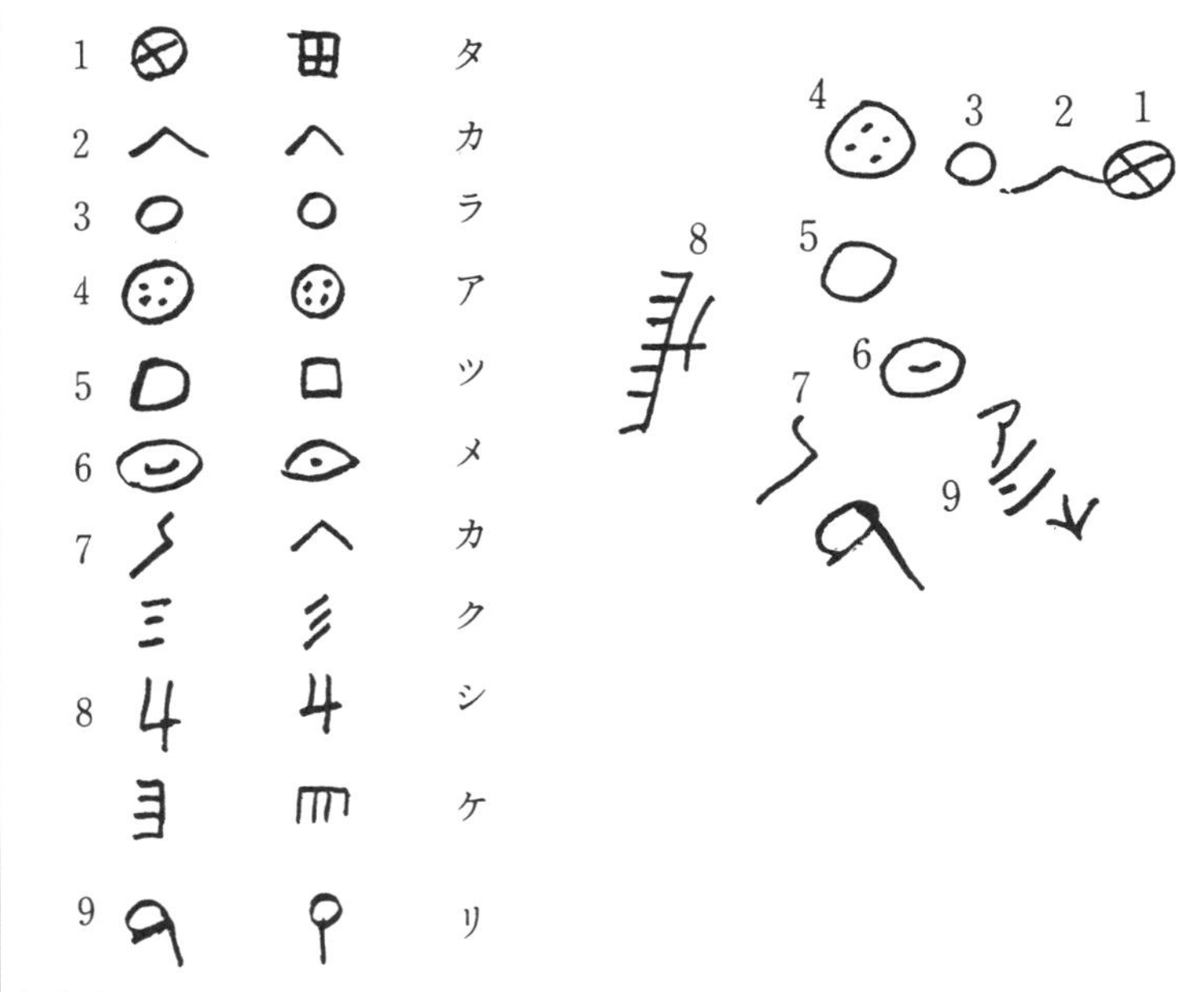

解読プロセス
彦島のペトログリフを高橋が解読した結果、この碑文は「平家伝説」の宝のありかを記したものであることがわかった。

われわれ探検協会は、列島各地のペトログリフが日本に古くから伝わる神代文字で読み解けることに大いに勇気づけられた。そしてこのペトログリフと同じものが世界各地で見つかっているのは、日本人の祖先カラ族がかつて地球規模で活躍していた時代があったことを示す証拠ではないかと考えた。

そんな大胆な仮説が成り立つかどうか——これは各地のペトログリフを実際に読み解いてみなければわからない。が、これまで日本ペトログラフ協会が紹介してきたいくつかの実例を分析してみると、われわれのカラ族仮説を裏づけてくれる解読結果が、次々に浮かび上がってきたのだ。

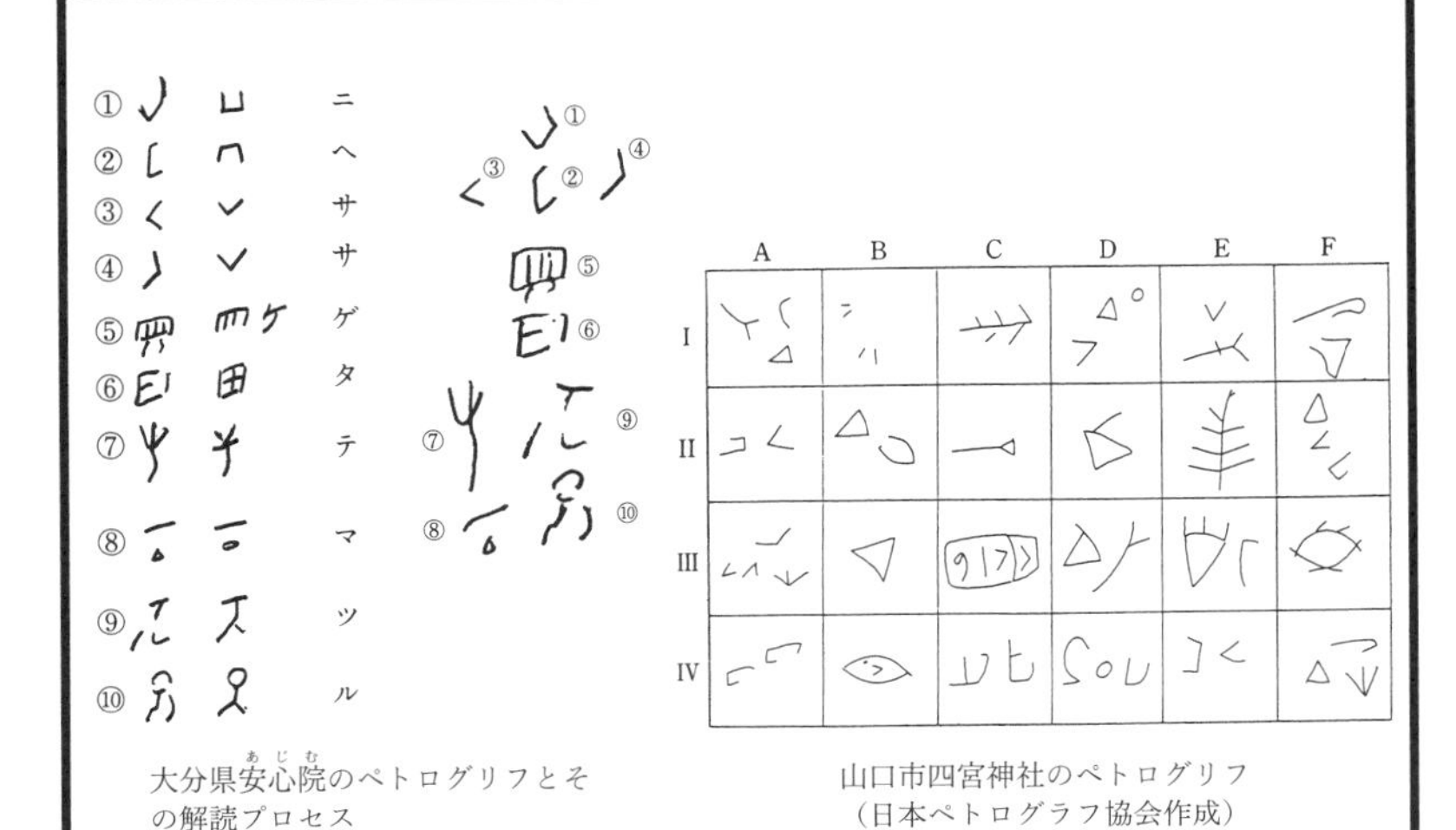

大分県安心院（あじむ）のペトログリフとその解読プロセス

山口市四宮神社のペトログリフ（日本ペトログラフ協会作成）

A I　シバカムイ

FIV　サキカムイ　幸神

D I　カラカムイ

A III　サキハヘ　幸はへ

上記のペトログリフは、ごらんのようにすべて日本の神代文字で読み解ける。「シバ神」と「幸神」は、それぞれ日本神話のアメノヒワシ（天日鷲）とアマテラス（天照）をさしている。二人のモデルは紀元前8世紀に活躍したカラ族の指導者、ドゥリヨーダナとウヘリだ。

日本列島・神代文字探検①

オオクニヌシは、津軽で晩年を過ごした？

探検協会は、日本各地の謎の文字を追跡していくうちに、面白い発見をした。それは、天狗文字をはじめとする奇妙な文字が残された土地に、必ずといっていいほどピラミッド山や巨石があり、古い神社や縄文の大遺跡があって、鬼や天狗、巨人や小人の伝説があるだけでなく、黄金に結びついた神々の話が伝わっているという事実だ。

たとえば、青森県津軽半島の藤枝遺跡。縄文時代にイタコとよばれるチャネラーがたくさんいた川倉（かわくら）地蔵の近くにあるこの遺跡からは、次頁のような土器が出土した。

その文字を日本の神代文字で解読してみると、かつて岩木之宮に仕えた人々が川倉の地に人工の山を造ったと書いてある。そして岩木山には〝鬼〟と呼ばれた小人の金工の伝説があるだけでなく、実際に十三湖をはさんだ川倉の対岸にはモヤ山ピラミッドもある。幸沙代子は『日本が創った超古代中国文明の謎』（日本文芸社）の中で、ここが出雲の大国主の岩木之宮があったところだと述べているが、古代の津軽には、その昔〝大穴持（大国主）〟の隠し金山があったとでもいうのだろうか。

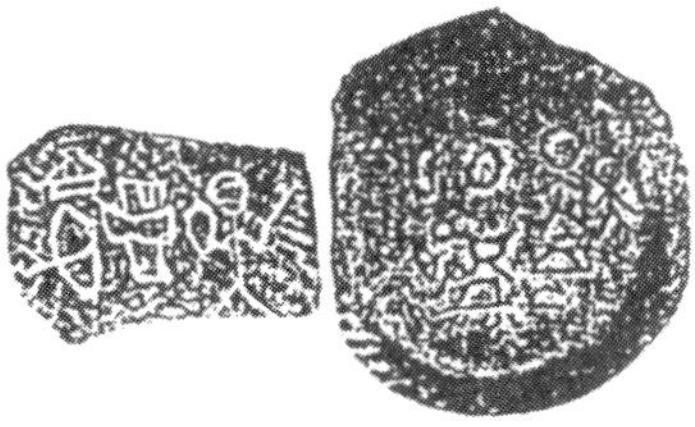

トヨクニ文字　アイヌ文字

クワクラノツラヲモリテヤマトナサム

イハキノミヤ

▲青森県藤枝遺跡より出土した縄文土器片の古代文字

全文：川倉（かわくら）の面（つら）を盛（も）りて山（やま）となさむ／岩木之宮
注：BC220年頃のオオクニヌシ（王建）の隠棲地

青森県藤枝遺跡から出土した縄文晩期（ＢＣ220年頃）の土器
土器に刻まれた文字の解読結果
トヨクニ文字と北海道異体文字の混用文だ。『秀真伝』によれば、ニニギに国譲りをしたオオクニヌシは晩年を津軽の岩木之宮で過ごしたといわれる。小人族の神スクナヒコナとともに国造りをしたオオクニヌシが隠棲したとみられる岩木山の一帯は、鬼伝説の中心地の一つでもある。鬼伝説地に人工の造山と金山があるのは偶然の一致だろうか。

日本列島・神代文字探検②

縄文大異変を物語る？　謎の岩戸蓋石

古史古伝の一書『秀真伝（ほつまつたえ）』は、前二二一年にニニギ（実は秦の始皇帝）に国譲りをした出雲の大国主が晩年を過ごしたのは、津軽の岩木之宮だったと述べている。

これまで出雲の国といえば、誰もが今の出雲大社がある島根県一帯のことだと思いこんできた。が、幸によればそれは『古事記』が書かれた白村江の敗戦以後の話で、ほんとうの出雲は、紀元前四世紀から前三世紀にかけて、中国・ベトナム国境から日本列島にまたがる広大な地域を治めた戦国時代の斉だったという。はたして、こんな大胆な推理が成り立つのかどうか、とても信じられない話である。けれども、これよりもっとすごいことが紀元前の日本と世界では起こっていた。

九州の宮崎県高千穂町にある岩戸神社の蓋石の銘文を高橋が解読したところ、われわれの住む地球は前八世紀と前七世紀の相次ぐ縄文大異変でめちゃめちゃになったことがわかったからである。『日本書紀』の一書は、前七世紀のホノアカリの時代に大洪水が日本の山々を覆ったと述べている。そのことを裏づける異変の記録がついに出てきたのだ。

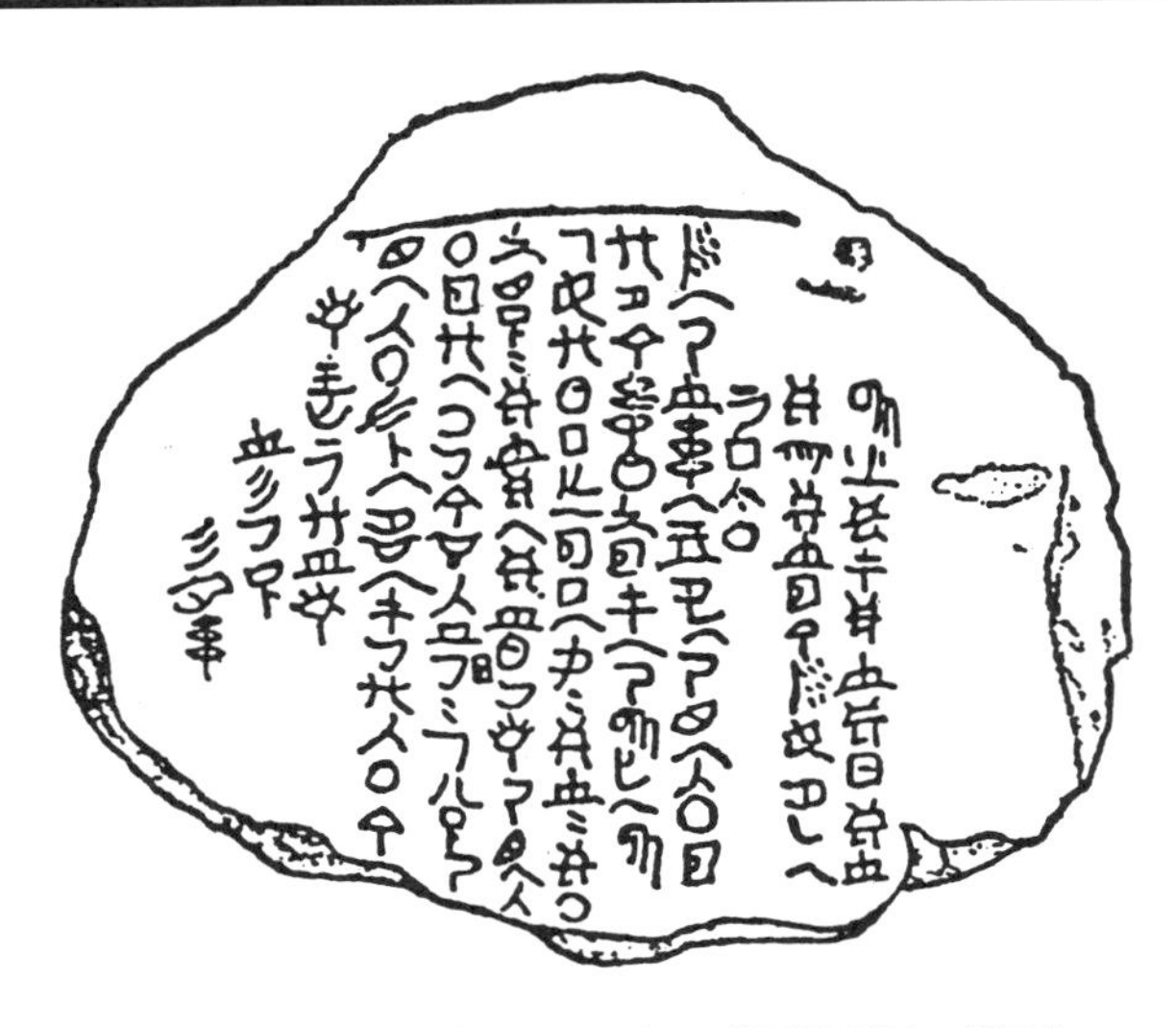

紀元前687年当時の異変のようすを記した岩戸蓋石碑文の模写図

この碑文を、漢字伝来以前の日本で使われていたトヨクニ文字（サンカ文字）で読んでみると、そこにはこう書かれている。

祖母ゆ開かれつる神避るケ戸を掘り
これに無戸籠る
火明の御代に　天之岩戸へ籠ります
時に阿蘇火のそば地震へわたり
タカヒメの祖　ツカヤリは
皇祖ゆかりの蓋つくりて
天之岩戸へ逃がれき
地怒り唸るを　天之岩屋殿籠り
救へ岩守りて　生きながらへたり
由来を吐けり

岩戸蓋石の解読結果

文中に登場するタカヒメとツカヤリは、『東日流外三郡誌』に記されたツボケ王名表によれば、前７世紀に馬司利（マシカカ～カカシミ～火々出見）とも呼ばれた日本神話の山幸彦ホホデミの子孫だ。またの名をホヲリ（火折～火夭死～夭死火～ヨウシホ～ヨセフ）と称したホホデミは、『古事記』の中で、兄のホノアカリ（火明）に迫害された英雄として描かれている。

日本列島・神代文字探検③

葦嶽山ピラミッドにあった！　山幸彦ホホデミの記録

中国の『竹書紀年』は、縄文後晩期に発生した地球規模の最後の大海進が前六八七年に起こったと述べている。その異変を生きのびた人々の記録と伝説は、戦国時代の中国の諸子百家の書にたびたび見えるだけでなく、柳田国男らが集めた日本各地の昔話にもたくさん伝えられている。

前六八七年のホノアカリの異変時代に活躍した彼の弟のホホデミは、記紀によれば、潮満つ玉で洪水を起こして意地悪の兄をこらしめたり、潮干る玉で干ばつを起こして悔い改めない人々をこらしめたあと、〝天の浮き船〟に乗って世界を治めた。そのため〝ゾラヒコ（空彦）〟と呼ばれたという。

今から一〇〇〇年ほど前にまとめられた遼王家の歴史書『契丹古伝』は、スサダミコ（スダス王）とも呼ばれたこのホホデミが〝高天使鶏〟という空艇に乗ってヨーロッパを除く地球の全地を治めたと伝えているが、それはほんとうだろうか。

広島県庄原市の奥にある葦嶽山ピラミッドは蘇羅比古が異変時代に造ったといわれているが、その証拠はどこにあるのか。

高橋良典著『超古代世界王朝の謎』（日本文芸社）参照

坂谷碑文
鳥取県鳥取市福部町栗谷の坂谷権現境内にある石窟の碑文は、「里苦しめるなかれと　ハテヒ（祭司）ら　苗さずかりぬ　然な吾が君」と読める。「吾が君」とは前687年の最後の異変当時に活躍した山幸彦ホホデミ（スサダミコ）をさしている。

葦嶽山にある〝天柱石〞
この柱の表面には、葦嶽山ピラミッドの建設者の名が神代文字で記されている。その名は……。

前687年の異変前に造られたとみられる広島の葦嶽山ピラミッド
このピラミッドの近くにある東城と西城を結んでできる基線は、異変前の方位を表わしている。この基線を空から定めた蘇羅比古が葦嶽山の近くにまつられていることは、彼が前７世紀に空艇に乗って世界を治めたと伝えられるスサダミコ＝ホホデミだったことを示している。

日本列島・神代文字探検④

ウヘリ神は日本神話のアマテラスだった！

中国に伝わる幻の書『契丹古伝』によれば、前七世紀に地球のほとんどの地域を治めた〝東大国〟の王、スサダミコ（ホホデミ）は、天界の女王カルメが地上につかわした貴い皇子だということになっている。記紀はホホデミ（スサダミコ）の父親がニニギと呼ばれたことを伝えているが、『契丹古伝』にはスサダミコの父親の名が記されていない。しかし、記紀が伝える日本神話の中で最もドラマチックな〝岩戸開き〟の主人公であるアマテラスは、別名オオヒルメ（大日霊女）と呼ばれていた。

そして、『契丹古伝』の中でスサダミコ（ホホデミ）に空艇を授けた天界の女王カルメは、漢字で「日霊女」と書かれている。とすると、日本神話のアマテラス（大日霊女）は、契丹神話のカルメ（日霊女）ではなかったか。しかもそのカルメは、ほんとうの名前をウヘリ（大日霊）と称した、前八世紀末のアッシリヤ碑文に登場する歴史上の人物、ティルムンの女王ウヘリその人ではなかったか。日本各地から出土する「ウヘリ」刻文は、アマテラスが前八世紀に実在した東大国、すなわちティルムン＝日本の女王であったことを物語っているようにみえる。

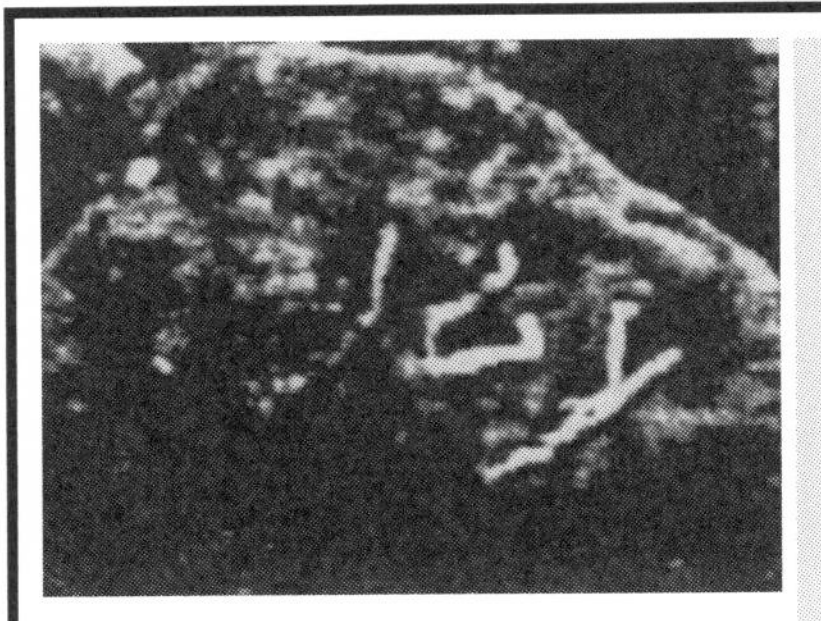

熊本県阿蘇郡南小国町で発見された謎の
岩刻文字

左のペトログリフは、「大日霊＝
ウヘリ」と読める

岩刻文字の解読結果
日本の神代文字で「ウヘリ」と読める。
ウヘリ（大日霊）は、前８世紀末のア
ッシリヤ碑文に登場する東方の大国テ
ィルムンの女王だ。とすると、彼女は、
オオヒルメ（大日霊女）の別名をもつ
日本神話の女神アマテラスのモデルだ
ったと考えられる。

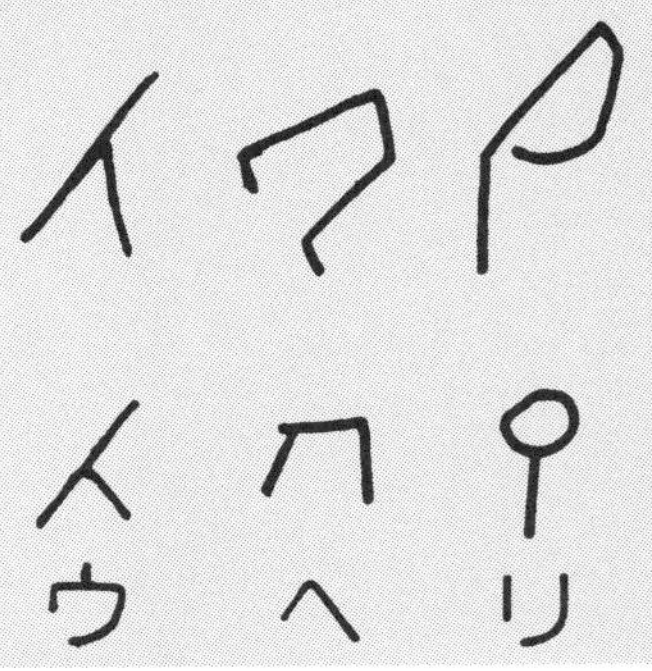

長野県岡谷遺跡から出土した縄文中
期の土器（東京国立博物館所蔵）
表面の文様は、川崎真治によれば
「ウパラ」と読めるという。
古代インドのサンスクリット語で
〝宝石〟を意味するウパラは、前８
世紀のインドでアヴァタル（天女ア
マテラス）と呼ばれたティルムン＝
日本の女王ウヘリの名とかかわりが
あるのではないか。ウヘリ（アマテ
ラス）は、〝光り輝く玉（宝石）〟を
スサダミコ（ホホデミ）に与えた女
神であったことが『契丹古伝』に記
されているからだ。

◉契丹古伝

遼の耶律羽之がまとめた契丹王家の歴史書。今から一〇〇〇年ほど前（九四二年）に成立したこの書物は、契丹人と日本人の共通の祖先であるカラ族が、紀元前八世紀から前七世紀にかけて、スサダミコ（ヨセフ／ホホデミ）のもとで世界を治めたことや、漢帝国の滅亡後に高句麗＝日本を再建したことなどを述べている。くわしくは『超古代世界王朝の謎』（日本文芸社）を参照してほしい。

日本列島・神代文字探検⑤

古代アッシリヤが、九州に侵入した⁉

高橋良典著『太古、日本の王は世界を治めた!』(徳間書店)参照

明治の「文明開化」以来、日本の帝国大学教授を何人も育て、現在の歴史教科書をわれわれに押しつけてきた欧米の学者は、日本人に教えてはならない〝帝王学〟を知っていた――それが〝アッシリヤ学〟である。

前八世紀から前七世紀にかけてメソポタミアの全土を支配し、エジプトさえも征服したこのアッシリヤ帝国について、現在の世界史教科書はごくわずかしか触れていない。しかし、このアッシリヤが「三五〇〇年前」にインドに侵入した「アーリヤ」人の正体であり、前七世紀の最後の異変時代に中国に侵入した「アヤ(漢)」民族そのものであったことは、カルカッタのインド博物館に展示されたアッシリヤの粘土板や、中国大陸から出土したアッシリヤの武器などによって明らかだ。

そのアッシリヤが最後まで征服を夢見たのが、当時までティルムンと呼ばれたシュメール伝説の神々の楽園〝ジパング〟であったことは、朝鮮半島の錦山碑文や平壌碑文からもうかがうことができる。前七世紀の初めにわれらのアマテラス=ウヘリと戦った相手は、かの残忍きわまりないアッシリヤ王エセルハドン(在位六八〇~六六九BC)だったのだ。

アッシリヤ碑文に見える東方の黒頭人の大国家〝ティルムン〟が日本であったという高橋仮説の根拠

ティルムン　ティムン　ティプン　ジプン　ジッポン
Tirmun　〜　Timun　〜　Tipun　〜　Jipun　〜　Jippon
r脱落　m〜p転音　t〜j転音　日本

14世紀のヨーロッパに〝黄金の国ジパング（Jipan国）〟として伝えられた日本は、3500年前の大洪水の後につくられた地球上最古の国家・神々の住む楽園ティルムンの伝統を受け継ぐ国だ。『契丹古伝』は、今の日本のもとになった前7世紀の日本が、東冥（ティムン）・東表（ティプン）とも呼ばれたティルムンの継承国家であったことを明らかにしている。

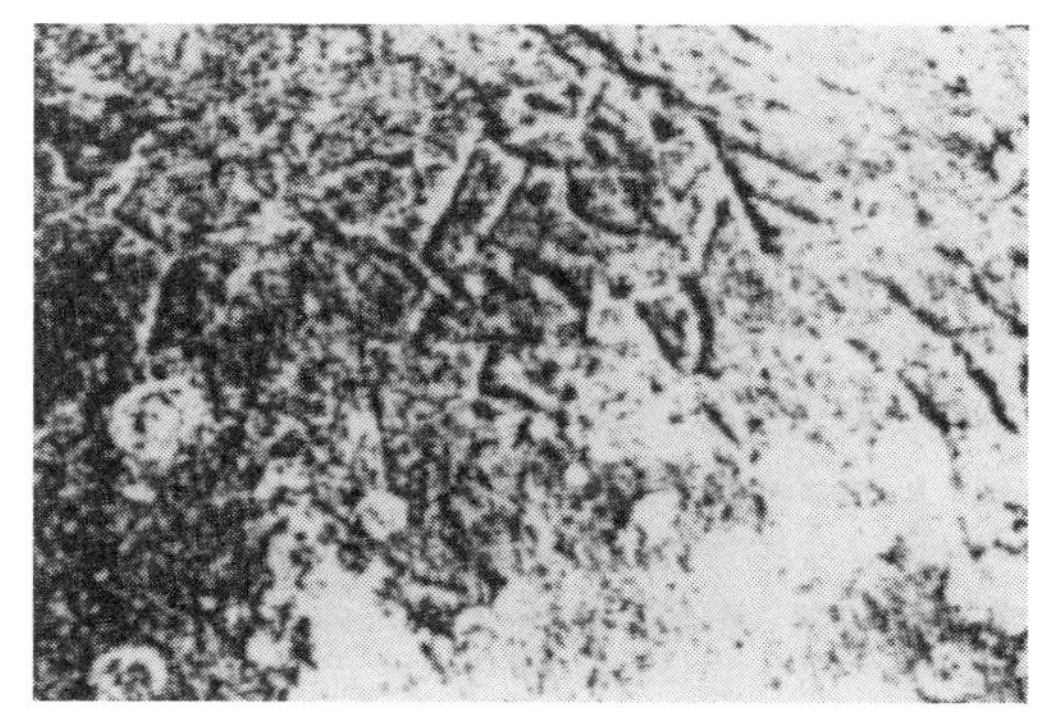

韓国慶尚南道の錦山碑文
「ウヘリカムイ（アマテラス）は鬼のごと戦はむ」と読める。中国の『山海経』に南斉と記されたアッシリヤの軍隊は、前8世紀末に朝鮮半島を南下し、前7世紀の初めには九州に侵入したらしい。このことは『山海経』の中で当時の九州に「北斉」が誕生したと記されていることからも明らかだ。

韓半島北部の平壌碑文
前7世紀の神代文字で「エセルハドン　アッスリヤ王」と読める。エセルハドンは、前687年の異変のあと、暗殺されたセンナケリブ（サルゴンの息子）の王位を継いだアッシリヤの大王だ。

中国出土のアッシリヤのカブト
『史記』に前7世紀の覇王と記された斉の桓公は、エセルハドンのあとを継いでエジプトから中国に至る広大な地域を征服したアッシリヤの大王アッシュルバニパルだったことをこのカブトは示している。

アッシリヤのサルゴン大王（在位722〜706BC）
アッシリヤの王位を奪いとったヒッタイト＝原始ゲルマンの覇王サルゴンは、〝世界の王〟のしるしを求めてティルムン＝日本への侵略を開始した。

イスラエル王ホセアが日本に亡命した？

欧米人のルーツともいうべきアッシリヤ人（別名アトランティス人）がティルムン＝日本に求めたのは、その頃〝クルの宝〟として地球統治のために欠かせないものと考えられていた空艇（三本足の鼎）だった。

エジプトでアムヒと呼ばれ、インドでヴィマナと呼ばれた太古日本の〝天の浮き船〟は、三千年前までイスラエル王ソロモンのもとにあった。ソロモン王がもっていた空艇は、その後〝シバの女王〟と呼ばれたエジプトのハトシェプスト女王とその子孫たちにひそかに受け継がれ、かの黄金仮面で有名なツタンカーメン王の時代（前八〇〇年頃）までエジプトにあった。

が、このテーベが王家の内紛で破壊されたあと、アッシリヤはイスラエルに〝クルの宝〟を求め、それがイスラエルにはないとわかるとアフリカやインドに侵入した。そしてイスラエルの最後の王ホセア、すなわち日本神話のイザナギ（オシホミミ）がその宝を日本に移したことを知るや、日本めがけて攻めてきたのである。その証拠とみられるのが、ホセア（イザナギ）の日本滞在を示す左図のような遺物だ。

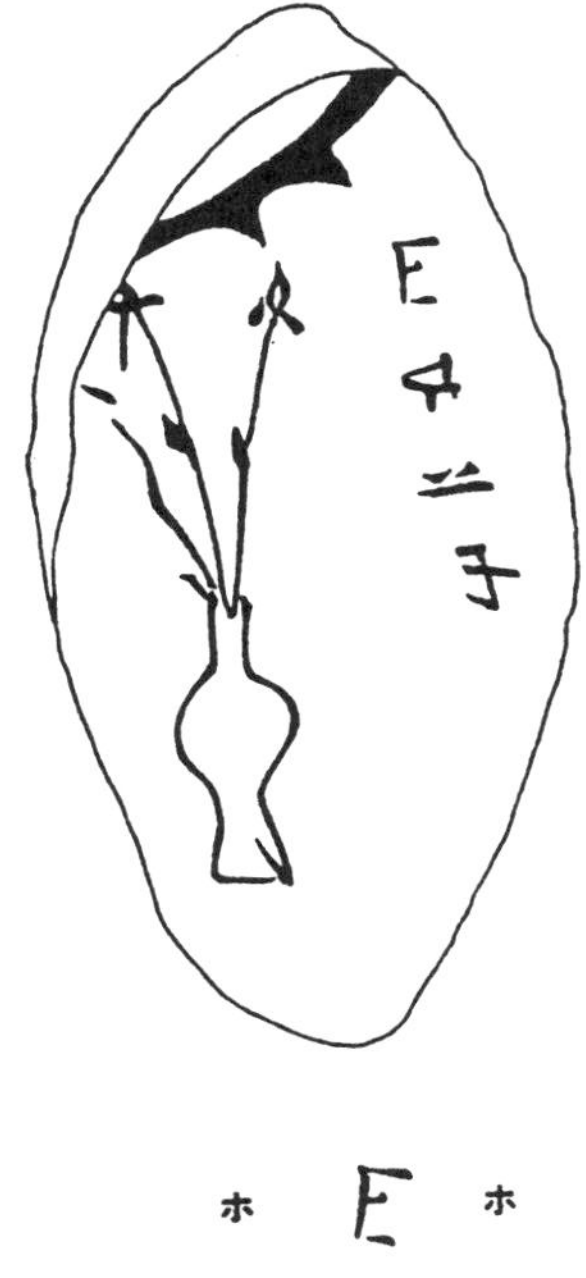

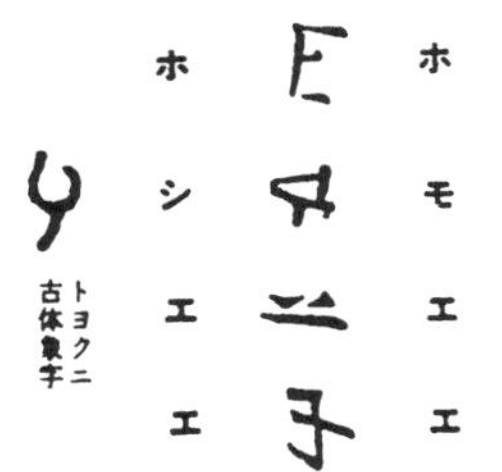

栃木県河内郡石井村の正光寺境内から出土した謎の刻石

これまで「ホモエエ」と読まれてきたこの刻文は、前722年に滅びたイスラエル北王国の最後の王ホセア（ホシエエ）の名を記したものと考えられる。日本神話の中で山幸彦ホホデミの祖父と伝えられたオシホミミのモデルが、前8世紀末にイスラエルを失ったホセアにほかならないことは、すでに高橋が証明している。

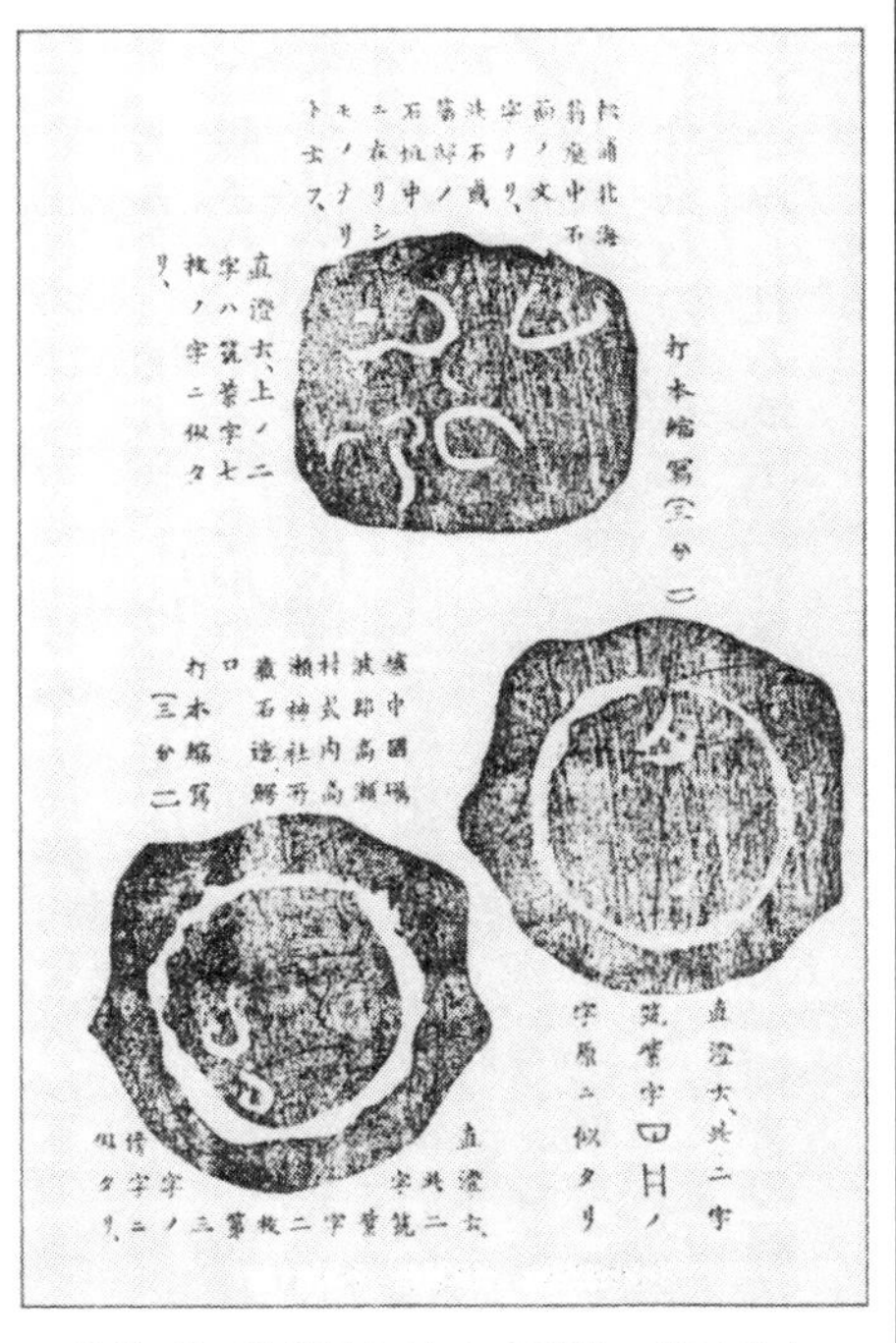

松浦石片（佐賀県出土）と高瀬鰐口（富山県出土）に記された文字

これらは、上から順に「サマルヤ」「タイサ」「ヤーヤ」と読める。サマルヤとは、前722年にアッシリヤに滅ぼされたイスラエル北王国の都を、またヤーヤとタイサは、イスラエルから東方へ逃れたヘブライ人（カラ族）の神ヤーウェ、南方に逃れて拠点を築いたエジプトを表わしている。とすると、これらの刻文を日本に残した人々は、前8世紀末から前7世紀の初めにかけて、イスラエル・エジプトから日本に亡命した私たちの祖先、カラ族（日経る民と呼ばれたヘブライ人）ではなかったか。

◉アッシリヤ

紀元前八世紀から前七世紀にかけて、イラクを中心にメソポタミア、エジプトの全域を支配した大帝国。その起源は三五〇〇年前の大洪水のあとに建てられたアッシュールに求められる。

このアッシリヤ最古の都アッシュールは、水の神のエンリル（アトゥル）に由来するが、高橋はこのアトゥルの地アッシリヤこそ、前八世紀以降、アジア・アフリカに侵略を開始したアーリヤ人やアヤ人（漢民族）の共通のふるさと、アトランティスにほかならないと説いている。

前八世紀の半ば頃までクル族の国ミタンニの属国だったアッシリヤは、サルゴン王の時代に女王ウヘリに反旗をひるがえしてアジア・アフリカの地に侵入したが、前七世紀にアッシュルバニパルがエジプトを一時的に支配して全盛期を迎えたあと、前六〇九年に滅亡した。

日本列島・神代文字探検⑦

紀元前八世紀に核戦争があった⁉

前八世紀のイスラエルとエジプトでホセアと呼ばれた日本の伊弉諾（いざなぎ）は、インドでパリクシトとも呼ばれた。パリクシトは、前八世紀に世界を荒廃させたバーラタ核大戦の勝利者ユディシュティラ、すなわちインド高天原時代の日本の神、オオトノヂ（大戸道）の息子である。

彼は前七九二年の核戦争がきっかけとなって発生した前八世紀の地球規模の異変を生きのびたあと、日本に最終的な安らぎの地を求めた。彼は、その昔〝カルク（カル国）〟と呼ばれたイスラエルが前七二二年にアッシリヤに征服され、イスラエルの一〇部族（クルの一〇部族／高句麗五部五族）が東方の地に逃れた時代に、〝サマリアの皇帝陛下（スメラミコト）〟として、われわれの祖先をインドや中国、日本に導いた偉大な指導者だったのだ。

その彼が異変の合間にたびたび日本へやって来たことは、さきに見た栃木の石井刻石の存在によってわかるだけでなく、前八世紀の彼の時代に造られたとみられる埼玉県吉見百穴の桃木文字刻文の解読結果からもうかがうことができる。

日本探検協会編『ムー大陸探検事典』（廣済堂出版）参照

ア カ サ タ ナ

アイウエオ

ハ マ ヤ ラ ワ

ハヒフヘホ

吉見百穴の碑文に使われたモモノキ文字
『竹内文書』によれば、この桃木文字は前695年に亡くなったイザナギ天皇（イサクと呼ばれたイスラエル王ホセア）の時代につくられたといわれる。

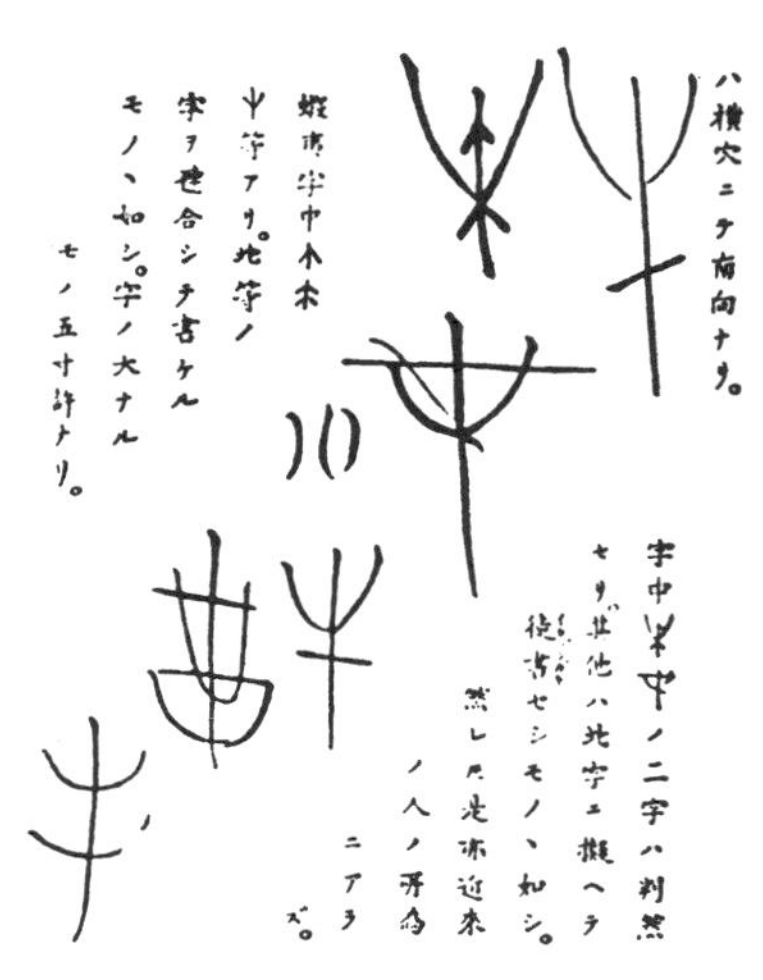

埼玉県比企郡吉見町の吉見百穴に刻まれた謎の文字
吾郷清彦が「杖ひくヘホキ」と読んだこの碑文は、「ヒユバ（火弓場）構へむ」と読むのが正しい。

前8世紀に核シェルターとして造られたとみられる吉見の横穴群
残留放射能を測定してみるとよい。

第3の扉　中国大陸の神代文字

THE THIRD GATE

ルリ富む
ヘブルの神

現われいでよ！　東洋のシャンポリオン

日本の各地から見つかり始めた謎の文字群が、紀元前の縄文時代に起こった地球規模の異変や、その原因となった核戦争の時代の神々の動きと結びつけられるとは、まさか君たちも予想しなかったにちがいない。

が、ここで探検協会が言いたかったことはこうだ——たとえ、われわれの仮説がどんなに途方もなく、ありえないことに見えようとも、過去の記憶を神話や伝説、叙事詩の形で現在まで伝えてきた私たちの祖先の物語には、遠い昔、祖先が経験した真実の歴史の断片が今も息づいているにちがいない。そしてこれを裏づける当時の記録があればなおさらのことだ、ということである。

世界の各地には、日本の神話やアイヌの『ユーカラ』に伝えられたものと同じ大事件、たとえば地球を襲った異変や大洪水、恐るべき戦争のことが伝わっている。このような各地の民族の伝承はこれまでまったく無視されてきたが、もしもその地に残された謎の文字が解読されれば、これまで欧米や中国の学者が組み立ててきた虚構の歴史は、たちまち吹き飛んでしまうのではないだろうか。

このことを端的に示すのが、中国大陸で見つかった神代文字の存在だ。

中国大陸から出土した異体文字鏡
中国から出土したものは、なんでも「中国人」が残したものと考える人には、これらの鏡の文字を読み解くことはできない。そこで今、新しい見方が求められているのだ。

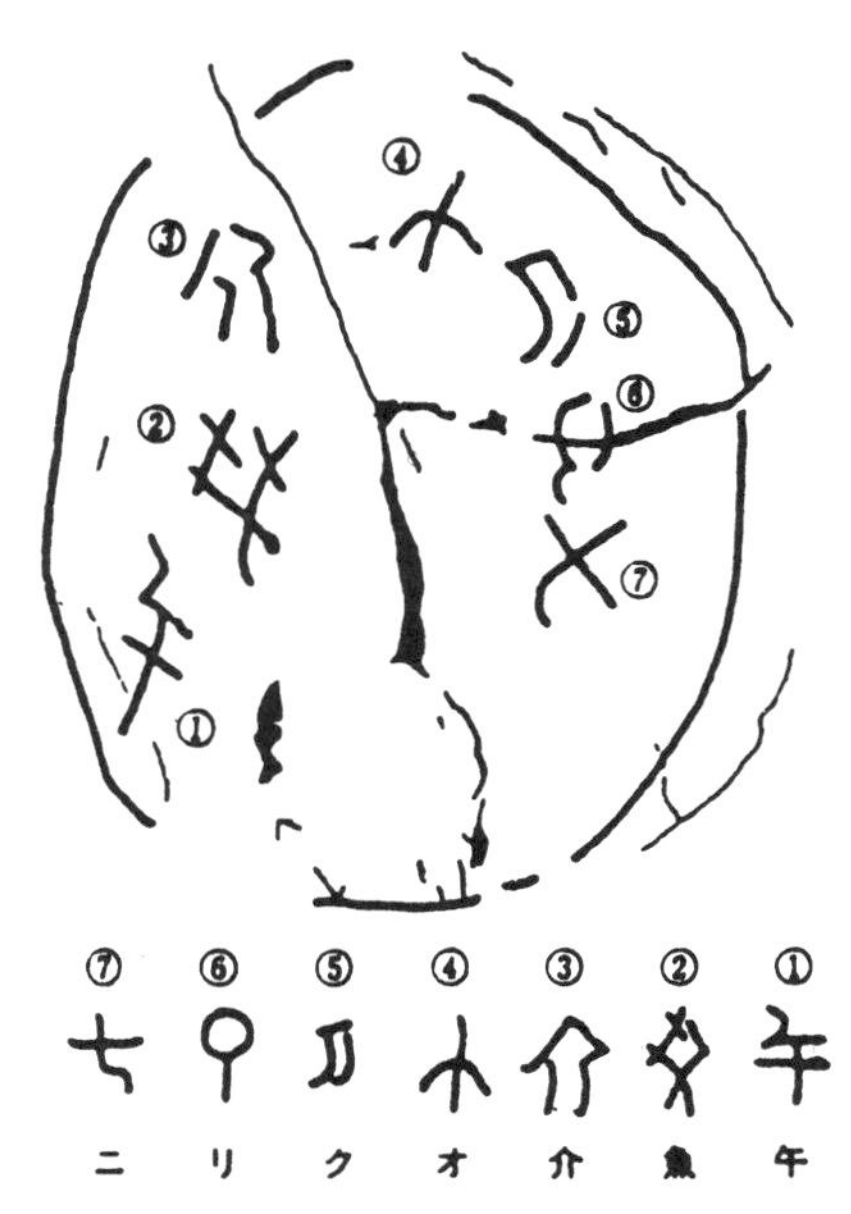

中国江西省清江県呉城遺跡から出土した陶片に刻まれた文字
この文字は、1975年の『文物』7期の報告によれば、「殷代の甲骨文字より古い文字」とされている。しかし、われわれ探検協会は、図の文字を調べていくうちに、とんでもない発見をした。この陶片の文字は、中国人の祖先が今から3000年以上前に残したものではない。日本人の祖先が紀元前の中国大陸にいた当時書き記したものだ、ということに気づいたのだ。
①②③の文字を午（うま）・魚・介（貝）と読むのは、確かに中国の学者と同じである。が、④⑤⑥⑦の読み方はちがう。彼らは④の文字を目と読み、⑦の文字を七と読む。けれども、それでは全体の意味が通じない。
そこでわれわれは、これらの文字を日本に伝わる北海道異体文字で読んでみた。すると、④の文字は北海道異体文字のオに相当する。⑤の文字はクに近い形をしている。⑥の文字はリとまったく同じ文字だ。⑦は、北海道異体文字の七（ニ）が、しばしば七と表記されているので、ニと読める。
とするなら、以上の結果はこうだ。
午　魚　介　オ　ク　リ　ニ
ここでオクリニを「送り荷」と考えれば、呉城文字が刻まれた陶鉢の中には〝午〟の季節、すなわち端午の頃（午＝五の月、旧暦の五月頃）採れたイキのいい魚や貝が盛られ、当時の役所か市場に送られたことを、この陶片の文字は物語っているようにみえる。そしてこの陶器に文字を記したのは、まちがいなくわれわれ日本人の祖先だったと考えられるのだ。

アヒルクサ文字と甲骨文字の起源は同じだ！

現在、学校で教えている世界史の「常識」に従えば、私たちの祖先は奈良時代以前に固有の文字をもたず、秀吉の朝鮮出兵前までは中国や朝鮮のすぐれた文化の恩恵に浴してきたことになっている。

平安時代に平仮名や片仮名が漢字の一部を借用して誕生するまで、日本と朝鮮には文字といえるものがなかったことになっている。日本の歴史学者は中国の学者の説を真に受けて、「三〇〇〇年」以上前の「殷」の時代につくられた甲骨文字がそのまま漢字に発展したと説いている。アジアで何千年も前から文字をもっていたのは、インダス文明人と中国文明人だけだ、紀元前の日本人は文字をもたない未開人だったと教えている。

が、現在の日本の「知識人」が無視し、過去千数百年にわたってこの国で「否定」され続けてきた日本のアヒルクサ文字を中国の甲骨文字と比べてみるとどうか。アヒルクサ文字は甲骨文字と同じ起源をもつ文字であることが、その音と形の両方からうかがえるではないか。

高橋は甲骨文字の大家といわれた郭沫若の読み方に疑問を呈し、幸は中国の甲骨文字や金文が「殷周」時代のものではないという。

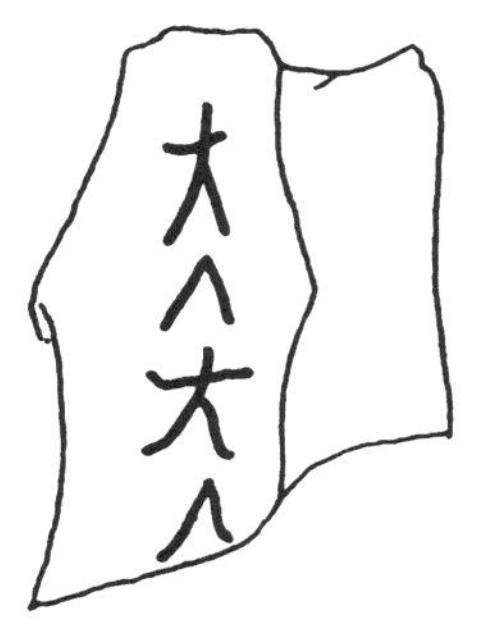

鎬京出土の甲骨文字
北海道異体文字で「無いか無いか」と読める。大は十（ナ）と丨（イ）の合体字だ。

牛骨に刻まれた「殷」の甲骨文字

アヒルクサ文字		甲骨文字							
ヒ			火	ひ→カ	ヲ			尾	ヲ
フ			父	フ	タ			多	タ
ミ			巳	み→シ	ハ			白	ハタ
ヨ			柳	ヨク	ク			九	く→キュウ
イ			干	ウ	メ			女	め→ジョ
ム			虫	むし→キ	カ			禾	カ
ナ			乃	ナイ					
ヤ			也	ヤ	ウ			有	ウ
コ			乎	コ	オ			御	お→ギョ
ト			乙	おと→オツ	エ			依	エ→イ
モ			百	もも→ヒャク	ニ			児	ニ→ジ
チ			𢆶	[シ]→ユウ	サ			申	さる→シン
ロ			老	ロウ	リ			吏	リ
ラ			羅	ラ	ヘ			尚	ヘイ
ネ			年	ネン	テ			王	テイ
シ			齒	シ	ノ			之	ノ
キ			弓	キュウ	マ		＊	間	ま→カン
ル			令	レイ	ス			小	ショウ
ユ			夕	ゆふ→セキ	ア			可	[ア]→カ
ヰ			㠯	イ	セ			施	セ→シ
ツ		＊	包	つつむ→ホウ	エ		＊	惠	ゑ→ケイ
ワ			分	わく→ブン	ホ			勿	[ホツ]→ブツ
ヌ			夗	その→エン	レ			力	リョク
ソ			且	ショ	ケ			外	ゲ

アヒルクサ文字と甲骨文字の全対応表
詳しくは、幸沙代子著『漢字を発明したのは日本人だった！』徳間書店刊参照。

徐福(じょふく)は紀伊半島から山東省へ渡った？

「殷」の甲骨文字が「三〇〇〇年前」のものであるだけでは不十分とばかり、中国の学者はつい最近（一九九三年一月）、山東半島の「四〇〇〇年以上前」の竜山文化遺跡から出土した陶器の文字が、「夏」王朝よりさらに古い時代につくられた中国最古の文字だと唱え始めた。その文字は、すでに見た甲骨文字と同じ時代に成立したとみられる日本のアヒルクサ文字とそっくりだ。そこで山東省の「中国最古の文字」をアヒルクサ文字で読んでみるとどうか――「神さびにし那智ゆ来たる」と読めた。ということは、山東半島にこの文字を残した人々が、日本の紀伊半島にある那智のあたりから中国に植民したことを意味していないだろうか。

探検協会がそう考えた背景には、次のような事実がある。たとえば、この山東省文字以前に「甲骨文字より古い文字」といわれてきた呉城文字は、今では中国大陸でかつて活躍していた日本人が残した神代文字だとわかっている。台湾の高砂碑文も、前八世紀にイサクと呼ばれた日本の王イザナギが残したものと判明した。とすれば、山東省碑文の作者は、かつて山東半島にいたといわれる徐福の一族ではなかったか？

大汶口文字

山東省陵陽河の大汶口遺跡から出土した〝縄文土器〟の表面に刻まれたこの絵文字は「スメル」と読める。スメルとは、今から3000年前のイスラエル王国の都、サマリアをさしている。ということは、この土器を山東半島に残した人々が、前８世紀末にカルク（カル国）と呼ばれたイスラエルの都サマリアからこの地へ来たことを物語っているのではないか。

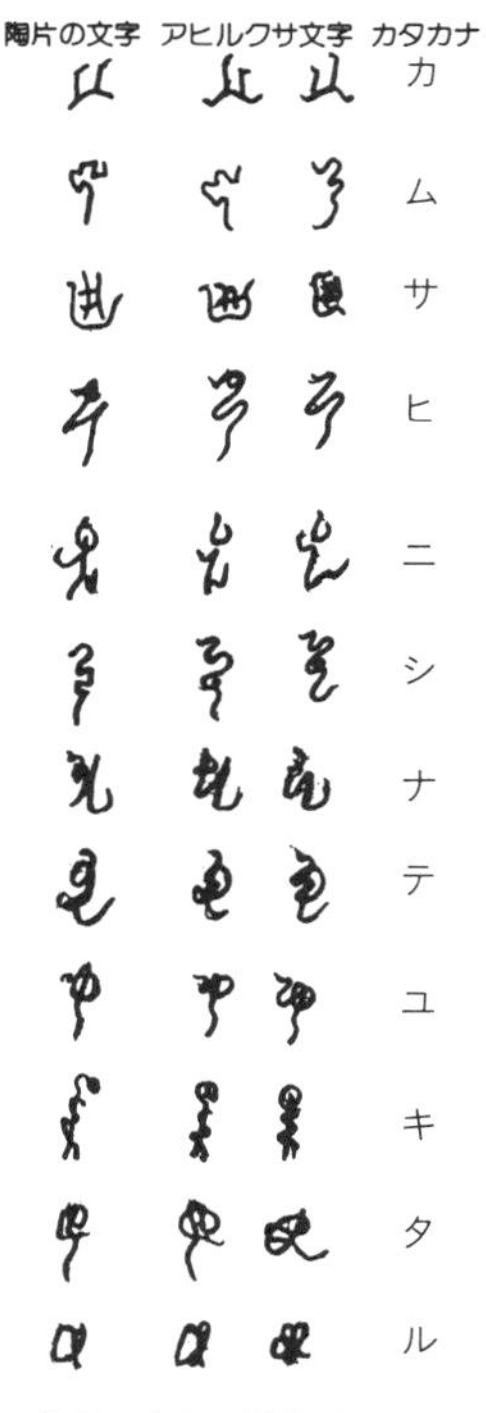

陶器の文字の解読プロセス

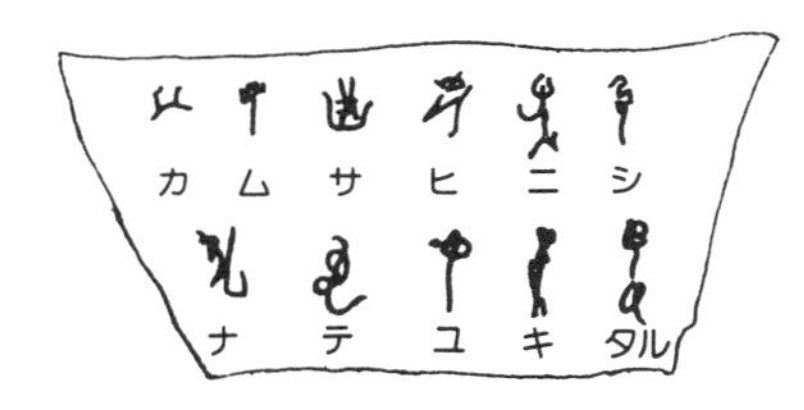

山東省出土の陶片に刻まれた文字

山東省から出土したこの陶器の刻文がアヒルクサ文字を使って書かれ、しかも古代の日本語で意味をなす文になっていることは、陶器の作者が日本の「ナテ」から山東半島に来たことを示している。そして古代のアイヌ語で〝水の手（河口）〟を意味する「ナテ」が古くから栄えていた和歌山県の「那智」をさすものと考えれば、山東半島と紀伊半島は徐福伝説を介して結びつく。徐福は前３世紀末に中国と日本を往復したといわれているので、この陶器の作者は日本から中国へ渡った徐福船団の一員であったとみることができる。

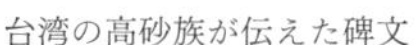
台湾の高砂族が伝えた碑文

現在、天理大学参考館に保管されているこの碑文を、高橋良典は「国つ神とウカラぬ船は戦ひ、つひに大ひに吾(あ)勝てるを祝ひ、イサク彫りける」と読んだ。

スクナヒコナは夏王朝の子孫だった?

『日本が創った超古代中国文明の謎』の著者・幸沙代子は、現在「中国最古の文字」ではないかと唱えられている山東省文字の作者が、紀元前三世紀に日本の紀伊半島から中国大陸へ渡って、斉の王建(実は出雲のオオクニヌシ)とともに中国の国造りをした日本の小人族の神、スクナヒコナではなかったかとその本の中で述べている。スクナヒコナは、記紀によれば、スサノヲの子孫のオオクニヌシとともに出雲の国造りをしたといわれる知恵者だ。その彼が、紀伊半島から山東半島へ渡ったあと、かの有名な徐福として神話化されたというのだ。

秦の始皇帝が戦国時代の六国を征服して中原を統一したあと、この徐福に命じて東方の蓬莱神仙島に不老不死の薬を求めさせた話はあまりにもよく知られている。が、徐市(じょふつ)とも呼ばれたこの徐福が、紀伊半島で夏王朝最後の桀(けつ)王の子孫、桀御子(けつみこ)と呼ばれてきたスクナヒコナの中国名であることを知る人はいない。しかし、幸が紹介したとおり、このスクナヒコナは中国で桀王とされたステルニの子孫であり、岐山県の羅漢図の神仙道の大家として描かれた徐福のモデルだとは考えられないだろうか。

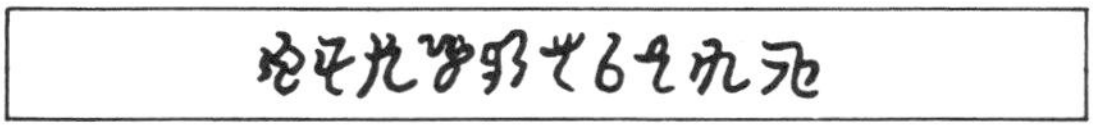

岐山文字
中国西安市郊外、岐山県の羅漢像に刻まれたこの文字は、サハラ砂漠で使用されたティフィナグ文字で、「栄え賜はらなむ　ヘブルの瑠璃富むカムイに　祈りを捧げなむ」と読める。つまり、この碑文は古代地中海世界で活躍したヘブル人（カラ族）が東方の地、中国大陸にも足跡を残したことを物語っている。

「夏禹書」とその解読プロセス
夏王朝の創始者・禹が残したとされるこの碑文は、北海道異体文字とトヨクニ文字の合体字として図のように読み解ける。ここに見える崩彦とはスクナヒコナの別名で、オオクニヌシとともに国造りをした神として知られる人物だ。

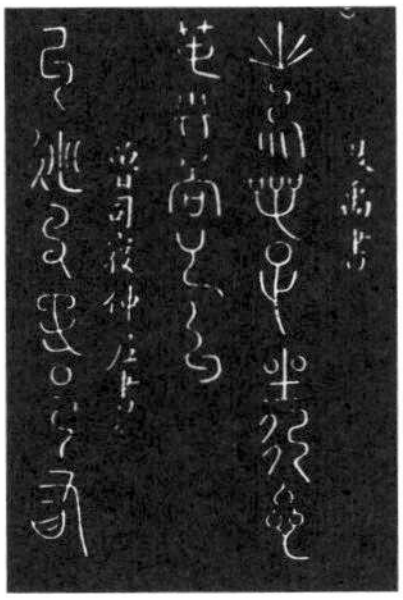

解読結果	賢き	崩	彦	をして	種子ら	植ゑさ	して	皆	国	肥	しむ	こと

（原文・全体プロセス・解読結果）

和歌山県・熊野地方の仙人谷で発見された謎の石碑

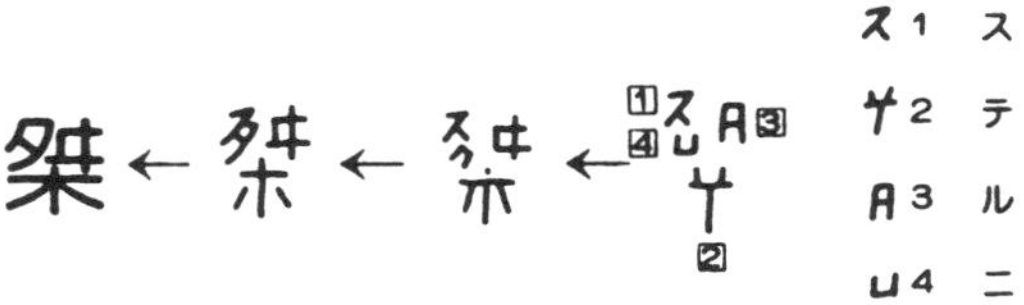

ステルニが桀に変化したプロセス

表面に刻まれた文字は、トヨクニ文字で「ステルニ」と読める。ステルニといえば、その昔、太平洋を越えてペルー、エクアドルの海岸部にやってきたというインディオ伝説のカラ族の王の名と一致する。

戦国時代の斉はイヅモだった！

中国で最も権威のある歴史書とされている司馬遷の『史記』によれば、「夏」「殷」「周」と続いた中国大陸の歴代王朝が前七七〇年に崩壊して以来、中国は斉・晋・楚の覇王がわがもの顔にふるまう春秋時代に突入し、前四〇三年に覇者の晋が韓・魏・趙の三国に分裂して以来、中原は斉・楚・燕・韓・魏・趙・秦の七国が血みどろの戦いを繰り広げた戦国時代に突入したと説かれている。

そしてこのような戦国の乱世にあって、中国大陸の西方で着々と富国強兵策を進めた秦が、ついに秦王政（始皇帝）の時代に、東方の大国・斉を征服して中国大陸を統一したということになっている。

ところが、この『史記』に書かれた斉の国譲り物語と『古事記』に記された出雲の国譲り物語があまりにもよく似ているのはおかしい――こう思ったわれわれは、ひょっとしたら司馬遷が出雲の地名を漢字名にすり替えたのではないかと疑ってみた。すると案の定、日本の神代文字で表わされた出雲の地名は、中国の地名にすり替えられたことがわかったのだ。これは、日本のスクナヒコナが徐福に改められたのと同じ手口ではないか。

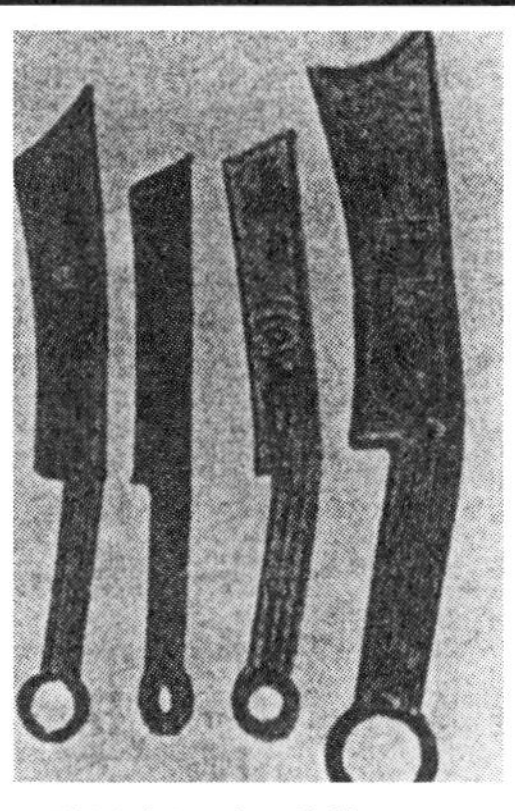

戦国時代の斉の貨幣
表面には日本神話の出雲の神々の名が記されている。

出雲の国譲りの舞台が斉の国譲りの地に変えられたプロセス
「イナサノヲバマ」と「タギシノヲバマ」を神代文字で表わし、合体させると、それぞれ『史記』が斉の国譲りの地と記した「荆」「松柏」という漢字になる。

出雲のスクナヒコナが斉の徐市にすり替えられたプロセス

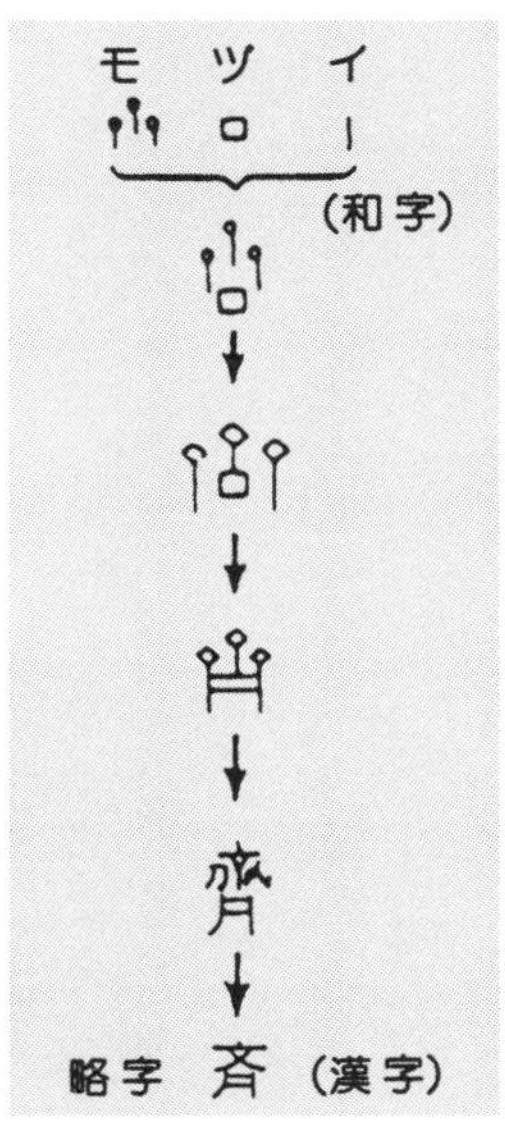

出雲が斉にすり替えられたプロセス
「イヅモ」を神代文字で表わし、合体させると、「斉」という漢字になる。

◉金文

中国大陸から出土した漢代以前の青銅器に刻まれた銘文。一般的には、殷・周時代の青銅器に刻まれた図象文字を金文という。これまで殷・周の金文は、紀元前七七〇年の西周滅亡以前のものとみなされ、漢代に成立した文字（漢字）が殷の甲骨文字からどのように発展していったかを知る上で欠かせない資料とされてきた。

が、われわれ探検協会は、従来「殷」「周」の青銅器といわれてきたものは、その大部分が「斉」に置きかえられた太古日本のイヅモ（出雲）の宝器だったのではないかと考えている。

中国大陸の神代文字⑤

コトシロヌシが漢人(あやひと)に日本を売った？

中国の『史記』に記された戦国時代の斉(せい)の実体が日本の出雲であったとは、これまで日本の学者が誰ひとり想像もしなかったことだ。

しかし、日本の神代文字で表わされたイヅモや、国譲りの舞台となったイナサノヲバマとタギシノヲバマが、それぞれ『史記』に記された斉や荊(けい)、松柏の地にすり替えられたことは今やはっきりしている。

秦の始皇帝が不老不死の仙薬を求めさせた斉人の徐市（徐福）の正体が、オオクニヌシとともに国造りをしたスクナヒコナであったことは、すでに見たとおりだ。とすれば、スクナヒコナ（徐福）とともにイヅモ（斉）の国造りを進めたオオクニヌシの一族は、『史記』でどんな名前にすり替えられたのか。

次頁の系図を見てほしい。これが斉の国（出雲）を始皇帝に譲り渡した王建とその息子の后勝(こうしょう)の系図だ。ここで王建の息子や母、王建の祖父の実体を探ってみるとどうだろう。彼らはいずれも、『古事記』にオオクニヌシの息子や母、祖父と記された人物を神代文字で表わしたものを、のちに漢字に改めた虚構の人物にほかならないことがわかる。

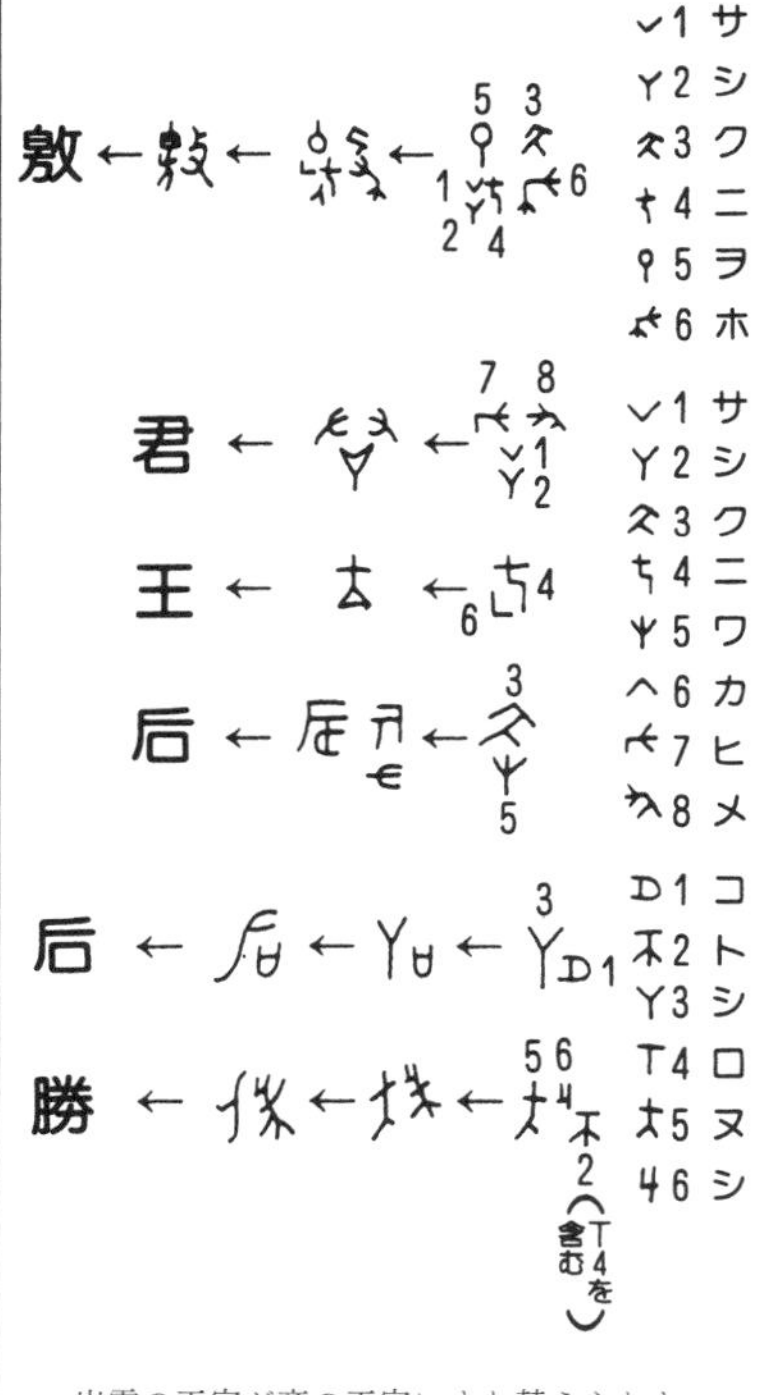

出雲の王家が斉の王家にすり替えられたプロセス

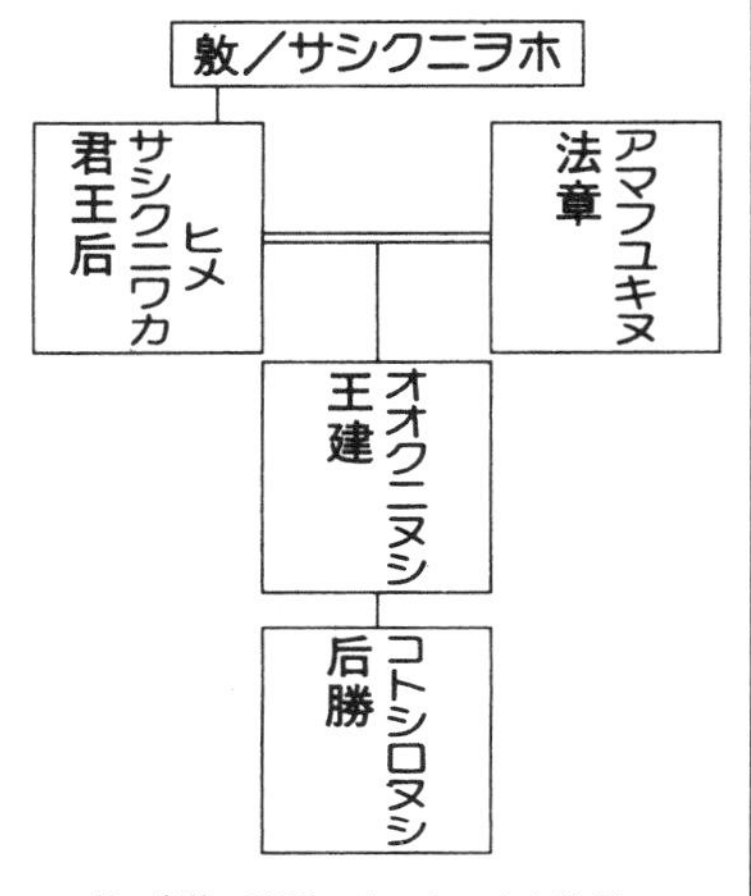

斉の実体が出雲であったことを物語る王建＝オオクニヌシの系図

日本の神代文字で表わされた出雲の神々の名が、このようなプロセスを経て斉の王族の名前に置き換えられたことは、前漢の武帝の時代に、それまで中国大陸を治めていた日本の王家の歴史を抹殺するため、司馬遷が『史記』という一大偽書を作ったことを意味している。

斉王と出雲王の対応表

代	在位	斉王＝出雲王
1代	(BC399－398)	太公田和＝タケハヤスサノヲ
2代	(BC397－393)	桓公田午＝ヤシマジヌミ
3代	(BC392－358)	威王因斉＝フハノモチクヌスヌ
4代	(BC357－340)	宣王辟彊＝フカブチミツヤレハナ
5代	(BC339－300)	湣王地＝オミツヌ
6代	(BC292－265)	襄王法章＝アマフユキヌ
7代	(BC264－221)	王建＝オオクニヌシ

始皇帝以前に中国大陸を治めていた出雲の諸王とその在位年代
これまで単なる神話上の人物とみられてきた出雲７代の神々は、「斉」の７代の王として実在したことが、この年表からうかがわれる。

「ニニギ」の正体は秦の始皇帝だった！

さても、中国戦国時代の斉が日本神話の出雲だった、というのは驚き以外のなにものでもない。

これまで日本神話の出雲の国の実体はさっぱりわからず、オオクニヌシがなぜ〝大国主〟と呼ばれたかもはっきりしなかった。ところがどうだろう。出雲のオオクニヌシが前三世紀に秦の始皇帝と並ぶアジアの大国の帝王であったとしたら話はちがう。斉の王建は紀元前二二一年に息子の后勝の意見を聞き入れて、なんら一戦も交えることなく秦に国譲りをしてしまった。王建が出雲のオオクニヌシであったとすれば、当然、彼が国譲りをした相手の秦の始皇帝、すなわち秦王政は、『古事記』の中でオオクニヌシの国譲りを受けたとされる「ヒコホノニニギノミコト」でなければならない。はたしてそんなことが言えるだろうか。

ところが、ここでもまた、われわれ探検協会は意外な事実を発見した。ニニギを神代文字で表わしたものが、なんと秦王政になってしまったのだ。ということは、つまり『古事記』に出雲の国を国譲りさせたと伝えられる「ニニギ」の正体が、秦の始皇帝であったことを意味しているのだ！

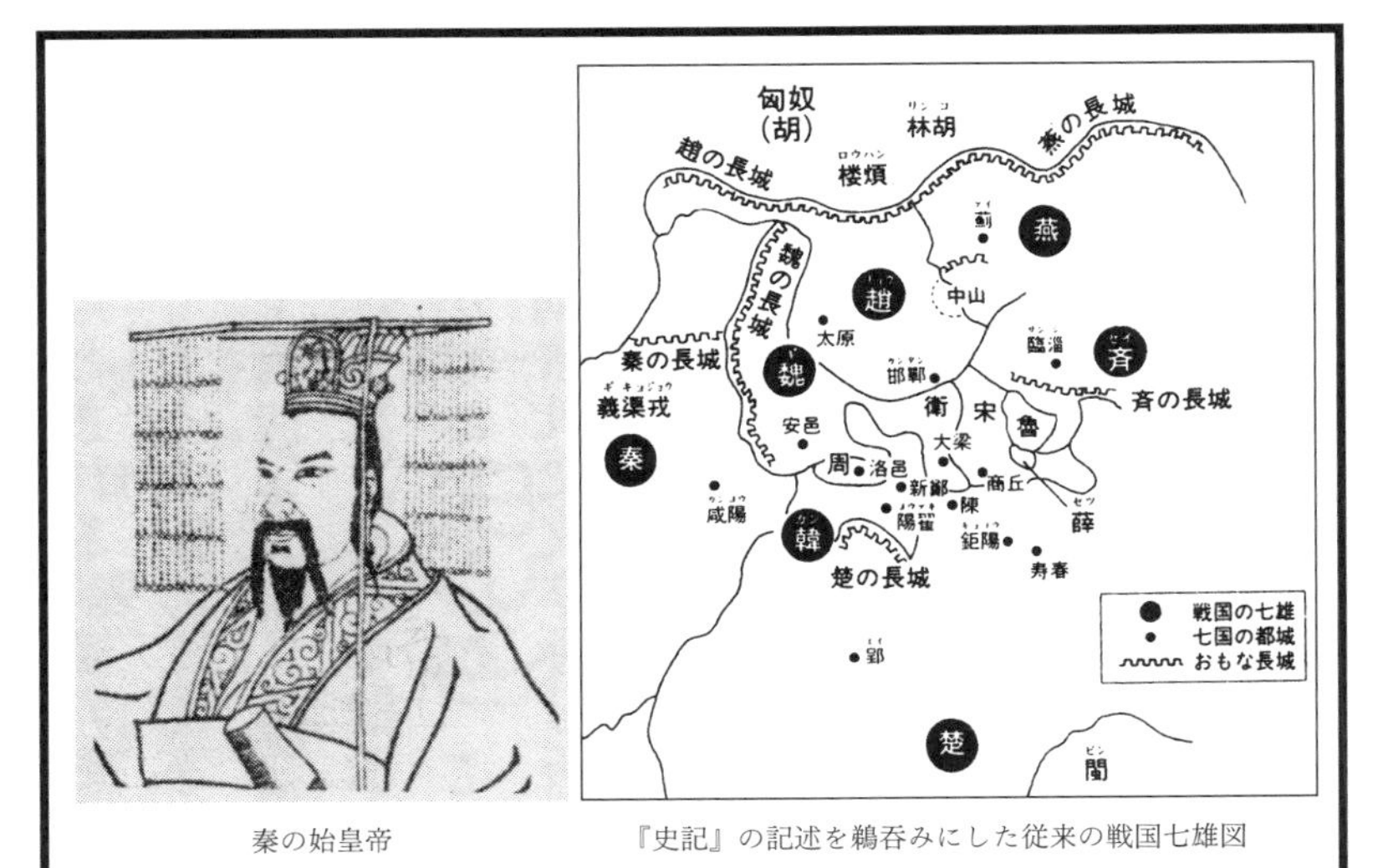

秦の始皇帝

『史記』の記述を鵜呑みにした従来の戦国七雄図

秦
斉
楚
燕
韓
魏
越
趙
呉

『史記』の里程に基づく新しい戦国諸国の勢力地図
当時のイヅモ（斉）は現在の中国・ベトナム国境地帯から朝鮮半島・日本列島にまたがる東西3000km、南北3000kmの超大国だった。まさに「大国主（オオクニヌシ）」の国にふさわしい大国だったのである。

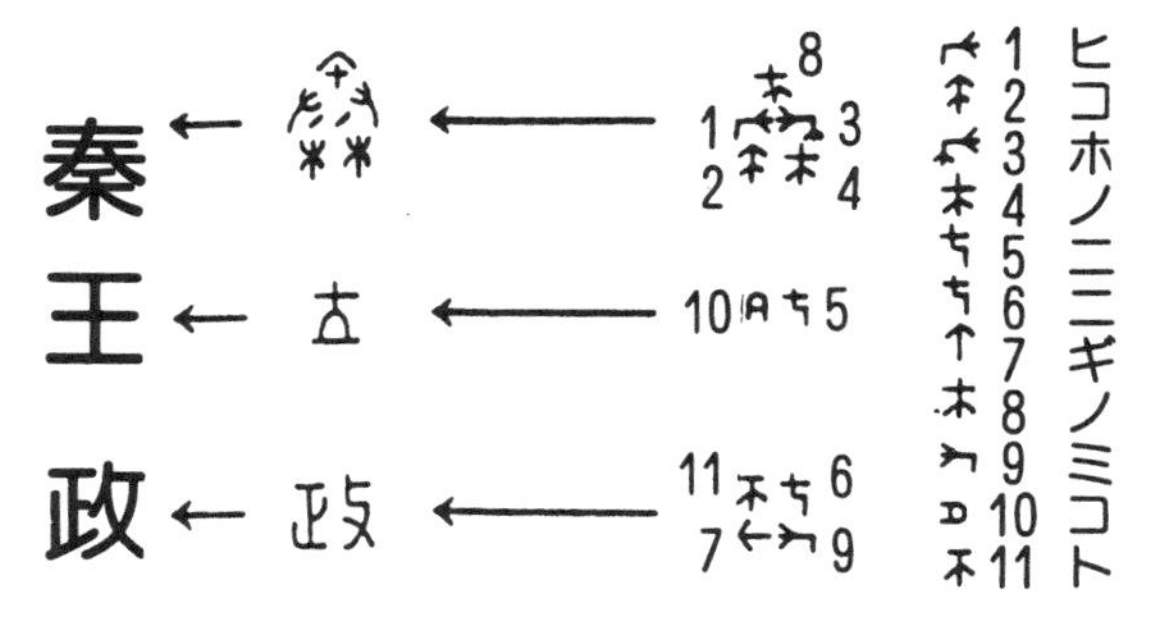

出雲（斉）を征服した秦王政（始皇帝）の正体
秦の始皇帝、すなわち秦王政は、神代文字のヒコホノニニギノミコトが合体して作られた漢字名であることがわかる。

タケミカツチ
カムイ
せん
翦
王
タケミカツチカムイ＝王翦

出雲（斉）に国譲りを迫った秦の将軍・王翦の正体
王翦は出雲のタケミカヅチと一致する。

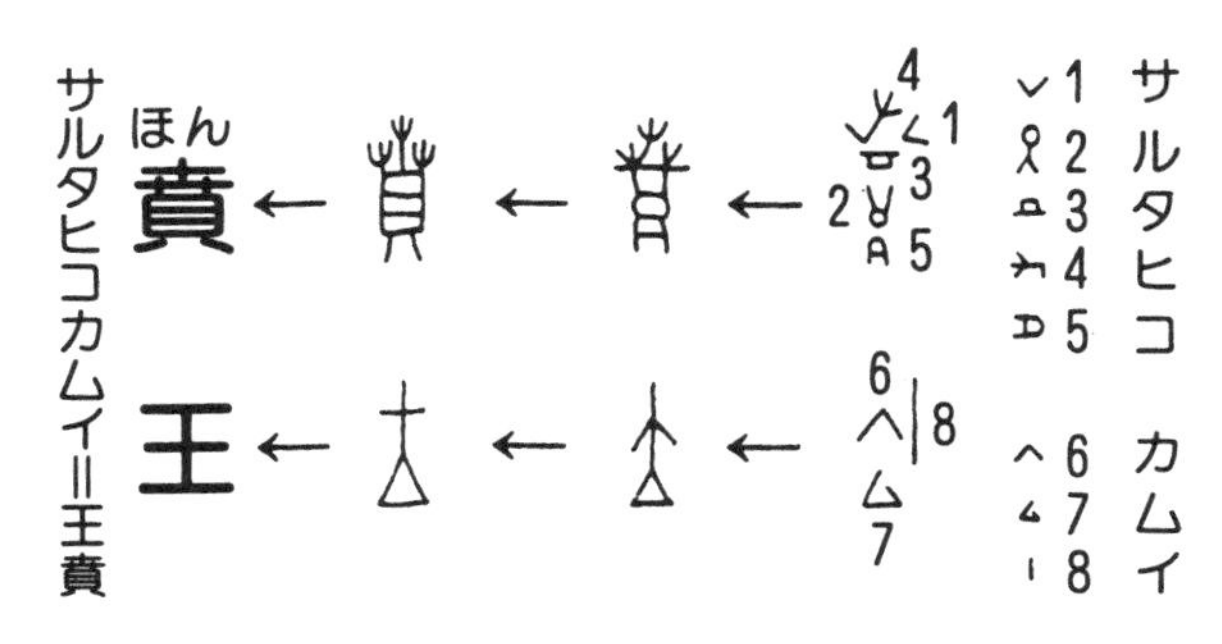

国譲りの先導役を務めた王翦の息子・王賁の正体
三重県の椿大社にまつられているサルタヒコと一致する。

田斉を創始した田和(たか)王はタケハヤスサノヲだった‼

『古事記』によれば、出雲の国は初代のスサノヲに始まり七代目のオオクニヌシで終わる。これと同様、斉の国も初代の田和(たか)王に始まり七代目の王建で終わる。その田和王の実体が出雲のタケハヤスサノヲであり、二代目の田午王の実体が出雲第二代のヤシマジヌミであったなどと唱えた学者は、過去二〇〇〇年間、中国にも日本にも一人もいなかった。それはなぜか。

これは、『史記』をまとめた司馬遷があまりにも巧みに歴史のすり替えを行なったからだ。高橋によれば、秦のあとに中国大陸の新しい覇王になったとされる前漢の歴代の帝王は、武帝の頃まで日本人と同じクル族の一派である匈奴(きょうど)の支配下にあって辱めを受けた。そのため、武帝の時代に初めて匈奴を北方に駆逐したとき、武帝が司馬遷にそれ以前の歴史をすべて作り変えるよう指示したからではないかという。ことの真相はいまだ明らかではない。が、これまで「殷」「周」のものとみなされてきた青銅器に刻まれた文字を分析してみると、これもまた田斉すなわち出雲の王たちが残したものだということがわかる。とすれば、出雲の諸王は、国譲り前まで中国全土を治めていた日本の大王だったとは考えられないだろうか。

「殷」の青銅器

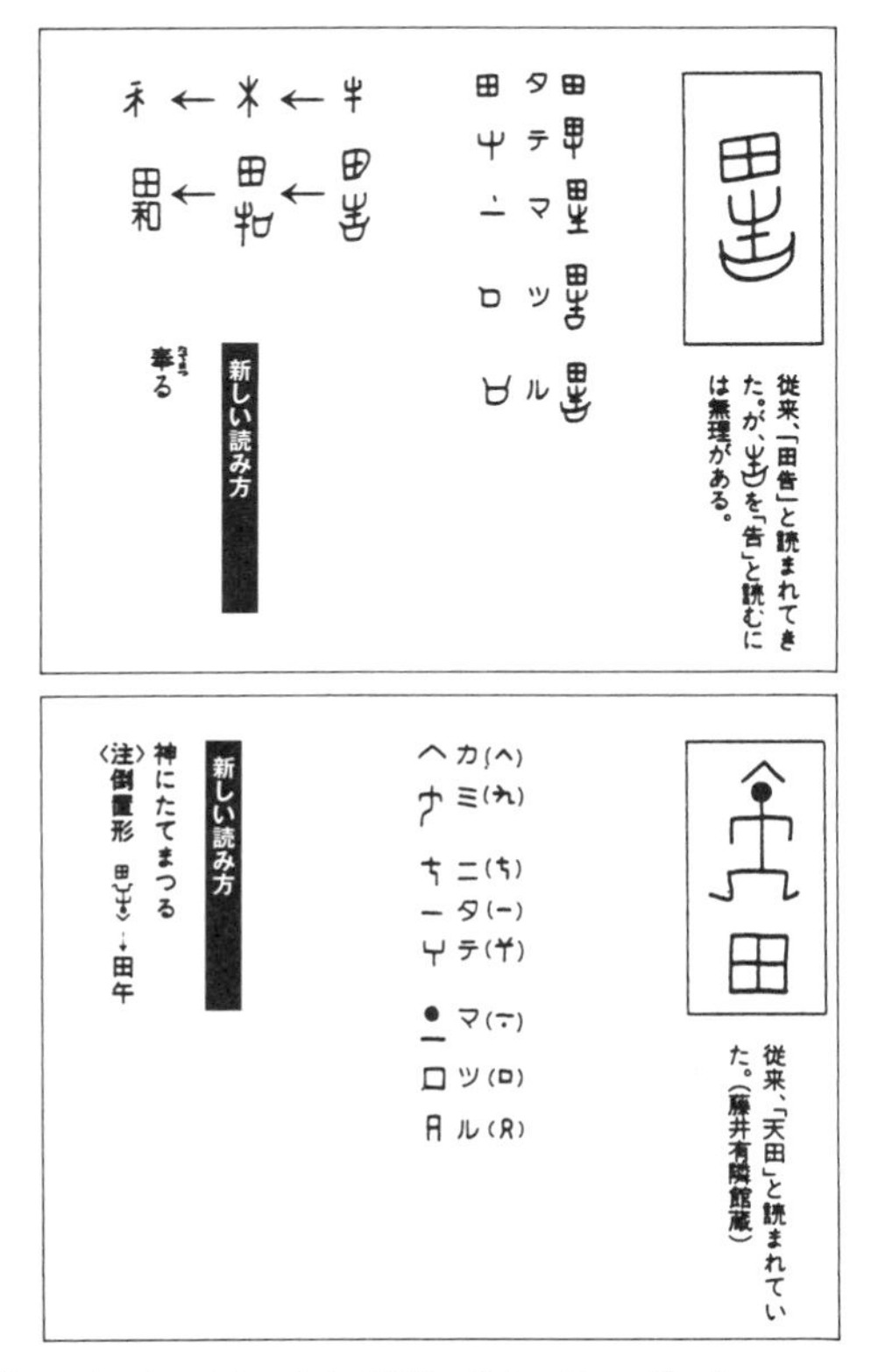

3000年前の「周代」のものとみられてきた青銅器の銘文の新しい読み方
上は日本の神代文字で「たてまつる」、下は「神にたてまつる」と読める。ということは、これらの青銅器が周代のものではなく、前4世紀の出雲のタケハヤ（田和王）とヤシマジヌミ（田午王）の時代につくられたものだということを意味している。

神農のモデルは日本のクヌスヌだ！

『史記』は、前三世紀まで東アジアに栄えた出雲（斉）の領土をこう述べている。

> 出雲（斉）は太平洋（僻遠の海）に面した地で、これ以上行くすべもない東境に位置している国です。出雲（斉）は南には台湾の山々（泰山）があり、東には美しい竹林で知られる紀伊半島（琅邪山）があり、西にはソンコイ川（清河）があり、北にはバイカル湖（勃海）があって、いわゆる四方要塞の国であります。

タケハヤ（田和）とヤシマジヌミ（田午）のあとを継いで出雲の王となったフハノモチクヌスヌ（威王因斉）は、中国大陸の原野を大いに開拓して国力を充実させると、孫子の兵法で知られる孫臏（そんぴん）を起用してインドシナのチャム（趙）を撃ち、インドのマガダ（魏）をガンジス河口のダッカの湿原（濁沢）で破って今の中国の基礎をつくった。

その出雲王クヌスヌがのちに神農にすり替えられたことは、彼の手にした鍬（くわ）がクヌスヌ時代の貨幣と同じ形で、しかもその一つにクヌスヌの名が刻まれていることからも明らかだ。

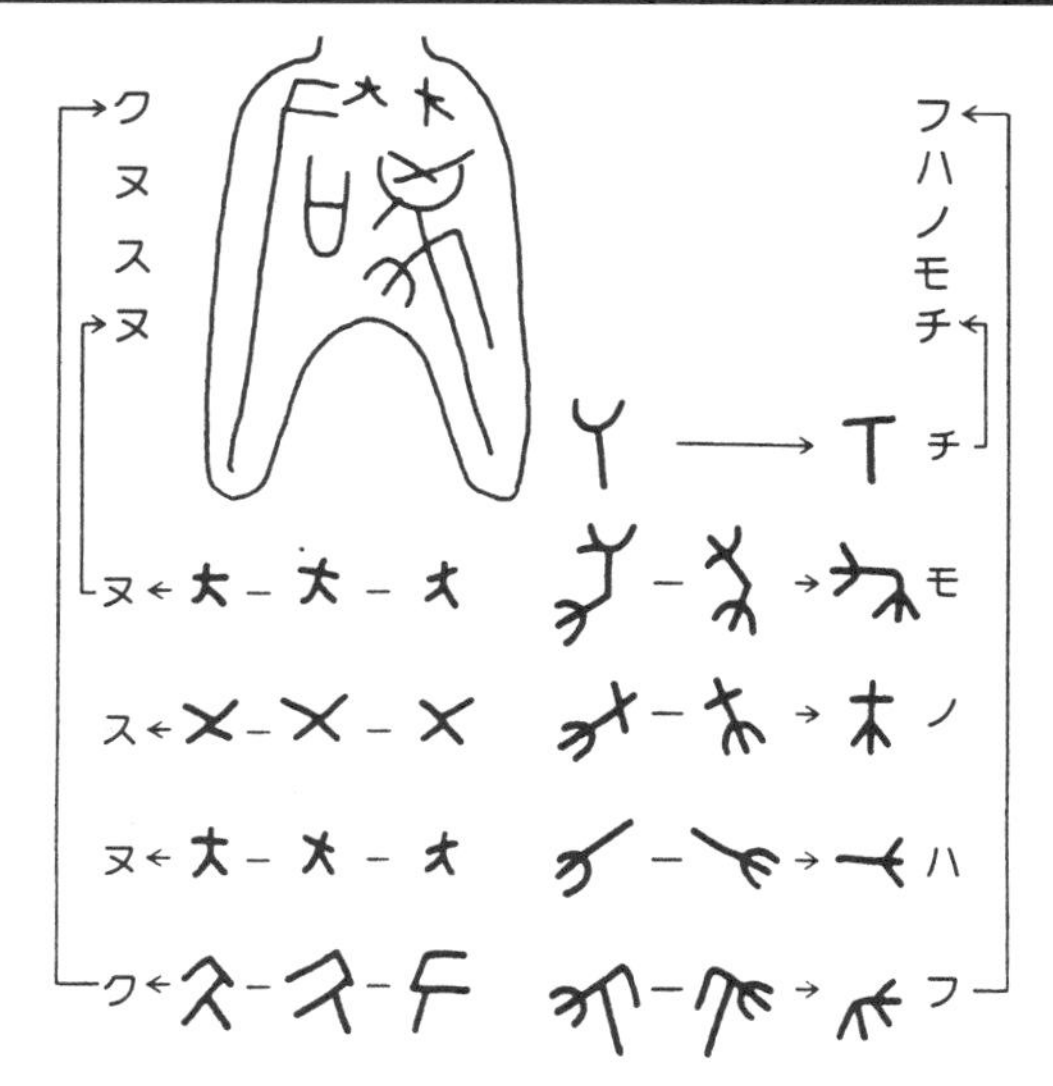

前４世紀の斉＝出雲の貨幣
表面に刻まれた文字は北海道異体文字で「フハノモチクヌスヌ」と読める。

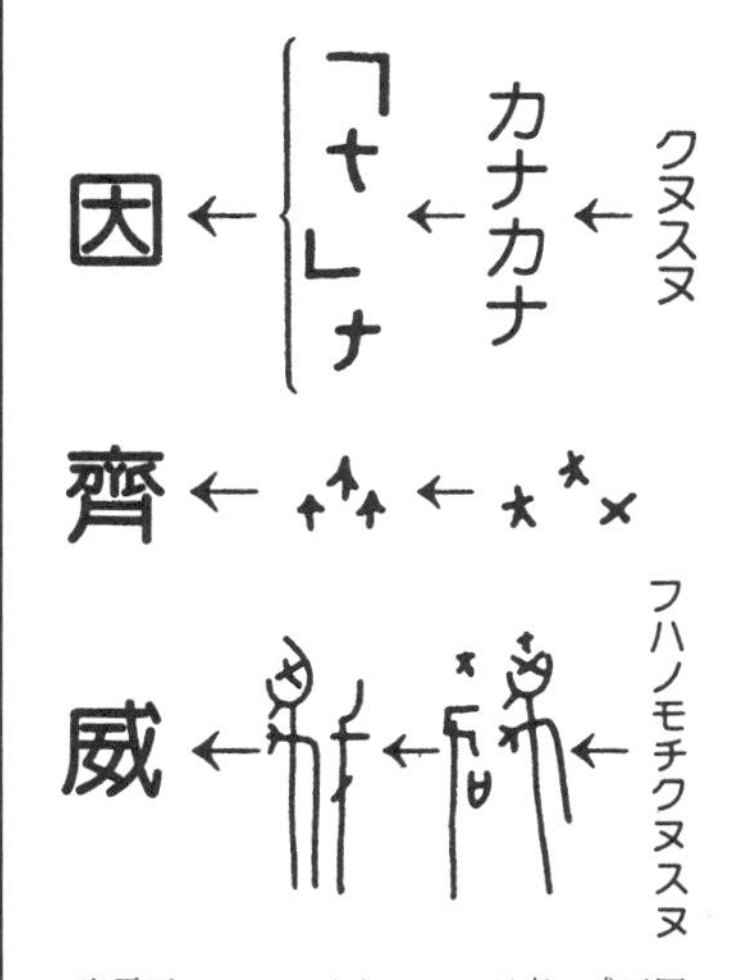

出雲王フハノモチクヌスヌが斉の威王因斉につくり変えられたプロセス
鍬を手に東アジアを開拓した日本神話の黄金神、布波能母遅久奴須奴はこうして斉の威王因斉に変身した!!

漢代の「神農」像
前漢の武帝の時代に創作された中国農業の祖・神農のモデルは、前４世紀に中国大陸を切り開いて農業を広めた日本の出雲王クヌスヌだった！

ヤレハナはベトナムまで国境を拡大した！

司馬遷の手で斉の威王因斉につくり替えられた日本の偉大な農業指導者、出雲のクヌスヌ王が、中国人に農業を教えた祖神とされる神農のモデルでもあったのは意外である。

そのフハノモチクヌスヌという名の、フハノモチは「鍬を手にした人」という意味であり、クヌスヌは「黄金のさなぎ（鐸）」を意味している。とすれば、クヌスヌ王は、金色に輝く銅鐸型の祭器（斉の編鐘）を初めて中国で広めた王だったのではないか。

前三五八年にこのクヌスヌ（因斉）のあとを継いで息子のフカブチミツヤレハナ（宣王辟彊）が出雲（斉）の王になると、ヤレハナ（宣王）はひき続き孫臏を用いてマガダ（魏）の軍隊をビハール（馬陵）で大破し、ベトナムまで国境を拡大した。そして彼は、陰陽五行の大家として知られる鄒衍らを都に招いて諸子百家の学問と芸術を大いに奨励したのである。

ヤレハナ（宣王）の時代に、現在の教科書で「殷」や「周」、「春秋」時代のものだと説かれている青銅器がたくさん作られたことは、いくつかの銅器の銘文が日本の神代文字で読めることからも明らかだ。

わが垂乳根(タラチネ)のかわゆらしき牛(ベコ)
下枝(シツエ)にたてまつり
生命(イノチ)の綱(ツナ)をかけて
これなるニヱをたてたてまつ
り
血(チ)を捧(ササ)げてカムイノムしたて
まつらむ
わが垂乳根(タラチネ)の神(カムイ)なむ
カムイノムしたてまつらむ
突(ツ)き鳴(ナ)らす金(カネ)鐘の神(カムイ)なむ
子々孫々(シシソンソン)まで祭(マツ)り祭(マツ)りて
黄金(コガネ)の牛に親族(ウガラ)・同胞(ハラカラ)の生命(イノチ)
を捧(ササ)げたてまつらん

周「楚公鐘」の解読結果

安陽之法化

安陽生法化

安は（欠画）を欠き、
陽は阝を、法は氵を欠き
之、化は以て非なるものであることがわかる

しかし、これらを出雲文字として読めば
次のような意味になる

フカ　ブチ　ミ　ツ
ヤ　レ　ハ　ナカムイ　ホル

解：フカブチミツヤレハナカムイホル
意：深淵(ふかぶち)　水夜(みずや)禮花(れはな)　神(かみ)彫(ほ)る

山東省出土の斉の貨幣に刻まれた文字
従来「安陽之法化」と読まれてきたこれらの文字は、日本の神代文字で「フカブチミツヤレハナカムイホル（深淵　水夜禮花　神彫る）」と読める。この貨幣の文字は、『史記』に「宣王辟彊」の名で登場する出雲（田斉）の第四代の王、フカブチミツヤレハナの手で彫られたのだ。

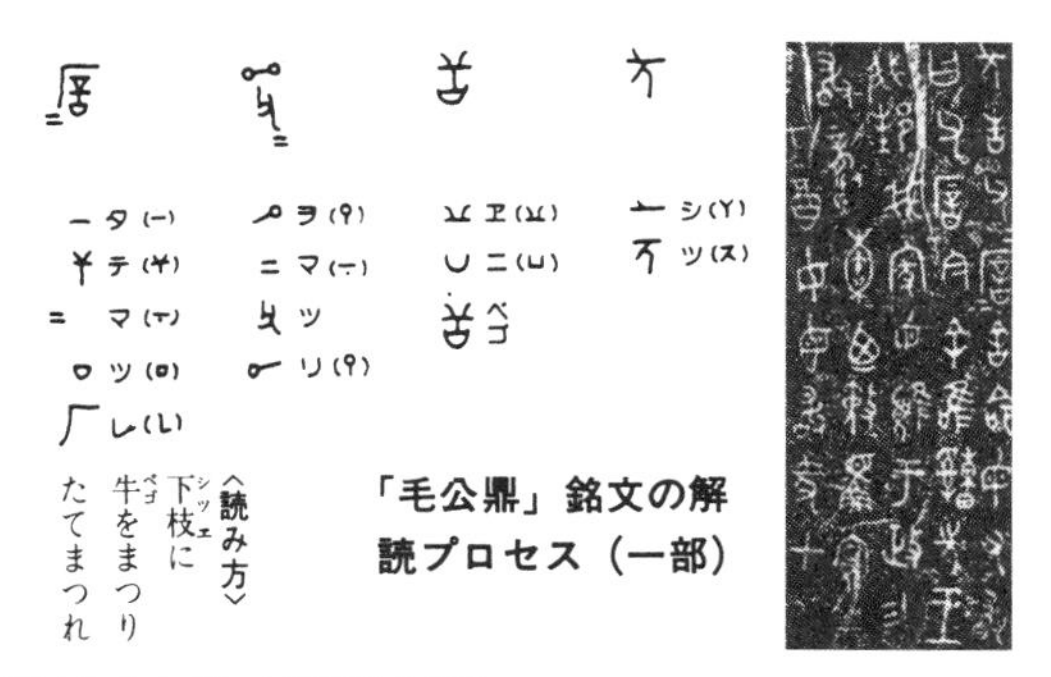

「毛公鼎」銘文の解読プロセス（一部）

周の「毛公」の鼎といわれていた青銅器の銘文
この鼎は「周」代につくられたものではなく、前4世紀から前3世紀の中国大陸に栄えた斉、すなわち出雲の宝器であったことがわかる。

東帝ヲミツヌはフツヌシに国を奪われた！

『史記』によれば、斉の国は、宣王の死後、その息子の王湣地(おうみんち)のもとで大いに栄えた。その王湣地が出雲神話のヲミツヌであることは、中国大陸から出土した斉の貨幣、すなわち出雲の貨幣に「ヲミツヌ」の名が登場し、しかもその貨幣の文字を合成して「王湣地」という斉王の名が作られたことを見れば疑いようがない。

このヲミツヌ（王湣地）の時代に出雲（斉）はその最盛期を迎え、西方からスキをうかがっていた秦（実体はアレクサンダー大王を生み出したマケドニア）から、東帝の君臨する超大国として恐れられていた。

前三〇〇年に一時的に斉の国を奪った燕の将軍楽毅(がっき)が出雲の国譲りに大きな役割を果たしたタケフツヌシであったことは、左頁の上の図のすり替え経過を見れば明らかだ。ヲミツヌ（王湣地）は、その当時世界で最も豊かな国になった出雲の防衛をおろそかにして、チベット（燕）から東進したマケドニア（秦）の友軍にスキを突かれたのである。『史記』は、そのとき出雲の宝器がことごとく奪われ、のちに出雲とはなんのかかわりもない「殷」「周」の銅器にすり替えられたことを暗に物語っている。

タ 1
ケ 2
フ 3
ツ 4
ヌ 5
シ 6

→樂

→毅

出雲（斉）の国譲りのきっかけをつくった楽毅の正体
王建（オオクニヌシ）に国譲りをさせる一方の主役となった燕の将軍・楽毅は、出雲神話のタケフツヌシだった。

第五代ヲミツヌ（王湣地）

斉刀の文字　解読プロセス

1 ヲ ミ ツ
2 ヌ カ ム イ
3 ホ レ ル
4 ナ タ コ

王←　2
湣←　1 3
地←　4

淤美豆奴神彫れる刀子

斉の貨幣に刻まれた文字
これらを神代文字で読み解くと「オミツヌ神　彫れる刀子（なたこ）」となる。しかも、これらの文字を合成すると「王湣地」という斉王の名に変身するのだ。

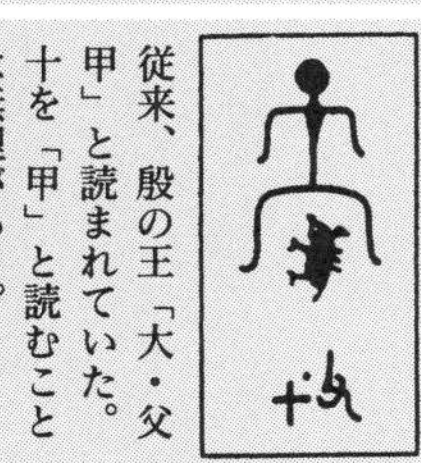

従来、殷の王「大・父甲」と読まれていた。十を「甲」と読むことは無理がある。

新しい読み方

天二ヱ　まつり　せよ
or　まつら　しめよ

従来、殷王の「⿱・父乙」と読まれていた。⿱を読めないまま放置している。まん中の字は「父」とは読めない。

新しい読み方

牛（ベコ）たてまつれ

従来、西周の金文として「周・父・癸」と読まれていた。■がなぜ「周」になるのか、■も「父」とは読めない。先の■も同じく「父」と読んでいるのはおかしい。

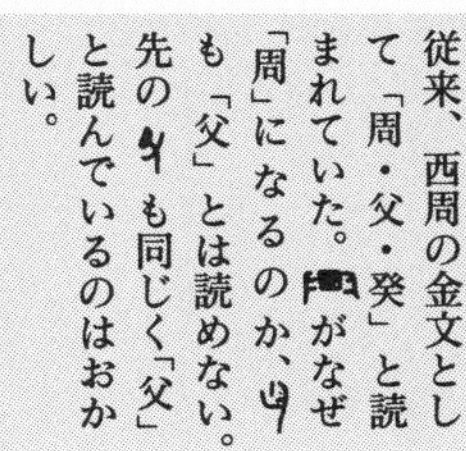

「殷周」の青銅器に刻まれた文字

アマフユキヌは、再び中国大陸の王となった！

前三〇〇年にヲミツヌ（王滑地）が中国大陸を失ったとき、ヲミツヌの息子のアマフユキヌは日本列島に亡命し、サシクニヲホとその娘サシクニワカヒメの協力を得て再び中国大陸に返り咲いた。そのサシクニヲホとサシクニワカヒメが、『史記』の中で王滑地の息子の法章を迎えた莒(きょ)の国の太史、敫(きょう)とその娘の君王后にすり替えられる前まで、彼らが日本列島に実在した人物であったことはすでに見たとおりだ。

二人の協力を得て出雲の国を再建したアマフユキヌがほんとうに中国大陸に君臨した証拠はあるのかといえば、それもある。中国河南省光山の「黄国」故城から出土した方座（方形の銅製印章）が大きな証拠だ。

ここに刻まれた文字は、日本の神代文字で「アマフユキヌ」と読める。そればかりではない。アマフユキヌの一つひとつの文字を合成すると「法章」という名前になることも確かめられている。ということは、これまで中国の「学者」がむりやり漢字にあてはめて読んできた漢字成立以前の中国の文字が、すべて日本の神代文字で読めるということを意味しているではないか。

第五代
アマフユキヌ（法章）

アマフユキヌ

法←　←
章←　←

河南省光山「黄国」故城出土の方座（銅製印章）銘
神代文字で「アマフユキヌ」と読める。このアマフユキヌを合成すると「法章」という漢字になる。

「楚」の金版
これまで「郢称（えいしょう）」と読まれてきた金貨の文字は、神代文字で「宝のナタ　子々孫々　崇めむかな」と読める。ということは、「楚」の金版が出雲の金貨だったことを意味しているのだ。

斉の編鐘（楽器）
銅鐸とよく似た形をしている。

は斉貨にしばしば登場し、（カナサナ）、（タカラノナタ）と呼ばれた出雲（斉）の布銭・刀銭の名を受けつぐもので、（金）の頭部のを倒置した形は、
ナタ
タカラノナタ　と読める。

は が変化した形で「ソムソム」と読まれ、また の は「シ」であるところから、で「シシソムソム」と読むことができる。

左端の文字は以下の六つの神代文字が合体してできたものだ。

ア
カ
メ
ム
カ
ナ

したがって以上の解読過程から、この金版に刻印された文字は、次のように読めることが判明した。

タカラノナタ　（宝のナタ）
シシソムソム　（子々孫々）
アカメムカナ　（崇めむかな）

金版の文字の解読プロセス

オオクニヌシはシルクロードに君臨した？

これまで『史記』の記述を鵜呑みにしてきた日本と中国の学者は、秦の始皇帝が戦国諸国を統一した前二二一年まで、中国大陸には「斉」「楚」「燕」「韓」「魏」「趙」「秦」の七つの大国があり、それら七雄以前には、「夏」や「殷」「周」という国が中国大陸にあったと思いこんできた。

ところが、出雲の国譲り神話に登場する人物や土地の名を日本の神代文字で表わしてみると、それらを合成したものが、斉の国譲り物語に登場する人物や土地の名にすり替えられたことがわかってきた。そして、実際に中国大陸から出土した貨幣や銅器に刻まれた文字を日本の神代文字で改めて読み直してみると、始皇帝以前の中国大陸にいたのは私たち日本人の祖先であったことや、当時の中国大陸には、斉すなわち出雲の国以外の国はなかったことまではっきりしてきた。つまり、斉（出雲）以外の楚、秦などがそれぞれペルシア帝国、マケドニア帝国をさしていることがはっきりしてきたのである。とすると、秦の恵文王（マケドニアのアレクサンダー）に滅ぼされた楚（ペルシア）から難民を迎え入れたオオクニヌシ（王建）は、前三世紀のシルクロードに君臨した大王だったとは考えられないか。

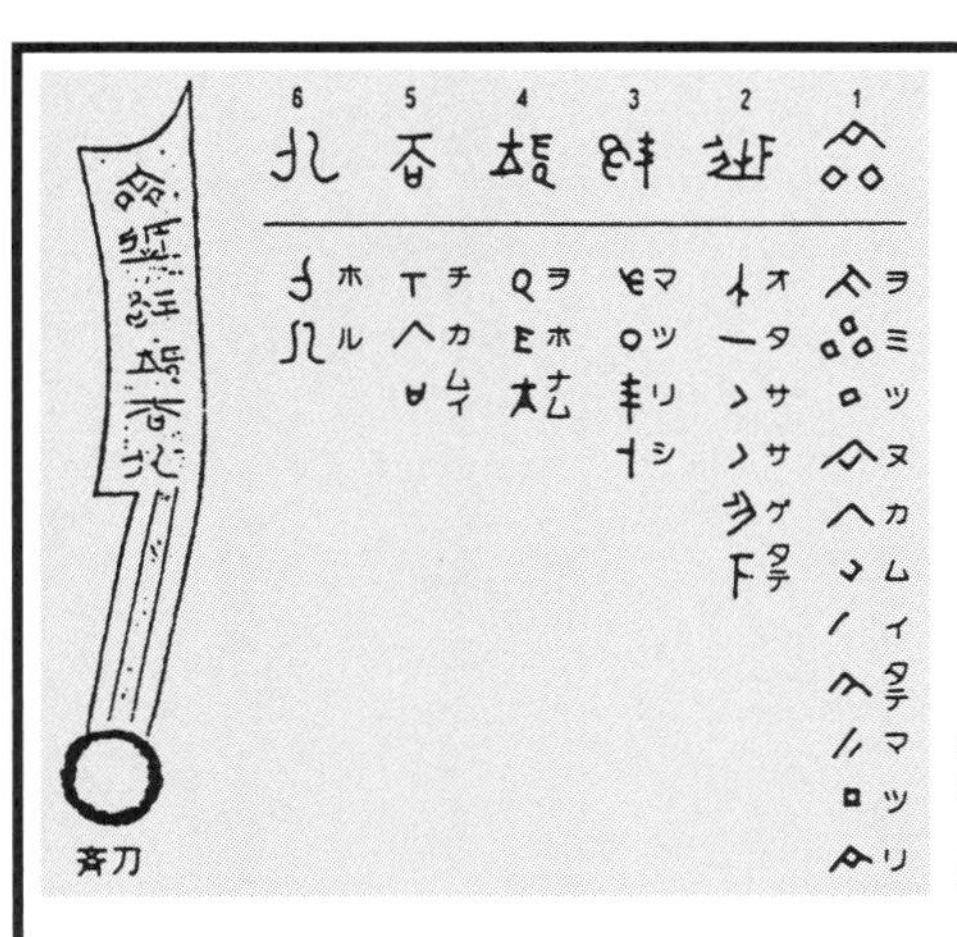

斉刀に刻まれた文字
神代文字で読むと、「ヲミツヌ神(カムイ)奉りオタ（黄金）捧げ奉りし、ヲホナムチ神彫る」となる。

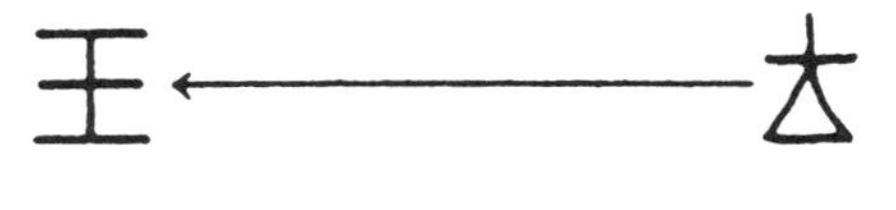

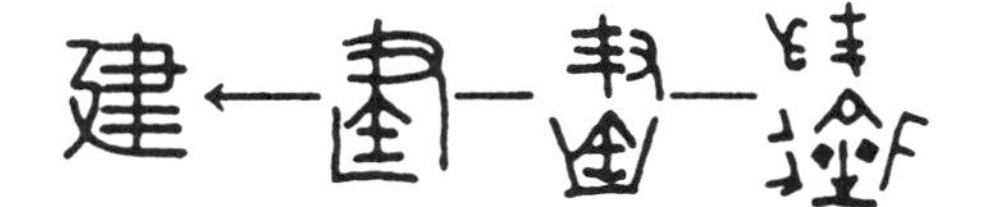

1.2.3.4の一部

出雲神話のヲホナムチが斉の王建につくり変えられたプロセス

出雲大社（写真／大社町役場）
始皇帝の遺民によって「中国」地方の「秦王国」につくられた現在の出雲大社は、かつてシルクロードの基点にあたる西安・咸陽の付近にあったのではないか？

中国大陸の神代文字⑬
「楚の鳥書」に記された比類なき大王ヲホナムチ

『古事記』によれば、アマフユキヌのあとを継いだオオクニヌシは、またの名をヲホナムチといい、〃八千矛の命〃と称えられたという。そのヲホナムチが王建につくり替えられた過程はすでに見たとおりだ。が、それ以外にも、彼が中国大陸の全土に君臨した大王であったことを証明するものがある。

オオクニヌシが前三世紀の中国大陸に実在した出雲の大王であった、ということを証明する遺品は、中国湖北省の洞庭湖のほとりにある望山の古墓から出土した。望山といえば、王建（オオクニヌシ）が始皇帝（ニニギ）に国譲りをした湖北省の荊（イナサノヲバマ）の近くにある城跡だ。

その望山から出土した矛は、これまで「楚」の国のものとみられ、この矛の表面に刻まれた〃鳥書〃は、中国と日本の学者によって「越王勾践の矛」と読まれてきた。

だが、これを日本の神代文字で書かれたものとみなして読み直してみるとどうか――ここには、かつて〃八千矛の命〃と呼ばれたヲホナムチ神、すなわちわれらのオオクニヌシの言葉が刻まれていたのである。

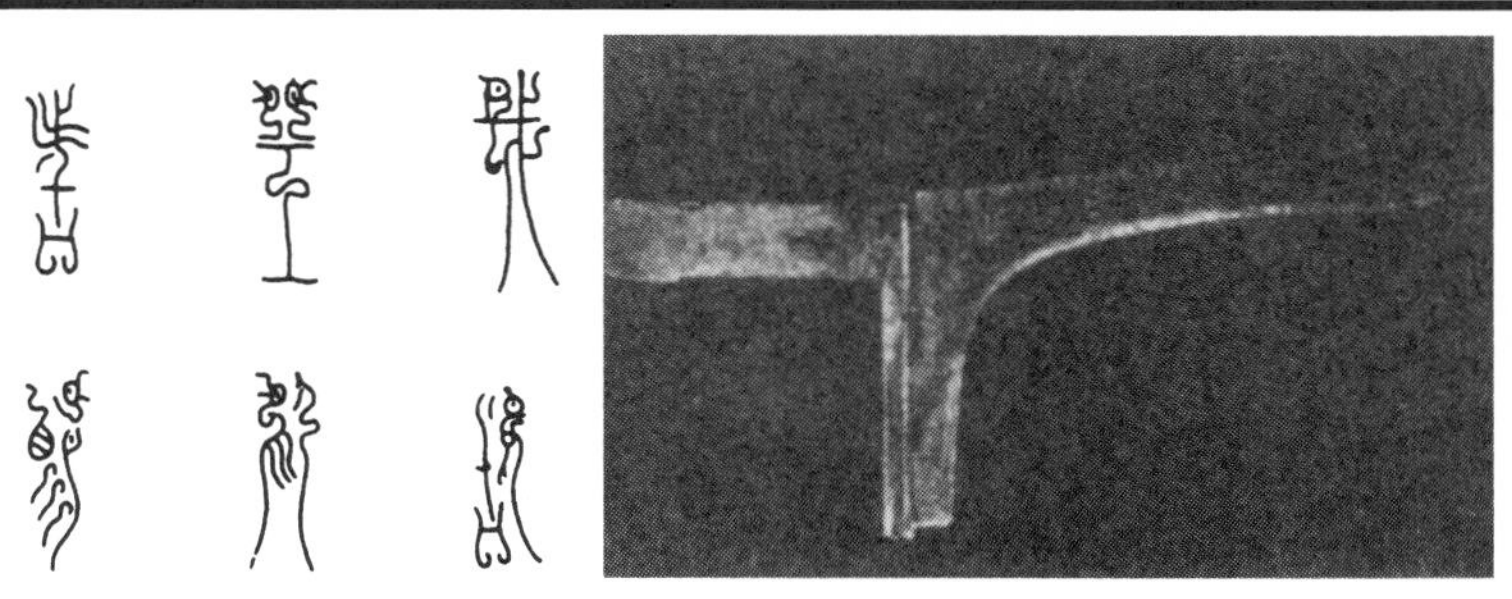

右の矛に刻まれた「楚」の鳥書　　これまで「越王勾践之矛」といわれてきた矛

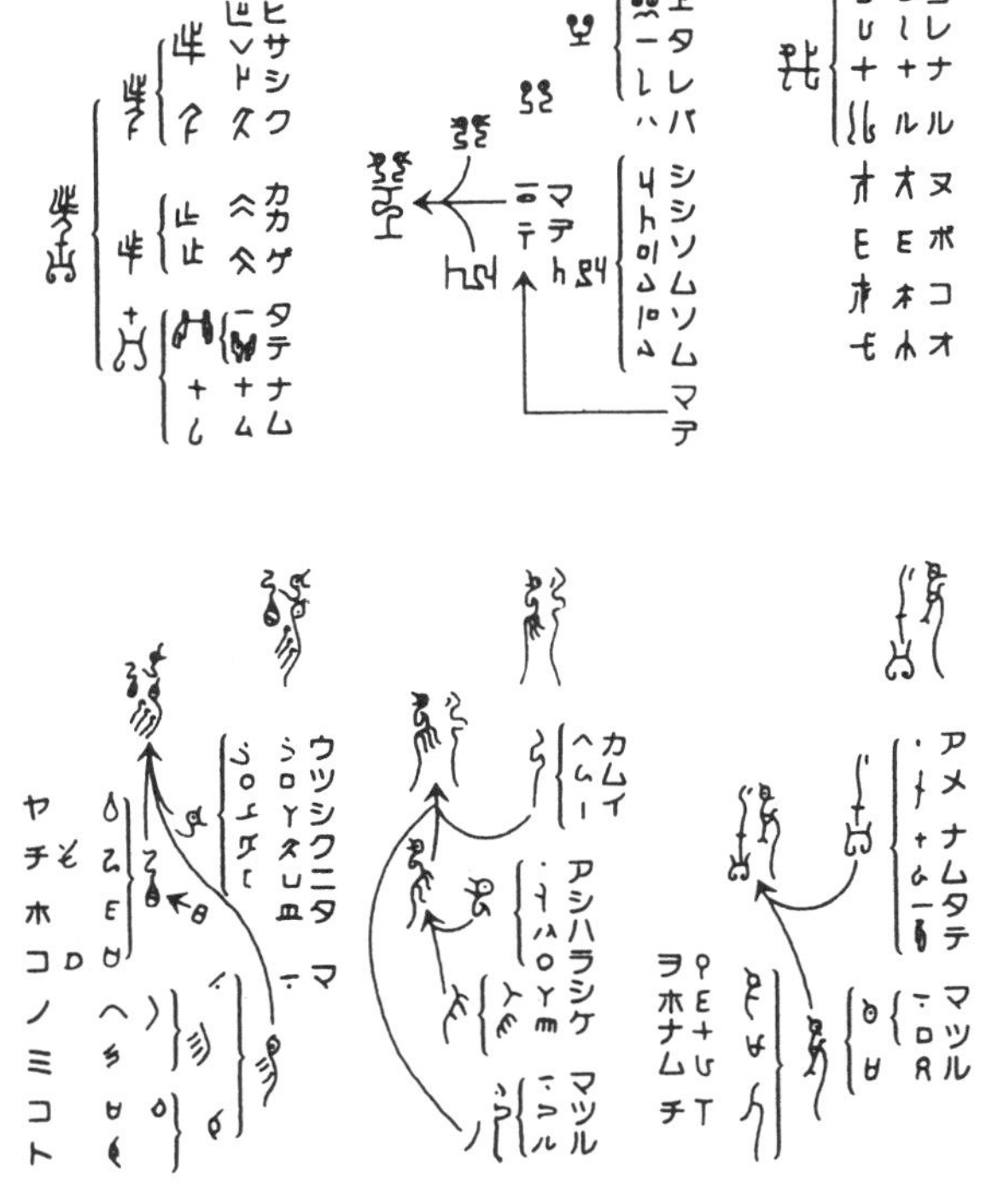

越王の矛銘の解読過程
高橋はこの銘文を「これなる瓊矛を得たれば、子々孫々まで久しくかかげ立てなむ　天なむたてまつるヲホナムチ神　葦原シケまつる宇都志国玉八千矛 命」と読み解いた。

中国大陸の神代文字⑭

漢字の発明者「蒼頡（そうきつ）」はオオクニヌシだった！

これまで「楚」の国の文字といわれてきた〝鳥書〟が、漢字成立以前の中国大陸で使われていたオオクニヌシ時代の日本の文字だった、という事実が意味することはとても重大だ。

なぜなら、今の今まで、すべての日本人は「中国人が発明した」漢字を学ぶことによって、過去二〇〇〇年にわたる日本文化を発展させることができた、と信じこまされてきたからである。

しかし、これはとんでもない〝大ウソ〟である。事実はまったく逆だ。漢字の元になった〝鳥書〟が日本の神代文字で意味をなすなら、漢字の発明者はわれわれ日本人の祖先ではなかったか。

『漢字を発明したのは日本人だった！』という本をまとめた探検協会の幸沙代子は、中国西安市郊外の碑林にかつてあった漢字の発明者・蒼頡の残した碑文が、なんと、オオクニヌシの遺言であったと述べている。この碑文を読むと、オオクニヌシと出雲の人々がなぜ中国大陸を失ってしまったか――その理由が、今の日本人のように、自分だけが豊かであればいいという物質中心主義に陥ってしまったためであることがわかる。

今から3500年前に「漢字」を発明したといわれる蒼頡
〝鳥足文字〞と呼ばれる奇妙な文字を駆使した蒼頡の正体は、前３世紀の中国大陸を治めた出雲のオオクニヌシであったことが、下の蒼頡碑文の解読結果からうかがわれる。

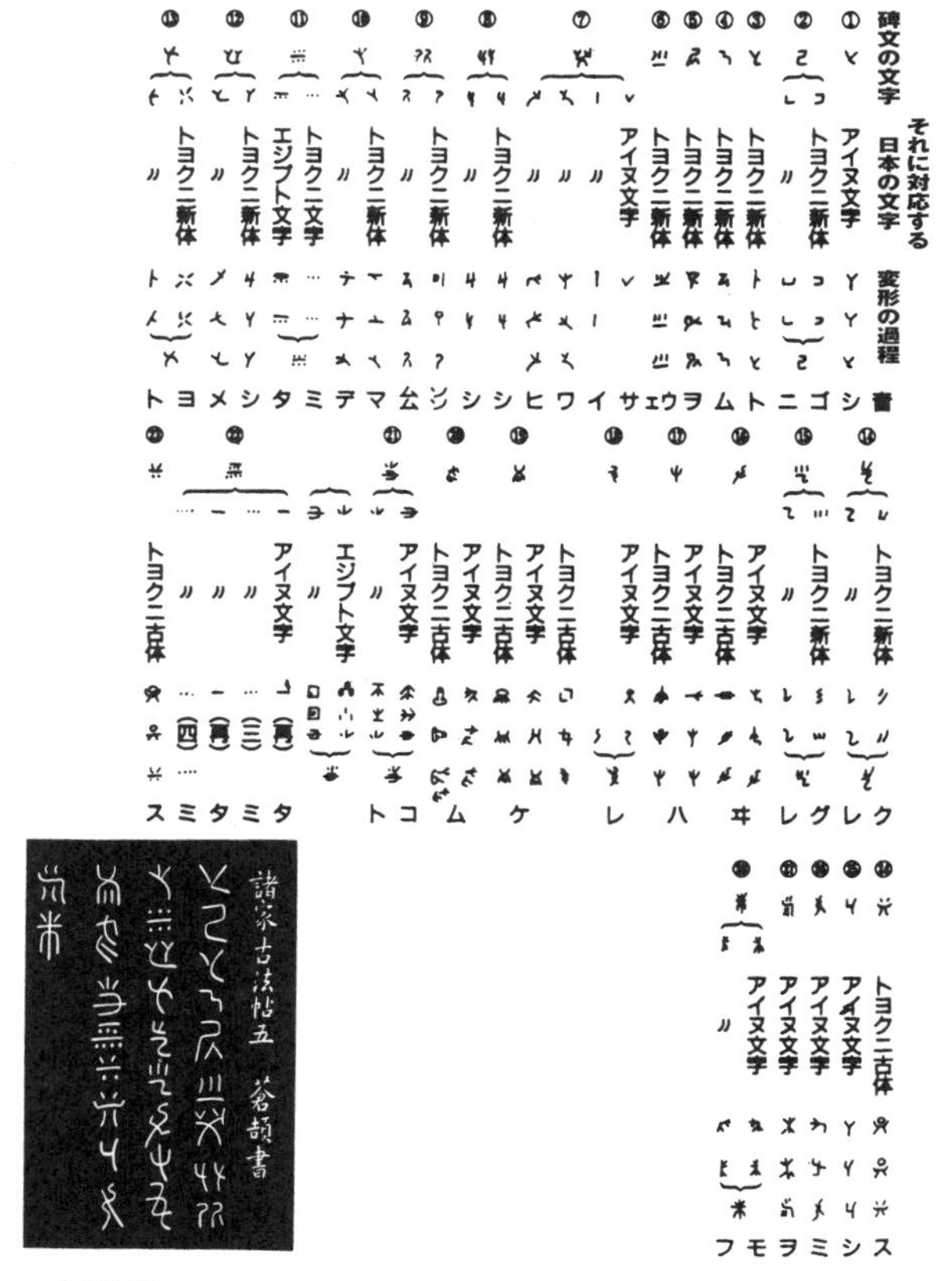

「蒼頡の書」の解読過程
全文は「死後に富むを得　幸ひ子々孫々まで満たしめよ　とくれぐれ言はれけむこと　たみたみ慎み思ふ」と読める。これは、晩年に中国大陸を失ったオオクニヌシが、帝王としての徳を忘れて国民と子孫を不幸にしてしまったことを反省した遺言ではなかったか。

第4の扉　古代インドの神代文字

THE FOURTH GATE

生命（イノツ）トハ
ナアレ

日本人の祖先はアジアにどんな文字を残したか？

出雲（斉）七代の王が中国大陸と朝鮮半島、日本列島を治めていた前五世紀から前三世紀の時代に、東アジアの各地で日本の神代文字が使われていたことは、第3の扉で見たとおりだ。

この時代にわれわれの祖先、出雲の人々がユーラシア大陸に覇を唱えたマケドニア（秦）やマガダ（魏）、チャム（趙）、ペルシア（楚）の人々と海陸のシルクロードを通してかかわっていたことは、これから中国やシルクロード地域の未解読文字の調査が進むにつれて次第に明らかになるにちがいない。

また、この時代に出雲の人々が太平洋の各地に進出して、「殷」の青銅器に刻まれた文字と同じものを残したことは、環太平洋地域の岩絵と文字の研究からも明らかになり始めている。

そこで探検協会は、この時代に出雲（斉）と密接なかかわりをもったとみられる隣国のチャム（趙）やマガダ（魏）にも、われわれの祖先のクル族が残した文字はないかと探ってみた。

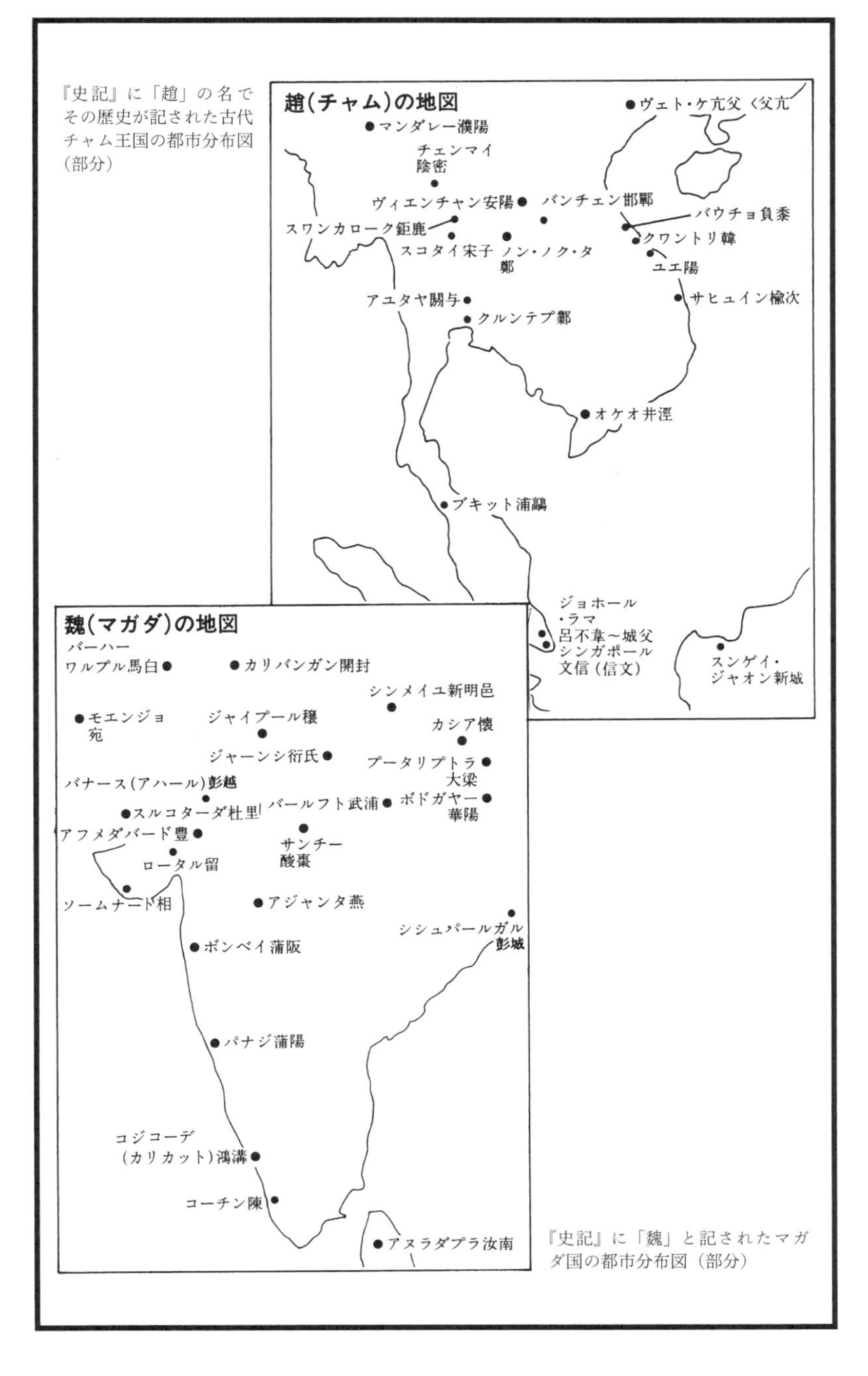

『史記』に「趙」の名でその歴史が記された古代チャム王国の都市分布図（部分）

『史記』に「魏」と記されたマガダ国の都市分布図（部分）

フィリピンのタガラ文字はアヒルクサ文字の仲間だ！

かつて出雲（斉）の領土だった台湾に、日本のアヒルクサ文字とよく似た高砂族の文字があったことはすでに見たとおりだ。現在、奈良県の天理大学に保管されている高砂族の碑文が、紀元前八世紀から前七世紀のアフリカ・サハラ砂漠で使われていたティフィナグ文字で記され、古代の日本語として意味をなす文になっていることは、これまで日本の碑文学で十分に検討されてこなかった。が、これは簡単に見過ごしていい問題ではない。

なぜなら、中国西安市郊外の岐山県から出土した羅漢像が手にする経文の銘文もまたサハラのティフィナグ文字で書かれているし、奈良県の三輪神社に伝わる石鏡の文字や、伊勢神宮に保管されている八咫鏡の文字も、遠い海のかなたのティフィナグ文字で読み解けるからである。

とするなら、紀元前のサハラ砂漠からインドを経て中国や日本へ達する海のルート沿いには、日本の神代文字と同じ起源をもつ文字や、日本の神代文字から派生した文字があってもふしぎではない。そして実際にフィリピンをたずね、インドネシアを訪れてみると、そこにもわれらの神代文字やその兄弟文字が確かにある！

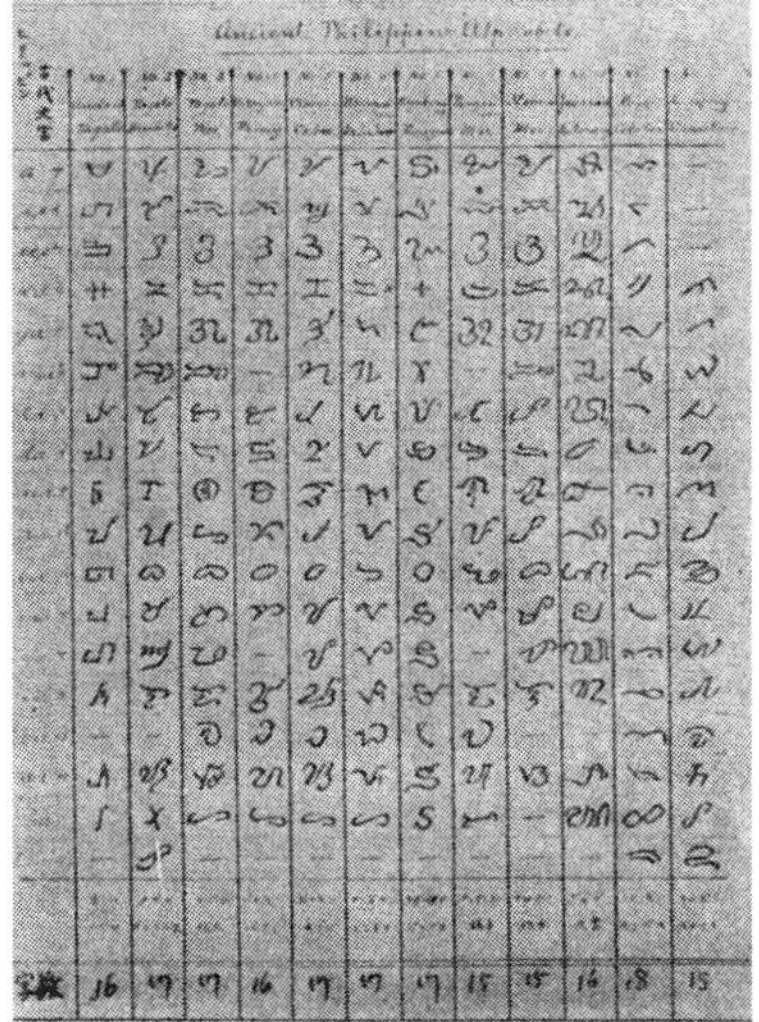

フィリピンに伝わるタガラ文字
言語学者の北里闌博士が紹介したこのタガラ文字は日本のアヒルクサ文字とよく似ている。アヒルクサ文字とタガラ文字のどちらが古いのか、両者のもとになった別の文字があるのかどうかは明らかになっていない。が、かつてこのタガラ文字が中国・台湾からスリランカ、インドに至る広い地域にまたがって使われていた証拠が最近の調査で次々に明らかになり始めている。タイの国立博物館に展示された壺の表面にもタガラ文字が記されている、と高橋は報告している。タガラ文字が東南アジアの全域に広がっていることが確かなら、この文字は前４世紀に東南アジア一帯を治めたとみられるチャム王国の文字であったといえるかもしれない。

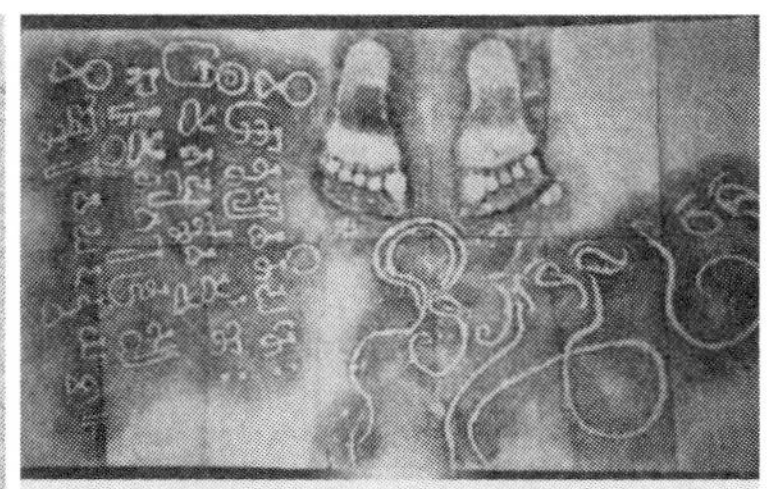

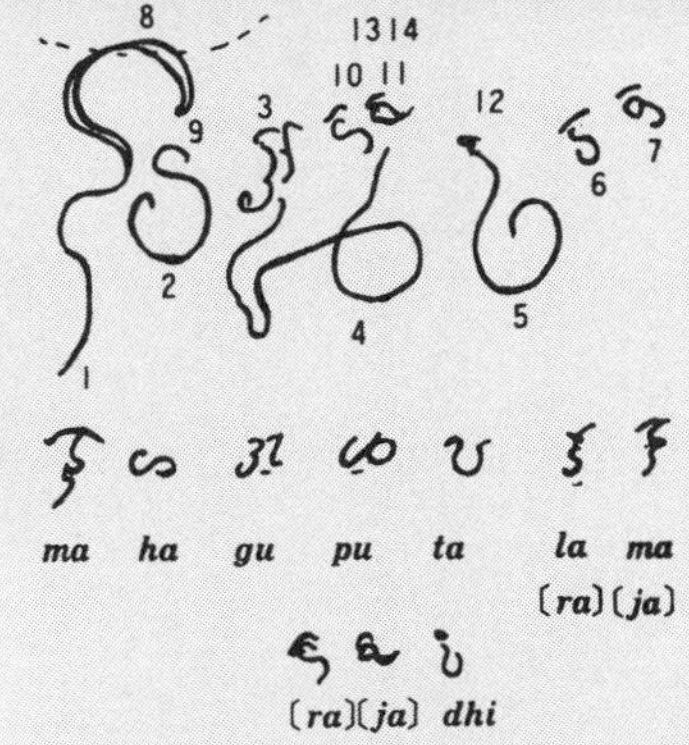

インドネシア・ジャワ島のタガラ文字碑文
1960年代に木村重信・山崎脩の両氏がジャワ島のジャングルで発見したこの碑文は、フィリピンに伝わるタガラ文字で「偉大なるグプタ王　諸王の大王」と読めることがわかった。この解読結果によれば、紀元３世紀にマガダ国のシュンガ朝を倒してグプタ朝を開いたインドの大王チャンドラ・グプタがインドネシアに遠征してこのジャワ島に仏足石碑文を残したことがうかがわれる。10世紀以前の歴史がいまだにはっきりしない東南アジア史を復元するうえで大変貴重な資料だ。これ以外にもまだまだ多くの碑文が発見される可能性は大きい。

古代インドの神代文字②

インド古代文字のルーツも日本の神代文字？

フィリピンのタガラ文字が日本のアヒルクサ文字とよく似ていることは、はたして偶然の一致だろうか。しかも、そのタガラ文字がインドネシアでも使われていたことは何を意味するのだろうか。

紀元前の出雲（斉）の時代に、日本とインドシナやインドとのつながりが今よりはるかに濃密だったことを確信していたわれわれ探検協会は、もしかしたらインドにもフィリピンやインドネシアで見つかったものと同じタガラ文字があるのではないかと考えた。

高橋によれば、紀元前三世紀のマウリヤ朝マガダ国（魏）の時代にインドで使われていたカローシュティ文字とブラーフミー文字はいずれも日本のアヒルクサ文字とイヅモ文字から派生したものだという。

もしも彼の仮説が正しければ、インドでこれら二つの文字が使われていた時代に、お隣りのインドシナ地域では、アヒルクサ文字と同じ系統のタガラ文字が使われていたことも十分に考えられる。はたして古代日本とインドをつなぐアヒルクサ文字・タガラ文字文化圏はあったのか、なかったのか。

アショカ王柱（山崎脩氏撮影）
マウリヤ朝マガダ国のアショカ王が前3世紀のインド各地に残したこのような記念碑には、カローシュティ文字とブラーフミー文字の二つの文字が使われている。

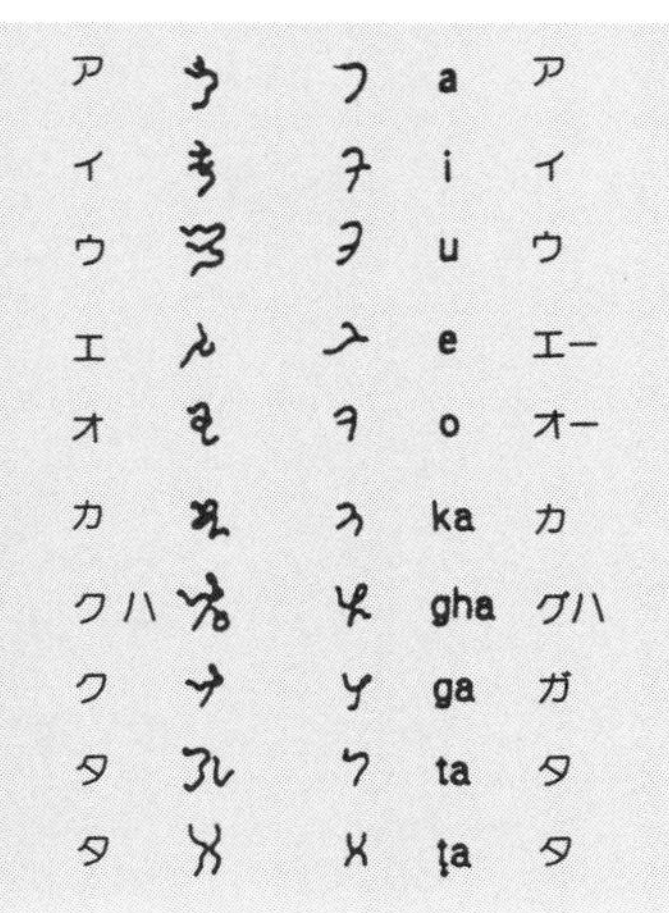

アヒルクサ文字（左）とカローシュティ文字（右）の比較
両者を比べてみると、インドのカローシュティ文字は日本のアヒルクサ文字から派生したことがわかる。

アショカ王柱碑文の拓本
この碑文を読むとアショカ王は「ヴァジラカラマ（ヴァジラと呼ばれた雷霆を持った王）」となっている。アショカという呼び名は後世の訛りであることがわかる。これからの歴史研究はすべて原文に当たってみることが大切だ。

イヅモ文字（左）とブラーフミー文字（右）の比較
インドのブラーフミー文字が日本のイヅモ文字を省略した形で発生していることは、両者を比べてみるとよくわかる。

紀元前アジアに仏教を広めた? 古代インドの日本人

一九九一年の六月にスリランカを調査したわれわれ探検協会は、旧首都コロンボ市内のキャサニアにある古い仏教寺院の境内で、ついにフィリピンのタガラ文字で書かれた碑文を発見した。その碑文には、古代の日本語で確かに「学びたてまつる」と書かれていた。

キャサニアといえば、その昔、ブッダがスリランカに仏教を広めるためにやって来たという伝説が今も伝わる土地だ。そこに、アヒルクサ文字の兄弟であるタガラ文字で「学びたてまつる」と書かれた碑文があることは、何を意味しているのだろうか。

これは、紀元前のインドでブッダの教えを奉じた日本人がスリランカにもいたことを示しているのではないか――こう考えたわれわれは、スリランカの対岸にある南インド各地の古い仏教寺院の跡をさっそく調べてみた。

すると、南インドのマドラスの北を流れるゴダバリ川のほとりのアマラーヴァティ遺跡の古い寺院の敷石にも、日本の神代文字で「寺を造れば比丘(びく)や比丘尼(びくに)つどひ来る」という日本語の銘文が刻まれていることを発見したのだ。

インド・ブッダガヤの仏足石
この巨大な仏足石に刻まれた文様を絵文字としてとらえ直すと「アメノブッダガヤ」と読める。ということは、この仏足石をブッダガヤに残したのが、古代の日本人であったことを意味するのではないだろうか。

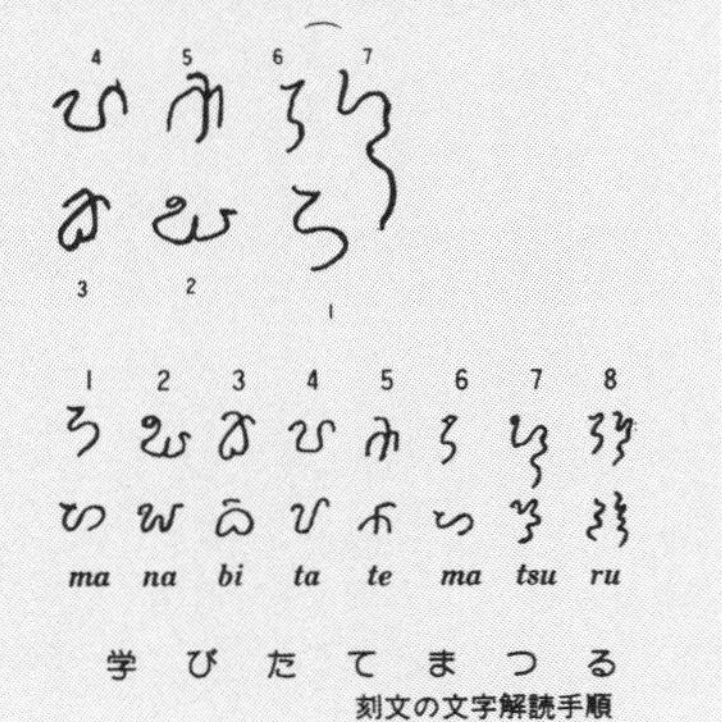

刻文の文字解読手順

スリランカ・コロンボ市内のキャサニア寺院にある日本語碑文
スリランカには、このほかにも数多くの日本語碑文がある。

タイル上の文字　原型・読み方

テ
ラ(トヨノ)
ヲ(トヨノ)
ツ(エジプト)
ク
レ
バ
ヒ
ク
ヤ(トヨノ)
ヒ
ク
ニ
ツ
ド(トヨノ)
ヒ(トヨノ)
ク
ル

寺院の床に描かれた文字(上)とその解読結果

ゴダバリ河口のアマラーヴァティにある問題の碑文
この碑文が日本の神代文字を使って書かれた日本語の碑文であることは、何を意味しているのだろうか。

山崎脩著『インドの石』（京都書院）参照

インド人もびっくり！　日本の神代文字で記されたヒンドゥー教の神々の名があった!!

紀元前のインドに日本人の仏教徒がいた！　なんてとても信じられない。が、アマラーヴァティでその証拠をつかんだわれわれは、さらに南インドのマドラス郊外、カーンチープラムの古い神殿の廃墟で、今度は別の面白い文字を発見した。左側の柱の文字は日本の神代文字で「クリシュナ」、右側の柱の文字は「ラアドア」と読める。これは、インド人の多くが今も崇めているヒンドゥー教の大神クリシュナとその妻ラーダーをさしている。

日本の神代文字が、なぜ、インドのヒンドゥー教の神々の名を表わすために使われているのか。これは、紀元前の南インドに日本人のヒンドゥー教徒もいたことを意味しているのではないか。ひき続きカーンチープラムのその他の遺跡を調査したわれわれ探検協会の結論は、インド人もびっくりするものだった。なぜなら現在のインドに何万とあるヒンドゥー寺院の、その九割以上でまつられているシバ神の御神体に刻まれた記号が、なんと、日本人にしかわからない神代文字で「シバ」と読めたからだ。

カーンチープラムのヒンドゥー神殿

南インド・カイラサナータ寺院のシバ・リンガム（御神体）

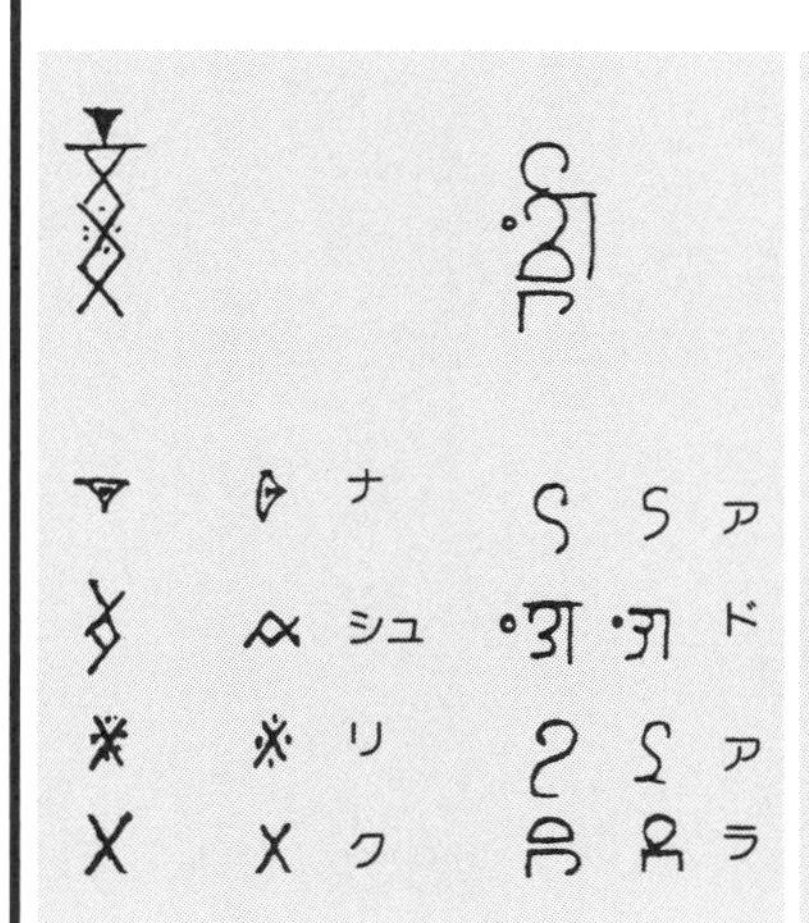

神殿の柱の文様を解読した結果

シバ・リンガムの表面に刻まれた文様の解読結果

インド石窟寺院の建設者は太古日本のカラ族だ！

南インドのカイラサナータ寺院の御神体(リンガム)に刻まれた文様が、日本のトヨクニ文字で「シバ」と読めたことは、とても重大な意味をもっている。

ひょっとしたら、われわれの祖先は紀元前のインドに仏教徒やヒンドゥー教徒として生きていただけでなく、紀元前のインド文明そのものをつくりあげたのではないか――こんな途方もない考えにわれわれがとりつかれたのは、ほかでもない、問題のシバ神が、紀元前のインド文明を形成した仏教徒、ヒンドゥー教徒、バラモン教徒によって共通の聖地とみなされてきたチベットのカイラス山の王にほかならないからだ。

探検協会は、一九九〇年からインド各地の古代文字を調べてきた。その結果は予想外の大収穫だった。

インド最大のシバ神像があるエレファンタからプネーへの途上でわれわれは〝大発見〟をした。その昔コーレー（高麗）の船人が参拝したインド最古の石窟には、日本の神代文字碑文がいくつもあったのだ。そしてこれらの石窟を造ったのは、紀元前のインドでカラとかコーレー、クルと呼ばれていた日本人であることをつきとめたからである。

原文	⊙ Γ
文字	○ ∧
発音	ラ カ

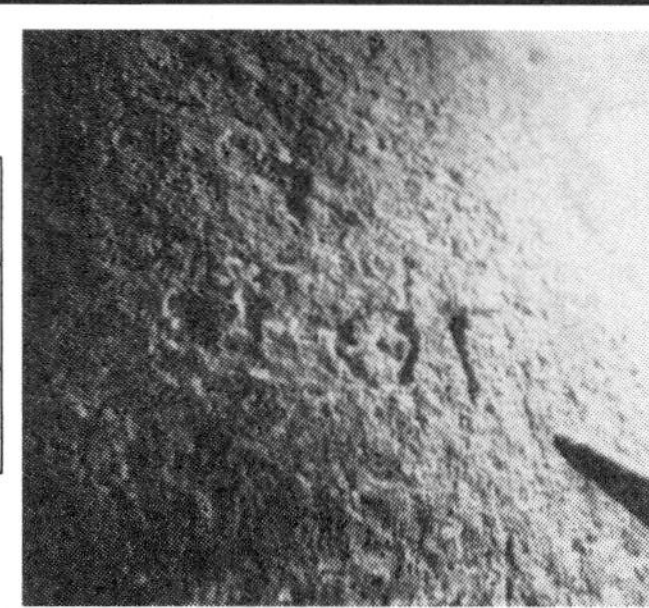

バージャのストゥーパ（石塔）
表面に刻まれた文字は、日本に伝わる北海道異体文字で「カラ」と読める。カラとは、紀元前のインドでクルとも呼ばれた原日本人だ。バージャは、コーレー人（高麗人）の将軍の呼び名、ピーシャ（沛者）に由来する。

バージャ窟の近くにあるカールラ石窟寺院

ニ ヒ ヲ メ
新男女（にひをめ）

ホ ツ ム ロ ツ ク リ
火つ室造り（ほ むろつく）

生命を産む（いのつ う）
イ ノ ツ ヲ ウ ム

カールラ石窟の柱に刻まれた文字と解読結果
日本のトヨクニ文字で、「新男女火つ室造り　生命を産む」と記されている。この解読結果から、カールラ石窟は、原日本人カラ族の若い男女が結婚式を挙げ、愛する子らをもうけた聖なる産室であったことがわかる。

原文	[illegible]
アヒルクサ文字	[illegible]
発音	メハハキ　サ　リ　モ　ロ　ム
意味	めはは　幸　守　室

バージャ第12窟の天井の梁板に刻まれた文字
日本のアヒルクサ文字で、「この石室を守る者に幸いあれ」と書かれている。

古代インドの神代文字⑥

古代インドで活躍した？　日本の有力氏族たち

われわれの調査に先立って、高橋は日本の天皇家と有力氏族のルーツがインドの高天原(たかあまはら)にあったのではないか、と唱えていた（『謎の新撰姓氏録』徳間書店刊参照）。彼は平安時代の初めに万多(また)親王がまとめた『新撰姓氏録』に登場する菅原氏の祖先がクダハラ（管原）氏と呼ばれ、ホピ（穂日）やイドリ（夷鳥）、ウジュヌ（鵜濡渟）という、およそ日本人とは思えない名前をもっていることに注目して、日本の天皇家と有力氏族はインドのデカン・アメン・プル（デカンの天神の都＝高天原）からやって来たのではないかと考えたのだ。

われわれが、すでに見たアマラーヴァティのそばを流れるゴダバリ川の源流地帯を実際に調査してみると、インド仏教美術史上で有名なアジャンタ石窟の最古の柱の表面には、フィリピンやインドネシア、スリランカで見たのと同じタガラ文字が刻まれていた。そしてこれを読んでみると、そこには菅原氏の祖先のクダハラマロの名が記されていたのだ。とすれば、紀元前のゴダバリ川流域に日本語碑文と古い寺院を残したのは〝天神様〟でおなじみの菅原氏の祖先、クダハラ氏ではなかったか。

デカン高原の中心部に造られたアジャンタ石窟寺院

アジャンタの石窟に描かれたブッダ像
紀元前のインドに仏教を広め、多くの石窟寺院を残したのは、菅原氏をはじめとする日本人ではなかったか。

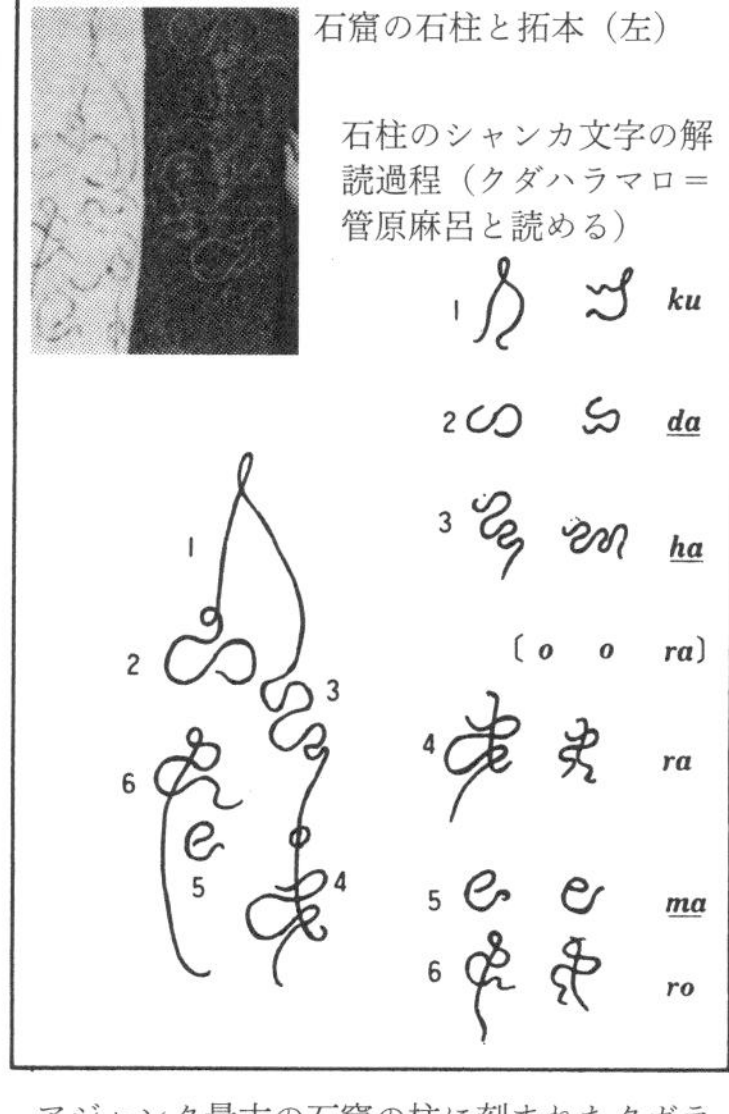

石窟の石柱と拓本（左）

石柱のシャンカ文字の解読過程（クダハラマロ＝菅原麻呂と読める）

アジャンタ最古の石窟の柱に刻まれたタガラ文字とその解読結果
日本の菅原氏の祖先がアジャンタ窟を最初に開いたことがわかる。

〝出雲神宝〟事件の舞台となったインド先史美術の宝庫

日本で〝学問の神様〟として今も親しまれている菅原道真は、伊勢神宮にアヒルクサ文字の奉納文を納めたことでもわかるように、古代日本の神代文字に通じ、天皇家の秘密の歴史をあまりにも知りすぎたために失脚した。

その菅原道真の遠い祖先がインドのアジャンタ石窟を造ったといえば、これはとんでもない話だが、よくよく考えてみると合点がいく。なぜなら、日本各地の〝天神様〟をまつる神社の境内には、必ずといっていいほどインドで大切にされてきた牛の像がある。

しかも、アジャンタのあたりにゴダバリ川の語源となった〝牛神の都(グドプル)〟があったとすれば、ここにインド最大の石窟を造った管原氏(グドプル)がいたことはあり得るからだ。

われわれはアジャンタの周辺をさらに調べてみた。すると、アジャンタの北にあるバンパトケア山もまた、かつて菅原氏の祖先の氷香戸辺(ひかとべ)がいたところであり、記紀に〝出雲神宝〟事件が起こったと記された場所であることがわかったのである。

菅原氏の祖先「氷香戸辺」がいたとみられるデカン高原のバンパトケア山
古史古伝の一書として知られる『宮下文書』は、この地を「高砂之不二山」と名づけている。バンパトケア山があるヴィンジア山脈とその北に広がるボーパールの沃野は、同書の中で「阿祖谷」「大原野」として登場する。

バンパトケアの洞窟に描かれた戦闘図
インド「先史」美術の宝庫といわれるバンパトケアの岩絵は、前8世紀から前3世紀にかけてこの地で北西からの侵略者と戦った原日本人、カラ族の活躍のあとを示す貴重な資料だ。

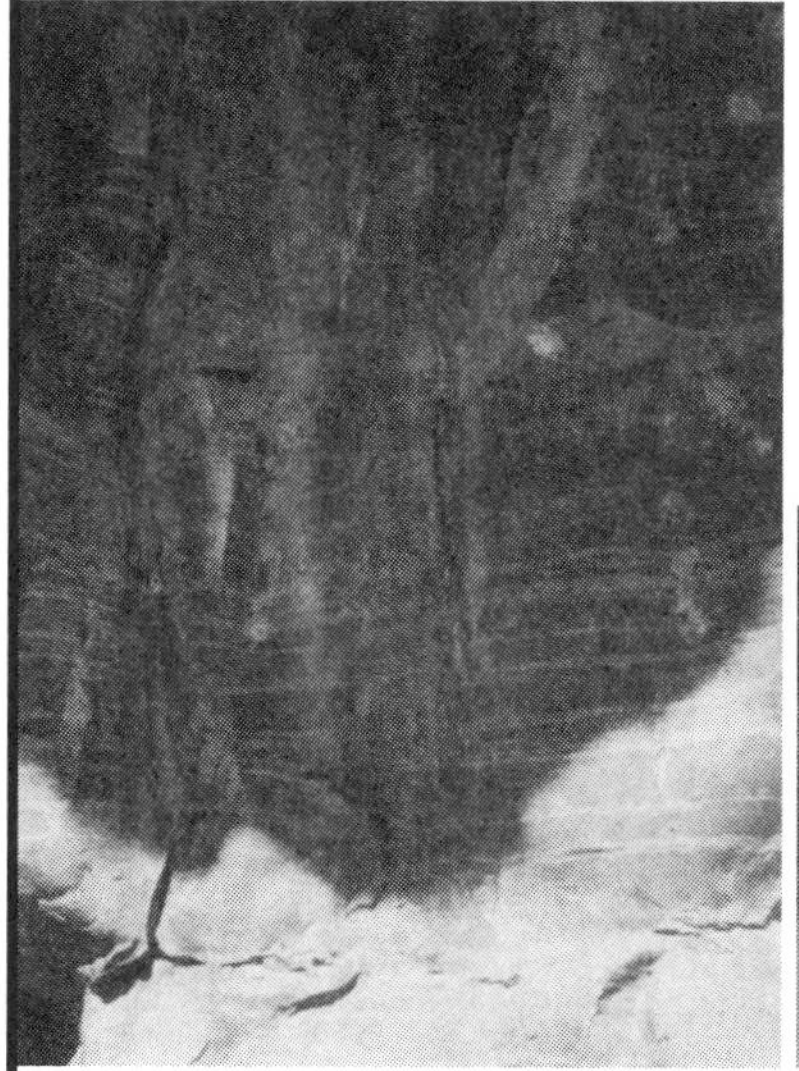

バンパトケアの岩壁に記された碑文
日本の神代文字で「……まつらばや」と読める。この碑文は、前3世紀にチャンドラ・グプタ（崇神天皇）から神宝の提出を求められたバンパトケア（氷香戸辺）が残したものではなかったか。バンパトケア山中の洞窟や岩陰には、現地でシャンカ文字と呼ばれているタガラ文字碑文も数多く残されている。それらの謎の碑文の解読が進めば、これまではっきりしなかった紀元前のインド＝日本の歴史がさらにはっきりするにちがいない。

バンパトケア山の〝象の洞窟〟に描かれた岩絵
左端の文様は、菅原氏の家紋として有名な梅鉢紋を表わし、白馬は彼らの祖先としてその名を『新撰姓氏録』に記された夷鳥（ひなとり～イドリ）ゆかりの太陽神インドラを表わしている。

マンドゥの巨大正三角形は何を意味する？

記紀にはなじみの薄い君たちのために、ここで〝出雲神宝〟事件のあらましを紹介するとこうである。崇神天皇の六〇年に、天皇家は菅原一族の氷香戸辺（～辺氷戸香～バンパトケア）が管理していた出雲の神宝を天皇家に献上させたというのである。その〝出雲の神宝〟が、かつてインドでヴィマナやラタと呼ばれた山幸彦ホホデミの空艇（クルの宝）そのものであったことは、崇神天皇の子孫にあたるヤマトタケルが〝白鳥〟となって空を飛んだという伝説や、ニギハヤヒの別名をもつ景行天皇が〝天の浮き船〟で河内に着陸したという伝説からもうかがわれる。

高橋によれば、神武と崇神、応神のそれぞれの天皇に始まる王朝は、『史記』に「魏」の国と記されたインド・マガダ国のナンダ朝、マウリヤ朝、シュンガ朝にそれぞれ対応する。そのナンダ朝を倒したマウリヤ朝の創始者チャンドラ・グプタ（崇神）が求めたのが〝クルの宝（空艇）〟にちがいないというのだ。われわれは、バンパトケアの一帯を調べていくうちに、菅原氏の祖先イドリが築いたとみられるマンドゥの城が、この空艇によってネパールのカトマンドゥと結ばれていたことを知って唖然とした。

ヴィンジア山中にそびえるマンドゥの城跡
菅原氏の祖先の夷鳥がインドール市の郊外に築いたとみられるこのマンドゥは、周囲50㎞を超える七重の城壁に囲まれた世界最大規模の城の一つだ。紀元前のヴィマナ・ポートを思わせるこの地に、アフリカの樹がおい茂り、卍（マンジ）を連想させるマンドゥという地名が残されているのはなぜか。

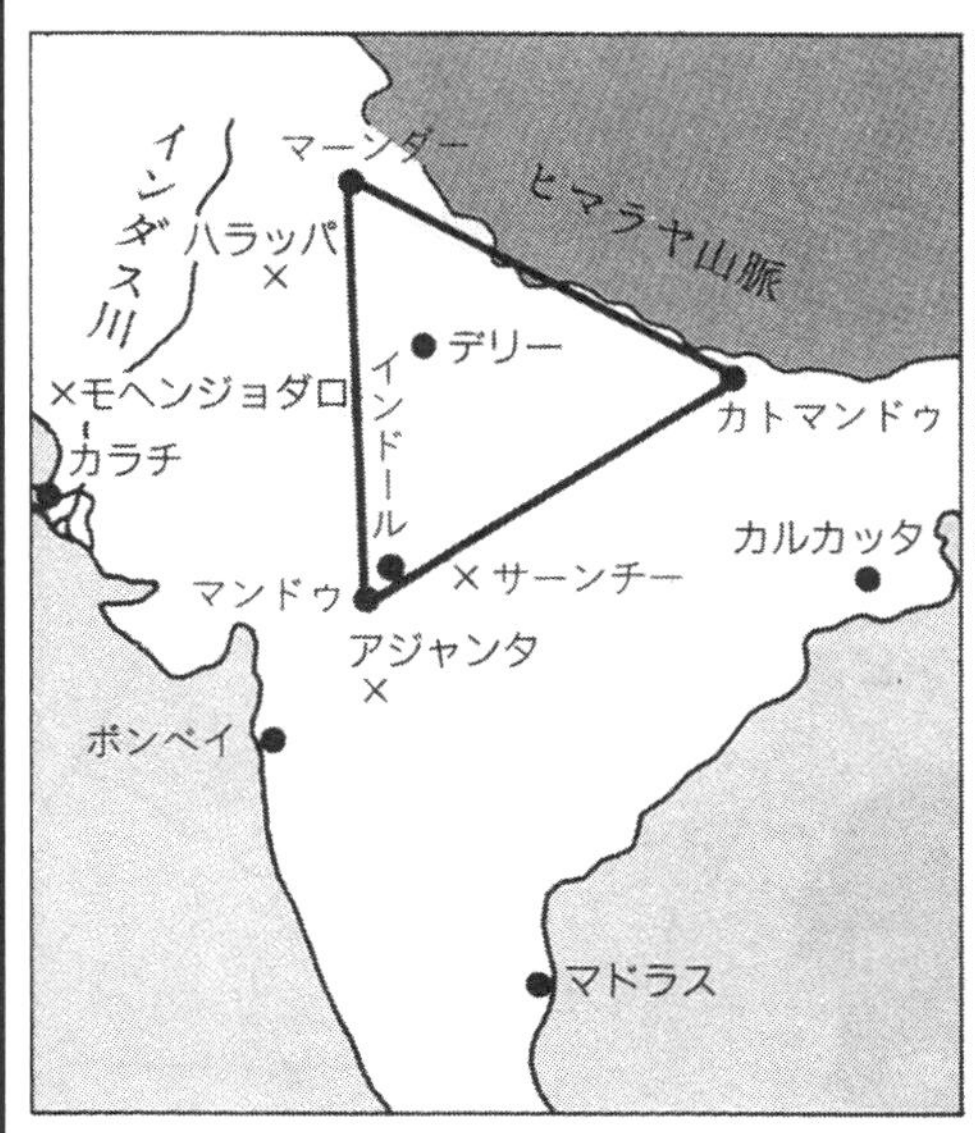

インド大陸に残されたマンドゥの巨大正三角形
インドのマンドゥとパキスタンのマーンダー、ネパールのカトマンドゥの三地点をつなぐと、上空からしかわからない巨大な正三角形を形づくっている。これは、紀元前のインドにマンドゥの城を築いたクル族（カラ族）が卍と呼ばれた空挺をもっていたことを意味しているようだ。

マンドゥの近くにあるウジャイン城の文様
夷鳥の子孫の鵜濡渟が建設したカリアード・パレス（カラ王の宮殿）にあるこの菱形と長方形は、日本の神代文字でシ（◇）とバ（‖）、すなわちシバ神を表わしている。

ブッダは神武天皇の孫だった!!

仏教徒の大切にしてきたシンボルの卍が何を意味しているのか。インドのマンドゥとパキスタンのマーンダー、ネパールのカトマンドゥが、空から見て巨大な正三角形を形づくっているのはなぜか。

これは、仏教を開いたブッダや紀元前のインドにいた日本人がすべて知っていた秘密にちがいない――そう思ったわれわれは、さっそくネパールの首都カトマンドゥへ飛んだ。そして一九九一年にカトマンドゥの王宮博物館で発見したのが、左図のような金貨である。この金貨の表面には、日本のアヒルクサ文字で「カムヤヰ」と書かれていた。

カムヤヰとは何者か？　それはまぎれもなく『古事記』に神武天皇の三人の皇子の一人と記された「神八井」をさしていた。彼は、神武亡きあと、腹ちがいの兄の手研耳(たぎしみみ)を倒して天皇になった神渟名河(かむぬなかは)（綏靖(すいぜい)天皇）の兄である。その手研耳の消息をたずねてブッダの生誕地ルンビニーへ向かったわれわれは、ここで〝世紀の大発見〟をした。というのも、この手研耳こそブッダの父とされたスッドーダナであり、ブッダは神武天皇の孫にほかならないことをつきとめたからである。

ブッダ誕生の地ルンビニー

カトマンドゥの王宮博物館にある謎の金貨
表面に刻まれた文字は、日本のアヒルクサ文字で「カムヤヰ」と読める。カムヤヰは神武天皇（カムヤマトイハレヒコ）の息子だ。とすると、日本神話のカムヤマトイハレヒコは、かつてヒマラヤからアジアを治めた大王だったのか？　そして神武の息子の手研耳は、ブッダの父スッドーダナだったのか？

カピラ城遺跡地図

■ ティラウラコット（カピラヴァストゥ城跡）
□ 遺跡
アショカ王柱
△ 住居跡
ストゥーパ

アマウリ
バンガンガ川
ピクリ
ベロア
ニグリサガル
サグラハワー
ジャーディー
チャトラディ
アラウラコット
ティラウラコット
デルワ
マールバーラ
タウリハワー
ピプリ
ゴディハワー
クダン
ドーニ
ラムティヤ
ハルデワ
バンスコール
カルジャハワー
バムニ
シサニア
バルハワー
ビジュア
ヒブラ
インド
5 km
3 Miles

カピラ城から出土した金貨
表面には、アヒルクサ文字の銘文が刻まれている。

ブッダが少年時代を過ごしたカピラ城地区には、今もガンダーラ遺跡に匹敵する多くの遺跡が人知れず横たわっている。これらの遺跡の意味が再び明らかになるのはいつの日か？

永遠の生命を求めたインド高天原の日本人

世界中の宗教の中で最も〝いのち〟の大切さを訴え、人間をふくむすべての生き物に殺生のおろかさを説いた偉大なブッダ。〝世界の王（浄飯王（ジャハン））〟といわれたスッドーダナの皇子として何ひとつ不自由ない身分と環境のもとに育ったゴータマ・シッダールタが、記紀に日本の天皇家の開祖と記された神武天皇の孫であったとは、驚き以外のなにものでもない。

が、そのゴータマ王子がブッダとして悟りを開くきっかけとなったのが、日本の天皇家の王位継承をめぐる内紛であったというのは、あまりにも悲しいことだ。インドに亡命して仏教を開いた釈尊の教えは、やがてナンダ朝（神武朝）の諸王に受け入れられ、日本名を日子（ひこ）賦斗邇（ふとに）（孝霊天皇）と称したプラセナジット（賦子邇日斗（ぷしにじっと））が仏教をインド中に広めたにもかかわらず、不殺生の誓いがナンダ朝の滅亡とマウリヤ朝（崇神朝）、シュンガ朝（応神朝）の台頭をもたらしたことはそれ以上の不幸である。

にもかかわらず、われわれの祖先は、永遠の生命を信じて戦いを避け、サーンチーの仏塔にそのシンボルとされた〝ユニコウン（一角獣）〟を刻み、ボージプルでひたすら〝永遠の生命〟を求めた。

サーンチーの近くにあるボージプルのシバ寺院
ここでわれわれ探検協会は、大量の日本語碑文を発見した。

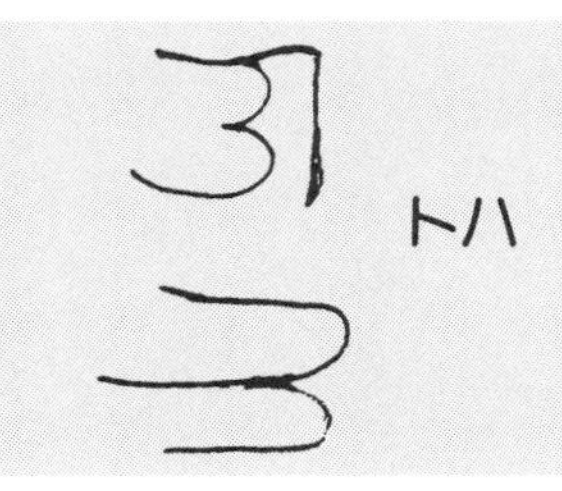

ボージプル刻文（A）
日本のイヅモ文字で「トハ（永遠）」と書かれている。

原文	[illegible]
トヨクニ文字	[illegible]
発音	トハナ　アレ
意味	永遠な　在れ

ボージプル刻文（B）
日本のトヨクニ文字で「トハナアレ（永遠な在れ）」と読める。

サーンチー
『宮下文書』に「天之御舎」があるところと記されている。

原文	[illegible]
トヨクニ文字	[illegible]
発音	ユニコウンカムイ
意味	ユニコーン　神

サーンチーの第二塔を取り巻く石柱の一つに刻まれた文字とその解読結果
人間に幸せをもたらす動物として神話化されたユニコーン神の名が刻まれている。〝永遠の生命〟のシンボルであるユニコーン(一角獣)が、ここでは二本の角をもった馬のような動物として描かれている。

今よみがえる太古日本の祈り――〝生命よ、永遠なれ！〟

高橋良典著『太古、日本の王は世界を治めた！』（徳間書店）参照

一九九〇年の六月にインドのサーンチーを訪れ、サーンチーの郊外にあるボージプルやバンパトケア、ウジャインの遺跡と碑文を調査したわれわれは、その時点で、自分たちが何を明らかにしようとしているのか、はっきりわかってはいなかった。が、その後、一九九〇年の一〇月に高橋がパキスタンのモヘンジョダロやハラッパーをはじめとするインダス文明の遺跡を調査し、これまで欧米の学者によって未解読とされてきた印章の謎の文字を読み解くことに成功したとき、われわれは、長いあいだ失われてきた紀元前の地球の歴史の秘密を解き明かす鍵をついに手に入れた。

左図の印章の文字は、高橋が日本の神代文字で「生命よ、永遠なれ（Life, be forever!）」と読み解いたが、ここに「永遠な在れ（とはあれ）」と刻まれた言葉は、すでにわれわれがボージプルのシバ寺院で見た銘文に受け継がれている。

とするなら、紀元前のインドにいたわれわれの祖先は、これまで謎とされてきたインダス文明の建設者であり、クル族の誇りをいつまでも失わずに永遠の生命を求めた人々ではなかったか。

原文	[illegible]
変形過程	[illegible]
トヨクニ文字	[illegible]
読み方	イ　ノ　ツ　ト　ハ　ナ　ア　レ

永遠の生命を求めた私たち日本人の
祖先の祈りが記されている。

印章の文字を日本の神代文字で解読した結果

モヘンジョダロから出土した印章

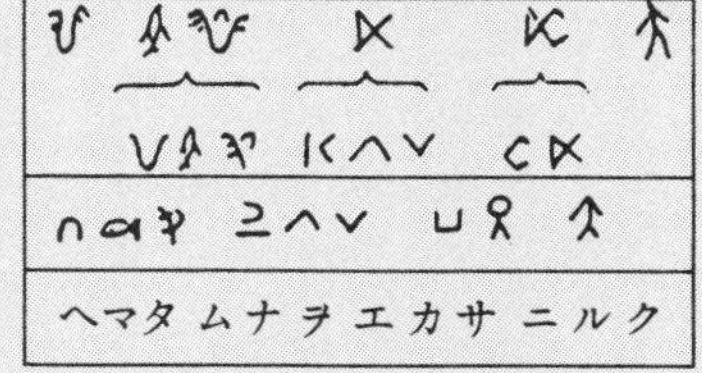

インダス文明の建設者が原日本人クル族であったことを示す印章
印章の解読結果
日本の神代文字で「クルに栄えをなむたまへ」と読める。印章に刻まれた人物は、前8世紀のインドでドゥリヨーダナと呼ばれ、のちにシバ神として崇拝された原日本人クル族の王〝天日鷲〟を表わしたものらしい。

インダス文明地域から出土した謎の印章群

われらの祖先が物語る、太古地球の秘密

今から二〇〇〇年以上も前のインドと中国にかつての兄弟を置きざりにしてきた日本人は、今や学校の歴史教科書のおかげでアジアの兄弟から孤立し、アジアの苦しみをともに分かち合う気持ちを失ってしまったかに見える。

が、今もインドの十二億の兄弟は、その昔、インド人がクルの王家とともに栄えた時代の記憶をもっている。インドに伝わる世界最大の叙事詩『マハーバーラタ』は、紀元前八世紀のクル王家（日本の天皇家）の内紛に始まる破滅的な核戦争と、それによってひき起こされた地球規模の異変が世界を混乱におとし入れ、その後、二千数百年にわたる不幸な歴史が始まったことを物語っている。現在のインドに住む私たちの兄弟は、今もこのことを忘れてはいない。

もしも日本に、われわれの祖先が過去に果たした偉大な役割をひき受ける人が少しでもいるなら、われわれがここに明らかにするインダス文字の解読例を参考にして、われらの祖先が過去につくりあげたインダス文明の、〝いのち〟の輝きを大切にしてきた歴史を明らかにしてほしいと思う。

インダス文明地域に数多く残された謎の印章。これらを日本の神代文字で読み解くのは、君たちの仕事だ！

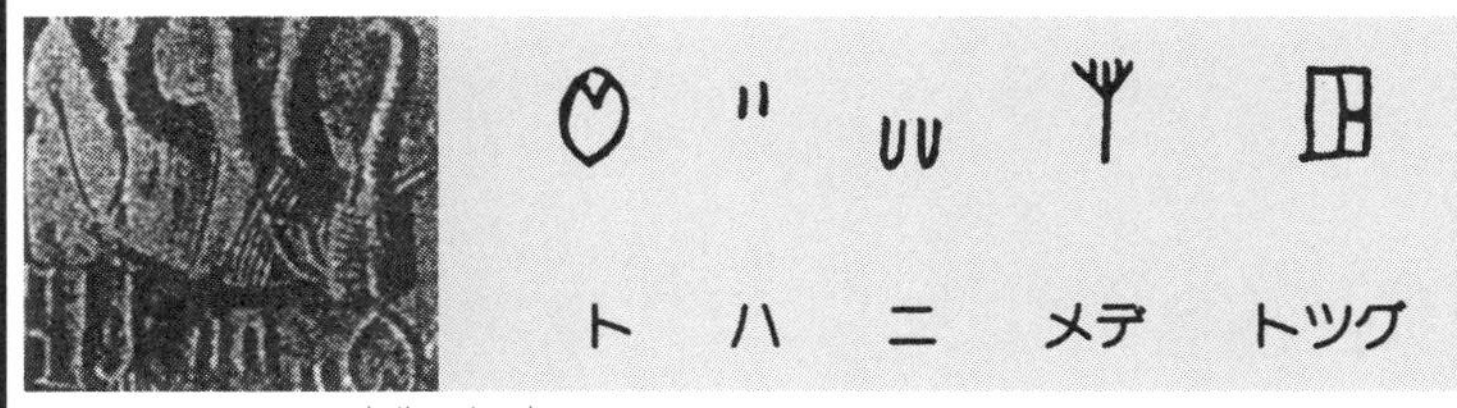

印章の解読例（A）「永遠に愛で嫁ぐ」と読める。

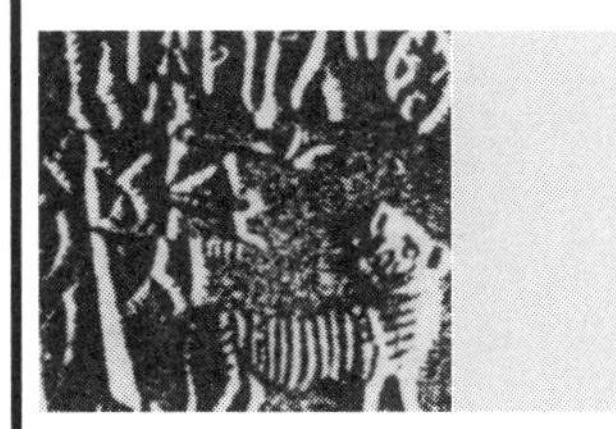

印章の解読例（B）「虎よ待ち給へ」と読める。

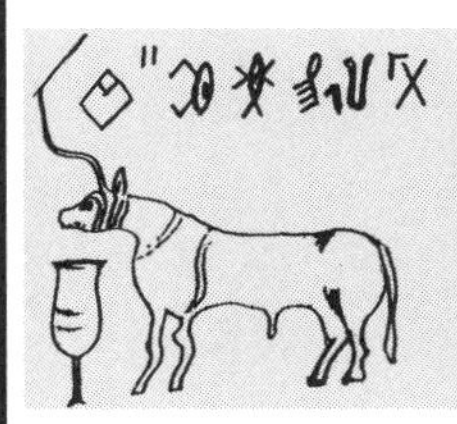

印章の解読例（C）「永遠に栄へをなも得さしめよ」と読める。

印章の解読例（D）「勝たせ給へ」と読める。

エジプトのヴィマナはインダス文明の都に移された！

すでにいくつかの例で見たとおり、インダス文明の建設者が原日本人のクル族であったことははっきりしている。欧米や中国の歴史学者はわれらクル族をなんとかアーリヤ（アッシリヤ／アヤ）の同族とみなすために、さまざまなすり替え工作をしてきた。その代表的な一例が、ブッダを生み出したサカ族はアーリヤ人の一派であるクル族から分かれた部族だという説だ。

しかし、ギリシアの歴史家ヘロドトスの記すところによれば、このサカ族の王タルギタオスは前八世紀のクル族の大王ティグラト・ピレセルであり、彼の息子のシャルマネサルを倒してアッシリヤの王になったヒッタイト系の庭師サルゴンとは出自が違う。サルゴンは印欧語族の祖となったヒッタイトの出身で、それ以前のサカ族をふくむクル族の宝を奪おうとした簒奪者にすぎない。そのサルゴンと彼の子孫が狙ったのは、当時のエジプトにあった空艇ヴィマナだった。それがエジプトからインドに移されたとき、その宝を追ってインドに侵入したのがアーリヤ人として知られるアッシリヤ人だったのだ。そのことは、インドと日本の〝山車〟として伝えられたものの実体がエジプトの宇宙船であったことを見てもわかる。

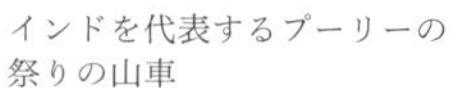

インドを代表するプーリーの
祭りの山車

日本を代表する京
都祇園祭りの山車

インダス文字の解読例
「ラタ守り給へ」と読める。ラタとは、エジプトでアムヒ（天日）と呼ばれ、インドでヴィマナと呼ばれた太古日本の宇宙船をさしている。
ということは、前８世紀から前７世紀にかけて、アッシリヤが求めた〝クルの宝〞がエジプトからインドに移されたことを物語っているのではないか。

セティ１世の墓室の壁に描かれた〝宇宙飛行士〞たち

山車の原型になったとみられるエジプトの〝宇宙船〞

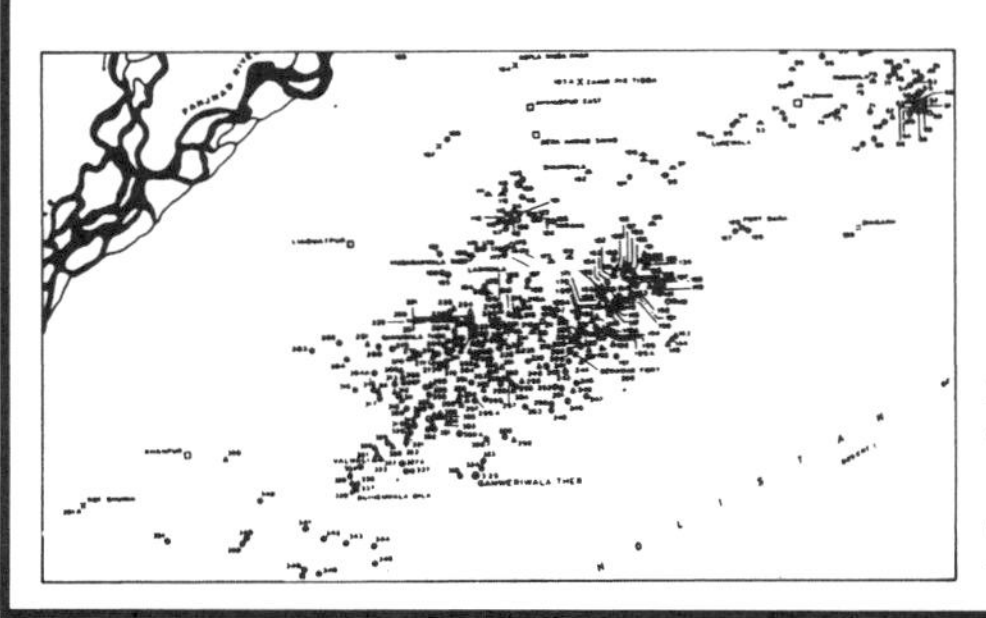

ガンベリワラ地図
インドの国境に近いパキスタンのシンド砂漠には、ガンベリワラをはじめとする300以上の都市遺跡が眠っている。

〝三つ葉〟が物語る原日本人カラ族の謎の出自

前九世紀のエジプトでティルムン（日本）以来の世界の王の証（あかし）として大切にされてきた空艇は、かの有名なツタンカーメン王の時代に、あやうく欧米人の祖先によって奪われるところだった。しかし、この時代にエジプトに侵入した欧米人の祖先が、テーベの都を廃墟としたとき、一八王朝最後のファラオ・アイ（日本神話の高木神）はエジプトを脱出し、インダス文明の都モヘンジョダロに避難した。そのアイがモヘンジョダロの謎の神官王として今に伝わっていることは、彼の法衣の文様がツタンカーメン王の墓室の壁に描かれたアイの服や、同じ墓室に安置された〝黄金の牛〟の表面に描かれた文様と同じ〝三つ葉〟マークであることからも確かである。このマークは、日本の神代文字で「アイ」と読めるからだ。

高橋によれば、中国の『史記』に「西周」と記された原日本人のエジプト世界王朝（一八王朝）は、アイ（高木神）の時代にその都をエジプトのテーベからインドのハスティナープラに移したという。エジプト一八王朝の系図が古史古伝の一書、『宮下文書』に記された日本の天常立王朝の系図と一致することは何を物語っているだろうか。

アイが手厚く葬ったツタンカーメン王の墓室から出土した黄金の牛
この牛の文様もまた、インダスの神官王の法衣の文様と同じ〝三つ葉〟文様だ。

モヘンジョダロの神官王王の法衣の文様は、日本の神代文字で「アイ」と読める。アイとは、前9世紀末にエジプトのテーベを去った18王朝最後のファラオ・アイをさす。

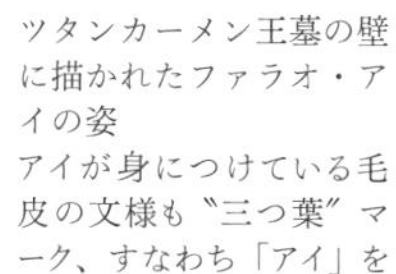

ツタンカーメン王墓の壁に描かれたファラオ・アイの姿
アイが身につけている毛皮の文様も〝三つ葉〟マーク、すなわち「アイ」を表わしている。

第一代　天常立比古神
アメンホテップ一世
第二代　天之御柱立神
別名ジムヌ（神農比古神）
トトメス一世
第三代　天之木合比女神
ハトシェプスト女王
第四代　天之草奈男神
トトメス三世
第五代　天之土奈男神
アメンホテップ二世
第六代　天之火明男神
トトメス四世
第七代　天之水男神
アメンホテップ三世（ニンムリア）
第八代　天之金山男神
アメンホテップ四世（イクエンアテン）
第九代　天之火山男神
別名ナフリア（農谷比古神）
スメンカラー
第一〇代　天之田原男神
トゥトアンクアメン（ツタンカーメン）
第一一代　高皇産霊神
アイ（クレオーン）

ファラオと天皇の王名対応表
エジプト18王朝の11代のファラオは日本の天常立王朝の11代の天皇と正確に対応する。

◉ティルムン

『旧約聖書』のノアのモデルとなった古代シュメールの王ウトナピシュティムが、三五〇〇年前の大洪水のあとにつくった地球上最古の楽園国家。

中国で夏（か）王朝を創始した禹（う）として知られているのは、このティルムン王ウトナピシュティムであり、彼は紀元前九世紀まで地球全土を治めていた日本の天皇家の始祖の一人、ヤソヨロズタマ（ウソリ）であったというのが、われわれ探検協会の大仮説だ。

この日本が、ティルムン～ティムン～ティプンを経てジッポン（日本）になった、歴史上最も由緒正しい国であることは、中国で焚書をまぬがれた『契丹古伝』にもはっきりと記されている。

第5の扉　古代地中海地域の神代文字

日経（ひふ）る天日（あむひ）と
ともにいずる

THE FIFTH GATE

太古日本の世界王朝はなぜ滅びたのか？

今から二八〇〇年前まで地球全土を治めていた日本の世界王朝は、高橋によれば、日本神話の高木神（一八王朝最後のファラオ・アイ）がエジプトを脱出する前まで三つの世界王朝の時代を経たという。

この地球上に最初に誕生した日本の世界王朝はティルムンと呼ばれた。そのティルムンは、中国で「夏」として知られ、日本で「アソベ」の国として知られたシュメール文明の楽園であり、三五〇〇年前の大洪水を治めて「夏」王朝を開いた「禹（う）」は、『旧約聖書』のノアのモデルとなった日本のウトナピシュティム（天御中主（あめのみなかぬし））だったといわれる。

このティルムン＝日本は、その後『史記』に「殷」「周」と書き改められたアマレク、エジプトの二つの世界王朝に次々にとって代わられた。が、その王家は、カラ族やクル族と呼ばれた原日本人の指導者だった。このことは、ティルムンの三つの世界王朝時代に地球の各地に残された文字が、第一王朝時代は北海道異体文字、第二王朝時代はアヒルクサ文字、第三王朝時代はトヨクニ文字だったという事実からも明らかだ、と高橋は述べる。が、そのような事実ははたしてあったのか、また、もしもそうだとしたら、太古日本の世界王朝はなぜ滅びたのか。

BC400〜 BC221	BC770〜 BC400頃	BC1050〜 BC770頃	BC1350〜 BC1050頃	BC1500〜 BC1350頃
ティルムン 第5王朝	ティルムン 第4王朝	ティルムン 第3王朝	ティルムン 第2王朝	ティルムン 第1王朝
斉	東周	西周	殷	夏
日本の出雲王国	日本の東大国(とうたいこく)	エジプト（＝日本）のツボケ王朝	アラム・インダス（＝日本）のアヒル王朝	シュメール（＝日本）のアソベ王朝
漢字のもとになった〝出雲文字〟	イヅモ文字（トヨノ文字）	トヨクニ文字	アヒルクサ文字	北海道異体文字

ティルムン＝日本の世界王朝時代に使われた文字

叙事詩	ウトナピシュティム Utunapistim	とその息子	ギルガメシュ Girgames
	Tanmitipusu	［アナグラム］	Kakomos
	Tenmitipusu	［母音変化］	Kokomus
記　紀	天御中主	［漢字化］ とその息子	高皇産
史　記	夏王朝の開祖・禹(ウ)	とその息子	夏后啓(カコウモウス)

禹とシュメールのウトナピシュティムの一致

夏王朝の創始者・禹

王家の内紛の陰に何があったのか？

これまで説かれてきた世界の歴史は、すべて私たちにとって何のかかわりもない退屈な歴史だった。が、ここで世界の歴史を動かしてきた原因を深く掘りさげてみると、大国の興亡の陰には必ず男と女のドラマがあったことがわかる。

これを単純にいえば、「歴史は夜つくられる」ということになるが、事実、ローマ帝国の誕生の背景には、かのクレオパトラをめぐるアントニウスとシーザーの戦いがあった。そして、太古日本の世界の王の位がシュメールからアマレク、エジプトへと移った背景にも、これと同じ問題があったと考えてよい。

が、世界の王たる者の地位が、たった一人の女性の思惑でこうも変わっていいものか。エジプトのファラオは代々の女王・王妃によって決められてきたが、世界のすべての人間の運命にかかわることを、王たる者の背後にいる女性の思惑だけで決められていいものだろうか。

インドの『マハーバーラタ』は語る——その昔ドリタラーシュトラ（アイの息子の国常立）が世界を治めていた当時、クルの王家を滅ぼそうとしたヤーダヴァの王はプリターという絶世の美女をドリタラーシュトラの弟のパーンドゥ（国常立の弟の国狭槌）に嫁がせ、彼

高橋良典著『謎の新撰姓氏録』（徳間書店）参照

女がパーンドゥとの間に四人の王子をもうけたあと、彼女の兄を誘惑させて五人目の王子をつくらせた。その王子がすべてのインド人から魔王と恐れられ、この地球に破滅をもたらした元凶といわれているドゥリヨーダナ（高天原の面足神（おもだる）／忌部（いんべ）の太祖・天日鷲（あめのひわし））である。

このドゥリヨーダナが大人になったとき、プリターは自分の五人の息子が一人の美女ドラウパディを共通の王妃として迎えることを誓わせたが、その結果はどうなったか。クル王家の内紛である。ドゥリヨーダナは父と母を呪い、最愛の妻を守るために戦った。が、ドラウパディ（大戸辺）は長男ユディシュティラ（日本の大戸道）の妻として息子のパリクシト（伊弉諾（いざなぎ））をもうけたあとも、他の四人の王子とかかわりをもち続けた。

これではパリクシトが怒るのも当然だ。日本神話の国生みの話の中で、イザナギが妻のイザナミに向かって、女が先に男を求めてはいけない、女は一人の男を大切にして良い種子を育てなければならないと宣言した背景には、世の女性たちが世界の破滅をもたらした過去のにがい経験がある。仏教が女性を罪深い存在として扱ったのにはわけがあったのだ。

インドの『マハーバーラタ』に伝えられたクルの王家の悲劇は、ギリシアの詩人ホメロスが残した二つの叙事詩、『イーリアス』と『オデュッセイア』にも、登場人物の名を変えて伝えられている。「ギリシア」の美女ヘレネー（日本の大戸辺）を誘拐したといわれるトロイの王子アレクサンドロス・パリス（天日鷲）の物語は、私たち日本人にとってこれまで直接何のかかわりもない出来事とみられてきたが、そのパリスとヘレネーが日本の天皇家（クルの王家）の一員だとしたら、トロイ戦争の悲劇を遠い海のかなたの事件として見過ごすことはできないだろう。

前八世紀に世界を破滅に導いたトロイ＝バーラタ核戦争の真相を追求した高橋によれば、この戦争は『宮下文書』に天常立王朝と記されたエジプト・テーベ王朝の悲劇から始まり、アイが王妃として迎えたツタンカーメンの妃のベケタテン（ギリシアのヘレネー／大戸辺）が男を次々に替えた結果、とりかえしのつかないものになったという。

ことの真相はいまだ謎につつまれているが、アポロドーロスの伝える『ギリシア神話』の中で、このアイ（クレオーン／高木神）がイアーソンにメデイアとの結婚を破棄してエジプトの王女との再婚を勧めたことも、世界の不幸の原因になったとみられる。愛するイアーソンが別の女に走ったとき、メデイアはイアーソンの息子を殺して〝龍車〟に乗り、ペルシアの地に去ったという。世界の悲劇はこのときから始まったのではないか。

『ユーカラ』	『マハーバーラタ』	『宮下文書』
コタンカラ神(カムイ)	＝ドリタラーシュトラ	＝国常立(クニコトタチ)
ポニウネ神(カムイ)	＝ヴィカルナ（クベーラ）	＝阿和路(アワジ)
ポイヤウンペ（天日鷲翔矢命(アメノヒワシカケルヤノミコト)）	＝ドゥリヨーダナ（シバ）	＝面足(オモダル)
	＝トロイのパリス	
チウセレス	＝アルジュナ	＝泥土煮(ウヒヂニ)
オトプシ	＝ユディシュティラ	＝大戸道(オオトノヂ)

叙事詩の時代の主役たち

ヘレネーとともにギリシアを脱出する
トロイの英雄アレクサンドロス・パリス

イアーソンに率いられたアルゴー号の勇士たちがコルキス遠征時に残したとみられるカフカス山脈北麓のマイコップ碑文

◉マハーバーラタ

インドに伝わる世界最大の叙事詩。バーラタ族（クル族）の戦争伝説を中心とする全一八巻二二万行の詩編の起源は、紀元前八世紀までさかのぼる。

作者はヴィヤーサと呼ばれるバーラタ大戦当時（前七九二年頃）の伝説的な聖者だ。

叙事詩の舞台は、クル・クシェートラと呼ばれた両河地帯の大平原である。ここでバーラタ王の血を分けあったカウラヴァとパーンダヴァの両派が王位をめぐって争い、現代の核戦争を思わせる最終戦争で共倒れになる。

全編の筋書きは、日本のアイヌに伝わる『ユーカラ』やホメロスの伝えるギリシアの叙事詩『イーリアス』の構成とよく似ている。

このことから、探検協会ではこの叙事詩に登場するクル族の英雄が日本神話の高天原（インドのデカン高原）で活躍したわれわれ日本人の祖先ではないかと考え、一九九〇年以来、叙事詩の舞台となった遺跡の調査を続けている。

古代地中海地域の神代文字①

エジプト象形文字のルーツは日本のトヨクニ文字?

今まで私たちが教えられてきた世界史の教科書ではひと言もふれられていないけれども、実にワクワクする面白い話がある。それは、ひょっとしたらエジプトの象形文字のルーツが、日本の神代文字の一種として知られるトヨクニ文字に求められるのではないか、というウソみたいな話だ。

吾郷清彦が『日本神代文字』(大陸書房)の中で取りあげた両者の比較図を見ると、エジプト象形文字の半数以上が日本のトヨクニ文字と同じ形で、同じ音を表わしている。今から六〇年以上前に両者の一致に気づいた建築家の徳政金吾は、トヨクニ文字のルーツがエジプトの象形文字にあると考え、日本=エジプト起源説を唱えた。しかし、彼の説を紹介した吾郷清彦は、ただちに徳政金吾の仮説を否定してしまったのだ。

ところが、われわれ探検協会の会長は、エジプト象形文字こそ日本のトヨクニ文字から派生した文字にちがいないと唱えている。彼によれば、現在知られているエジプトのヒエログリフ(神聖文字)は、紀元前六〇〇〇年頃から始まるサイス王朝の時代にトヨクニ文字を元にして作られたものだというのである。

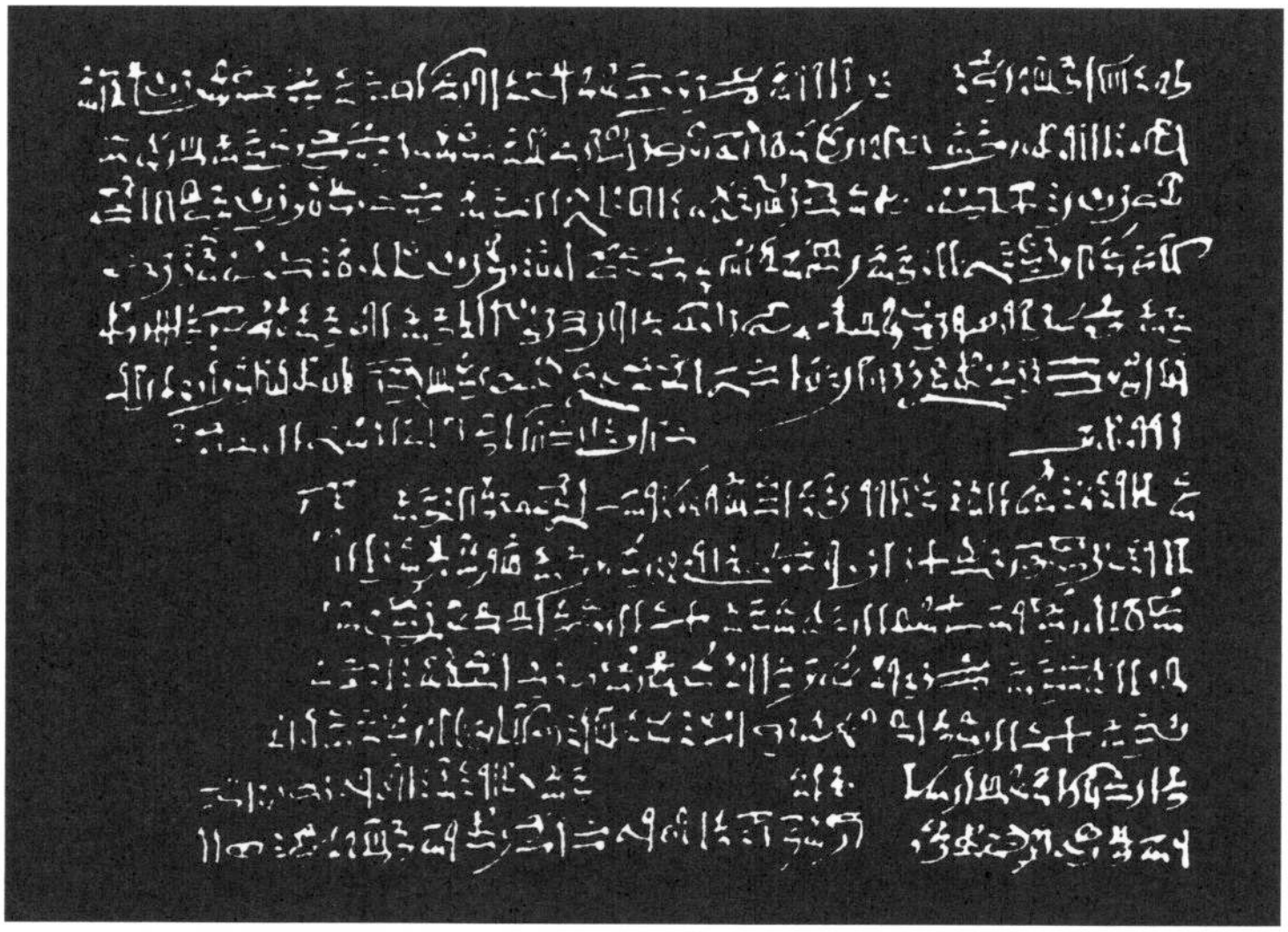

今から2800年前（前９世紀末）のエジプトで使われていたアマルナ文書の文字
前１世紀末のクレオパトラの時代まで使われていたヒエログリフ（神聖文字）とは全くちがう。

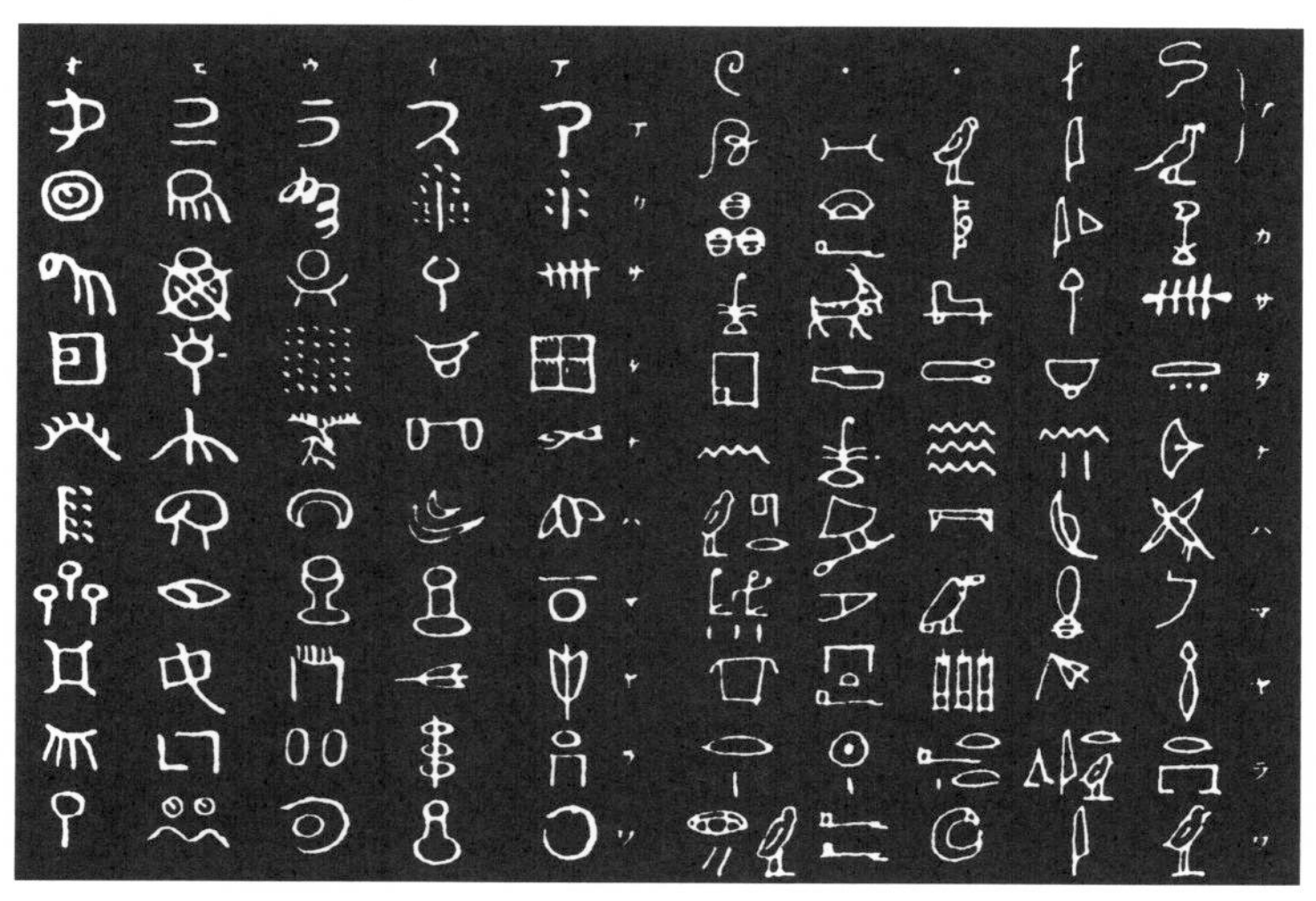

日本のトヨクニ文字（左）とエジプトのヒエログリフ（右）
ヒエログリフのチやテが乳（チ）や手（テ）の形で表わされ、エやツが片仮名のエや平仮名のつと同じ形をしているのも偶然の一致だろうか。古代エジプト語と日本語のつながりを調べてみると、意外な発見がありそうだ。

古代地中海地域の神代文字②

太古、日本の天皇はエジプトのファラオだった⁉

高橋は、欧米の学者が組み立ててきたエジプト史の年代をすべて否定して、こう言う――もしもエジプトの象形文字が紀元前六〇〇〇年頃に始まるサイス朝以前のものなら、なぜ、ヨーロッパのエジプト学者は、それ以前のツタンカーメンの王墓で発見された象形文字碑文のすべてを解読してその結果を発表しないのか、と。

一九二二年にハワード・カーターとカーナーヴォンがツタンカーメンの墓を発見して全世界を沸かせて以来、王の墓室の壁に刻まれた象形文字碑文の内容を発表した学者はたしかにいない。

そこでこれは奇妙なことだと思った高橋が、ツタンカーメン王の墓から出土したといわれる次頁図のような黄金の胸飾りを日本の神代文字で読み解いてみると、ここには古代の日本語で「日経(ふ)る天日(あむひ)とともに出づるトゥトアンクアムン、永遠(とは)にあれ」と書いてあることがわかった。その「天日」とは、日本に伝わる古史古伝の一書『竹内文書』に登場する地球外の天日国の「天日」であり、インドでヴィマナと呼ばれた巨大な宇宙ステーションをさしている、というのが彼の仮説の要点である。

テーベ王朝最後のファラオ・アイの胸飾り
欧米のエジプト学者がなぜか解読結果を明らかにしていないこの胸飾りの文字は、なんと、日本の神代文字で読み解ける。

『宮下文書』に天之田原男として登場するエジプトのファラオ・ツタンカーメン
彼がテーベ王朝第10代の王として活躍したのは、最新の研究によれば、前９世紀末であったことが明らかになっている。

〈頭　上〉
日経(ひふ)る天日(あむひ)とともに出(いづ)る
トゥトアンクアムン
永遠(とは)にあれ

〈翼右下〉
誓ひ　トゥトアンクアムン
御身愛(おんみめ)で　死したるのち
あの世でも　朝な夕べに祈る

〈翼左下〉
ここに主(あるじ)　天日(あむひ)奉(まつ)りて
絵師　イシスの宮の
日経(ひふ)る札(ふだ)つくる

高橋良典の解読結果
文中の「アルジ（主）」とは、前９世紀末に亡くなったツタンカーメンを手厚く葬ったファラオのアイ、すなわちギリシア名をクレオーン（摂政）と称した日本神話の高木神（高皇産霊～高霊皇産～コウレイオウウム～クレオーン）にほかならない。『宮下文書』は、高木神の時代に彼の二人の息子、国常立と国狭槌が東方の高天原に新天地を求め、大原の都に父の高木神を迎えたと記している。これは、18王朝の末期にエジプトのテーベを脱出したアイが、インド・デカン高原（高天原）のボーパール（大原）に新しい都を定め、そこに〝天日〟と呼ばれたヴィマナを移したことを意味している。

古代地中海地域の神代文字③

フェニキア人に文字を教えたのはわれらカラ族だ!!

これまでの欧米の学者が説くところによれば、世界最古の文字は「六〇〇〇年前」に生まれたシュメール文明の絵文字であり、エジプトの象形文字は「五〇〇〇年前」に大ピラミッドが造られた頃までにシュメール文明とは別個に発生したとされている。

ところが、前四〇〇年頃にエジプトをたずねたギリシアの歴史家ヘロドトスは、エジプトの三大ピラミッドは「五〇〇〇年前」であるどころか、わずか二六〇〇年ほど前に造られたものだと暗示している。欧米の学者から〝歴史の父〟として尊敬されているヘロドトスがそう記しているからには、エジプト象形文字の起源もそんなに古くはないと考えていいだろう。そして、ヘロドトスが語るように、歴史上最古の文字の発明者は〝カリア人〟であり、彼らがフェニキア人に今のアルファベットの元になった〝カルタゴ〟文字を教えたという記述を信じていいのではないか。

高橋は、ヘロドトスの説く〝カリア人〟や〝カルタゴ人〟の正体が、かつて地中海地域で活躍していたわれわれの祖先、カラ族そのものだったと唱えているが、この仮説はたしかに意外で面白い。

「イスラエル王国」の印
古代イスラエル王国の都サマリア（旧名カルク）の郊外で見つかったこの印章には、ヘブライ文字で「エロボアムの下僕、シェマへ」と記されていることになっている。その読み方が正しければ、ソロモン王の死後にイスラエル十部族の王になったと伝えられるエロボアムは実在したことになるのだが、印章の文字は、はたして旧約聖書の記述を裏づけてくれるだろうか。

グループA

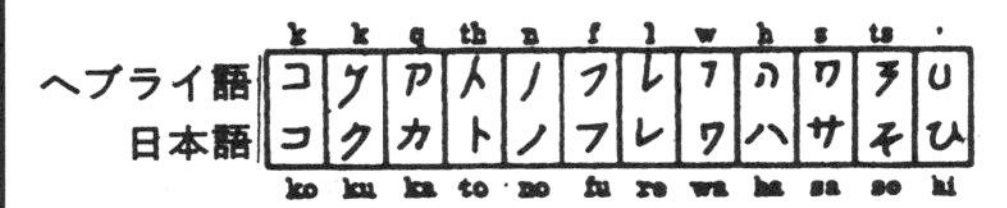

	k	k	q	th	n	f	l	w	h	s	ts	・
ヘブライ語	コ	ク	ア	人	ノ	フ	レ	7	ה	ワ	ヲ	U
日本語	コ	ク	カ	ト	ノ	フ	レ	ワ	ハ	サ	ソ	ひ
	ko	ku	ka	to	no	fu	re	wa	ha	sa	so	hi

グループB

	r	n	w	z	k	a
ヘブライ語	コ	ノ	7	ǀ	ク	⋉
母音印をつけた場合	ラ	ナ	ウ	ツ	ケ	あ
日本語	ラ	ナ	ウ	ソ	ケ	あ
	ra	na	u	so	ke	a

グループC

	・	ts	sh	m*	g	i	f**	ri	lu
ヘブライ語	ℶ	ソ	ツ	ツ	ヘ	ﾍ	ち	リ	ル
日本語	ヒ	ス	シ	ミ	く	イ	ふ	リ	ル
	hi	su	shi	mi	ku	i	fu	ri	ru

ヘブライ語と日本語の文字対比表
日本とユダヤの歴史的・文化的なつながりを調べたイスラエルの研究者、ヨセフ・アイデルバーグは、日本の仮名がヘブライ文字とよく似ていることを、われわれとは別に発見した（『大和民族はユダヤ人だった』たま出版刊参照）。日本の神代文字がかつてカラ族、ヒブル人（日経る人）と呼ばれたユダヤ人の祖先ヘブライ人の文字そのものであったことを知らなかったアイデルバーグは、日本人がユダヤから分かれた民族にちがいないと考えた。が、ユダヤ人の文字のルーツが3000年以前の原日本人カラ族の文字に求められることは、ユダヤ人がカラ族から分かれた日本人の兄弟民族であることを物語っている。『竹内文書』は、前722年に滅びたイスラエル王国が日本の枝国のひとつだったとさえ伝えているのだ。

メシャ碑文
『旧約聖書』「列王紀下」の３章４節に登場するケモシ（熊襲？）の王メシャは、カラ族の世界統治に反旗をひるがえした東方の王だ。この碑文は前850年当時のものとされているが、それはほんとうだろうか。

古代地中海地域の神代文字④

〝トロイの木馬〟が世界の運命を変えた？

われわれ探検協会は、ヘロドトスの説く〝カリア人〟がもしも高橋のいうように原日本人カラ族そのものだったなら、その証拠はあるのか、と疑ってみた。エジプトの古い言い伝えによれば、紀元前の地中海は〝カルの海〟と呼ばれ、小アジア（トルコ半島）のカリア人や、エーゲ海のクレタ人、北アフリカのカルタゴ人や、フランス・イギリス・アイルランドのケルト人も、同じカル族（カラ族）の仲間だったという。われわれは、もしかしたら、前八世紀のトロイ戦争に敗れた小アジアのカリア人が、その後ルーマニアからドナウ川に沿ってアルプス山脈やピレネー山脈の高地に亡命し、ほとぼりがさめてからイタリアやスペイン、フランスの各地にケルト人として現われたのではないかと考えた。

するとどうだろう。ルーマニアのタルタリア遺跡から出土した謎の文字や、アルプス山中のカモニカ渓谷に残された〝カムナ文字〟、さらにはトロイの英雄アエネイアスが建国したと伝えられるローマ以前のエトルリアの文字を調べていくうちに、これらの文字がたしかに日本の神代文字そのもので、古代の日本語として意味をなすものであることを確認したのだ。

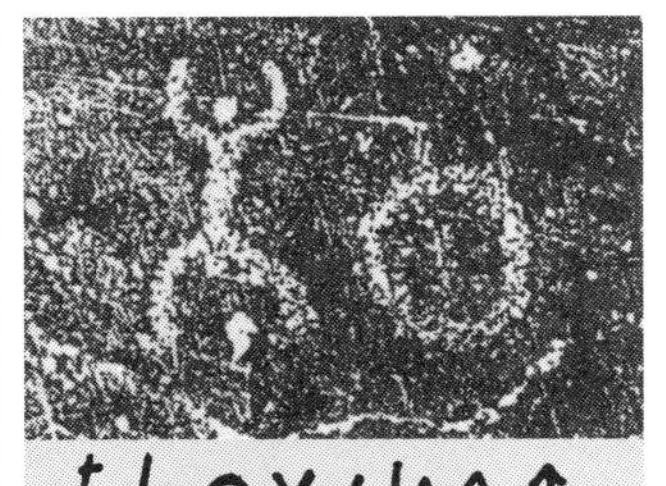

カモニカ渓谷の岩壁に記されたカムナ族の文字
〝カムナ〟は、紀元前の日本人が使っていたカムナ（神字）そのものだ。とすると、アルプス山中のこの文字は、日本の神代文字で読めるのではないか。こう考えてさっそく解読に挑戦してみると、一つは北海道異体文字で「アテラ（金脈）」、もう一つは「ホドラの井戸が湧く」と読めた！

ローマ帝国以前にイタリア半島にいたエトルリア人が残した迷宮図
迷宮の左端に記された謎の文字は日本の神代文字で「カムサリヌ（神去りぬ）」と読める。このことは、前8世紀にローマ市を建設したといわれるエトルリア人の祖先が、小アジアからルーマニア、アルプス山脈を経てイタリア半島に南下した原日本人、カラ族（カリア人）であったことを物語っている。

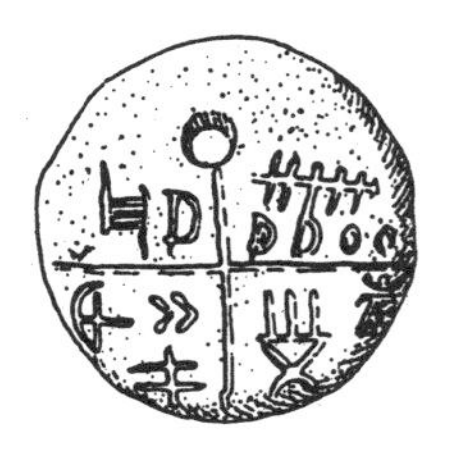

ルーマニアのタルタリア遺跡から出土した謎の文字板
日本の神代文字で「立つ／生きる／寿(ことほ)ぐ／治める」と書かれている。紀元前のルーマニアには日本の王がいたのだ。

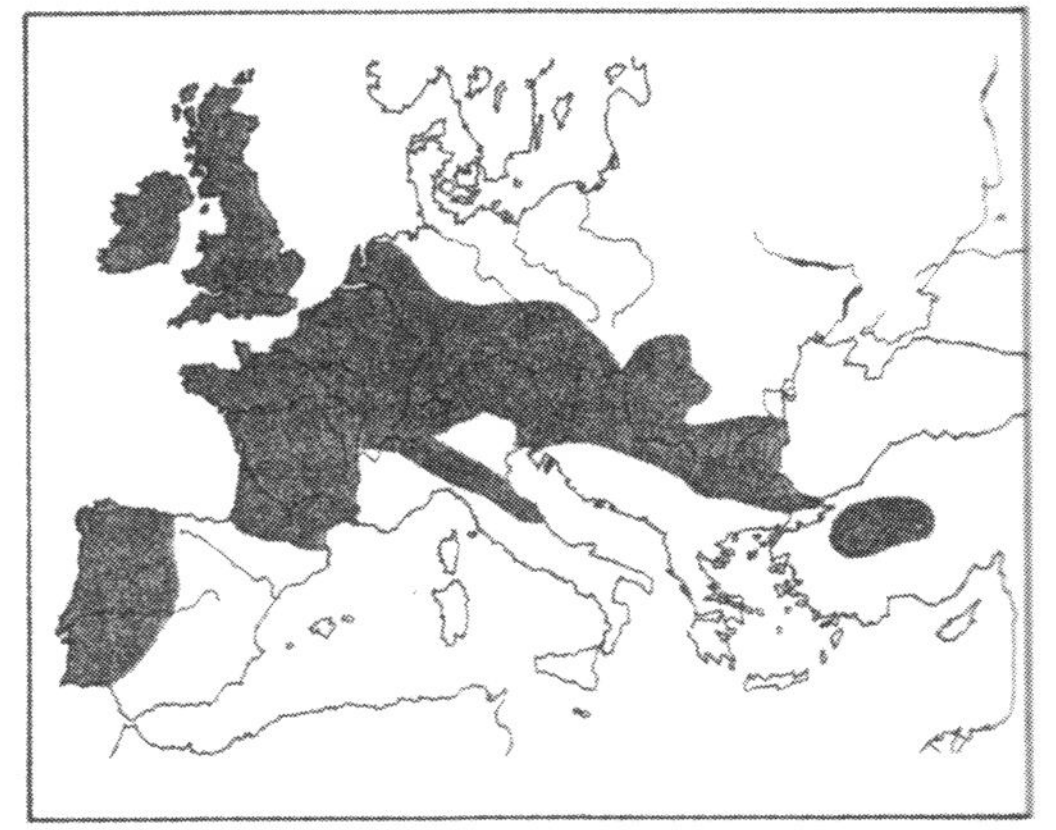

ヨーロッパにおけるカラ族の分布
これまでつながりのなかったケルト人やクレタ人、カリア人は同じカラ族だ。

古代地中海地域の神代文字⑤

紀元前の世界史は漢人(あやひと)の虚構？

紀元前の地中海地域にも日本の神代文字があった！　などといえば、これまでの世界史ですっかり洗脳されてきた君たちにとっては、とんでもなく奇妙な話に聞こえるかもしれない。われわれも最初のうちは、その証拠が確かなものか、高橋の説く〝カラ族〟が歴史的に実在した民族であったのか、原日本人のカラ族が世界で初めて文字を発明し、欧米人が現在使っているアルファベットの元になる文字を世界各地で使っていたのはほんとうか――実を言えば、疑っていた。

けれども、今から「五〇〇〇年前」にエジプトの大ピラミッドが造られたという欧米人の通説には確かな根拠がないとか、紀元前八世紀に地軸が傾いたことを無視して組み立てられたこれまでの世界史はすべて虚構だといわれ、改めて地球の歴史を見直してみると、確かにその一部はうなずけるものがある。たとえばフランスのグローゼル文字板は今から「二万年前」の地層から出土したためニセモノといわれてきたが、その文字が日本の神代文字で意味をなす前八世紀末の文としてよみがえってきたことなどを確認すると、これまでの世界史は何だったのかと思ってしまう。

フランスのグローゼル遺跡から出土した「数万年前」の文字板
日本の神代文字で「栄え賜はめ／神をばまつらむ／大いなる見せしめあり／われらは虐げられたり／カラの神をば祈らんば」と読める。

ウシカウヒプルヲイサクガオサ

メスエナガクイサクガマモレ

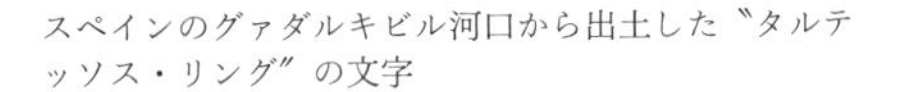

スペインのグァダルキビル河口から出土した〝タルテッソス・リング〟の文字

フランス・ラスコー洞窟の壁画
今から「一万数千年前」に描かれたことになっているこの馬の鼻先に刻まれた文様は、日本の神代文字で「マ（馬）」と読める。

フランスのロシュベルチエ洞窟で見つかった「数万年前」の記号
この記号もまた、前八世紀末のイサク（イザナギ）時代の神代文字で「絵師をばして描かしむ」と読める。ということは、欧米の学者たちが「何万年」も前のものだと主張しているヨーロッパの「先史洞窟」と「先史美術」が、前八世紀の異変時代にわれわれ日本人の祖先＝カラ族によって残されたことを意味しているのではないか。

古代地中海地域の神代文字⑥

大戦と異変の時代に地中海を脱出した原日本人

欧米の学者が過去二〇〇〇年にわたって組み立ててきた世界史は、高橋によれば、欧米人の世界支配をそれ以外の民族に認めさせるために作り上げられた、実に巧妙な虚構の歴史だという。

欧米人の〝虚構の世界史〟は、すでに秦の始皇帝が〝焚書坑儒（ふんしょこうじゅ）〟をしたときから始まり、前漢の武帝が司馬遷に出雲の歴史をすり替えさせたときにある程度完成していたが、それでもなお東洋に憧れるヨーロッパ人の息の根をとめるために、東洋以外の地（裏返せば西洋）が文明の発祥地だという説を流す必要があったというのだ。そして、紀元前八世紀の異変時代に、彼らの祖先が地中海地域とインドを侵略し、のちに中国・日本を征服した事実を覆い隠すために、過去三〇〇〇年間に地軸を揺るがすほどの大異変はなかったという説を広めてきたともいう。

このような過激な説をただちに認めるわけにはいかないが、紀元前八世紀の大戦と異変の時代に地中海を脱出したクレタ人の謎の絵文字を高橋が解読した結果を見れば、彼の唱える説はまんざら見当はずれではないのではないかとも思われる。

クレタ島のファエストス宮殿跡から出土した
謎の円盤
「未解読」のクレタ絵文字が刻まれている。

ファエストス円盤の模写図

主うしはく（治める）　エホバの民
主ヨセフうしはく　民発つは
神のかしこむ　父の民
エロハ民（神の民）
牛はうケフチウ（クレタ）の罔象民船
エロハ民
牛はうケフチウの瑞しアジア民
むる（海）をうしはく　ヨセフ民
越すは神民
王のタムズ（穀物神の化身である王妃）
の悪のため
むざむざ死ぬる
タルハカうしはく民

円盤に刻まれたクレタ絵文字の解読結果
文中の「主ヨセフ」とは、前7世紀の初めにアフリカを治めたエチオピア出身のエジプトのファラオ・タルハカ（在位690～663BC）の宰相を務め、のちにイスラエルの12部族（日経る民／ヘブライ人）を率いてエジプトを脱出したカラ族の指導者スダース（スサダミコ／ホホデミ）をさしている。これまで旧約聖書のイサクとヤコブ、ヨセフはソロモン王の時代より900年も前のヘブライ人の指導者だと考えられてきた。が、ファエストス円盤の解読結果は、ヨセフがソロモンより200年も後に実在したタルハカの同時代人であったことを明らかにしている。

古代地中海地域の神代文字⑦

紀元前の日本人はクレタ島にもいた？

すでに見たとおり、前八世紀から前七世紀にかけて私たちの住む地球が七回も大きな異変を経験した時代に、われわれ日本人の祖先カラ族は地中海地域にいた。

前九世紀までこの地域にクレタ・ミュケナイ遺跡に代表されるエーゲ海文明を形づくっていたカラ族（カリア人／カルク人／クレタ人／ケルト人／カルタゴ人等）は、その後発生した戦争と異変の時代に地中海地域を脱出した。そのため、この地域に住む人々と文化のようすは、前六八七年の最後の異変の前とあとではまったく変わってしまった――こう述べる高橋によれば、クレタ島で見つかった三種類の文字のうち、絵文字と線文字Aはカラ族のもので、線文字Bは欧米人の祖先のものだという。

もしもそうだとすれば、線文字Aと絵文字は、彼の言うように、原日本人のカラ族が異変前に残したものだろうか。すでにクレタの絵文字を解読した高橋は、欧米の学者がいまだに読み解けない線文字Aを日本の神代文字でいとも簡単に解読したが、はたして地中海地域の謎の古代文字の解読はそんなに簡単にできるものだろうか。

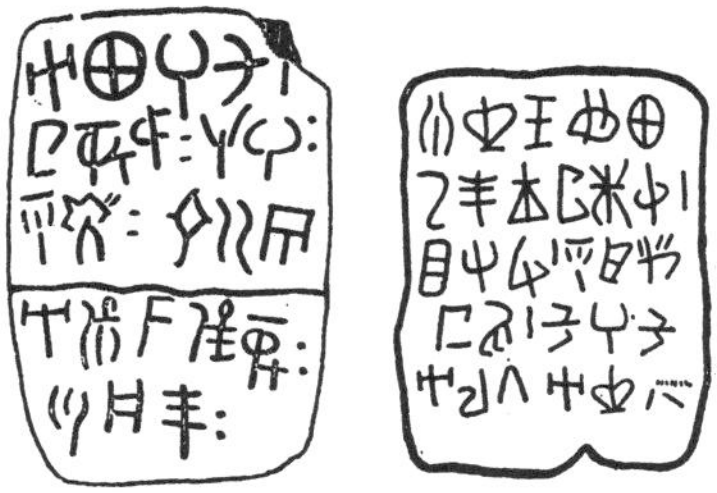

まだ解読されていないクレタ線文字Ａ文書

サントリーニ島から出土したフレスコ画
当時の地中海を往来した船人は原日本人だったのか？

桶か盥三〇　風呂三
蓋も三　櫂九　酒一三
櫓の注連縄一〇
亜麻布一三　盥四五　船五
戸板も四　櫂六　酒一四
〔当時の注文書の一部〕

粘土板の解読結果
以上のような内容から判断すると、この粘土板は、クレタの港に寄港した前８世紀の日本人船乗りの発注書だったとみられる。

クレタ島のハギア・トリアダ宮殿跡から出土した粘土板
〝線文字Ａ〟と呼ばれる謎の文字が刻まれている。
この粘土板の碑文は、日本のトヨクニ文字と北海道異体文字を混用して書かれている。ᅲは、北海道異体文字のタ（—）とラ（〇）、イ（｜）を一つにした合体字で、「タライ」と読める。

古代地中海地域の神代文字⑧

タデメッカ――地球がいまだ若く美しかった時代の記憶

われわれ探検協会は、クレタの絵文字と線文字Aが日本の神代文字で読み解ける可能性を否定してはいない。むしろ、高橋のそのような試みは、これからの日本の碑文学のためにも十分に歓迎すべきものだと思う。

その解読結果は、いまだに一つの仮説にすぎないが、ともかく、何か大きな発見をなし遂げるためには、最初に仮説を立て、次に綿密な検証を進め、最後にその結論が誰にとっても受け入れられるだけの説得力と広がりをもっていなければならないと思う。

高橋の唱える〝太古カラ族の世界王朝〟仮説は、これを一つの仮説とみなせば、これほど面白いものはない。なぜなら、その昔、地球がいまだ若く、数多くのあやまちを犯したにもかかわらず、私たちが今もこの地球で同じ人間としての歴史を続けていられるのは、太古日本のカラ族がほんとうに平和で美しい地球を実現したいと願い続けたからではないか。

われわれは、サハラ砂漠のそこかしこに残されたすばらしい岩絵と文字を見るにつけても、古代カラ族が求め続けた〝いのちの輝き〟と〝永遠の生命〟がここに生きていることを実感できる。

フランスの探検家アンリ・ロートがタッシリの岩壁で発見した〝サハラの女王〟
かつてサハラ砂漠が緑あふれる水の豊かな大地だった頃、アルジェリアのタッシリ・ナジェールは「乳と蜜の流れる台地」と呼ばれ、伝説の都タデメッカにはティンヒナンという美しい女王がいたという。タッシリが今のような不毛の地（サヘル）となる前に、ここではどんな歴史が繰り広げられたのだろうか。そして、伝説のティンヒナンの都、タデメッカはどこにあり、いつ、何が原因で滅びてしまったのか。その答えは、マリ共和国アドラール・デ・ジフォラス地区に残された〝ティフィナグ文字〟碑文の中に秘められている。

アドラール・デ・ジフォラスのティフィナグ文字碑文
ティフィナグ文字は「ティンヒナン国」の文字だったのか。チュニジアのカルタゴ遺跡にまつわる伝説によれば、ティンヒナンは前8世紀のアフリカにカラ族の幻の都を築いたカルタゴ初代の女王だったといわれる。とすれば、彼女が住んだタデメッカは、アドラール・デ・ジフォラスにあったのか。

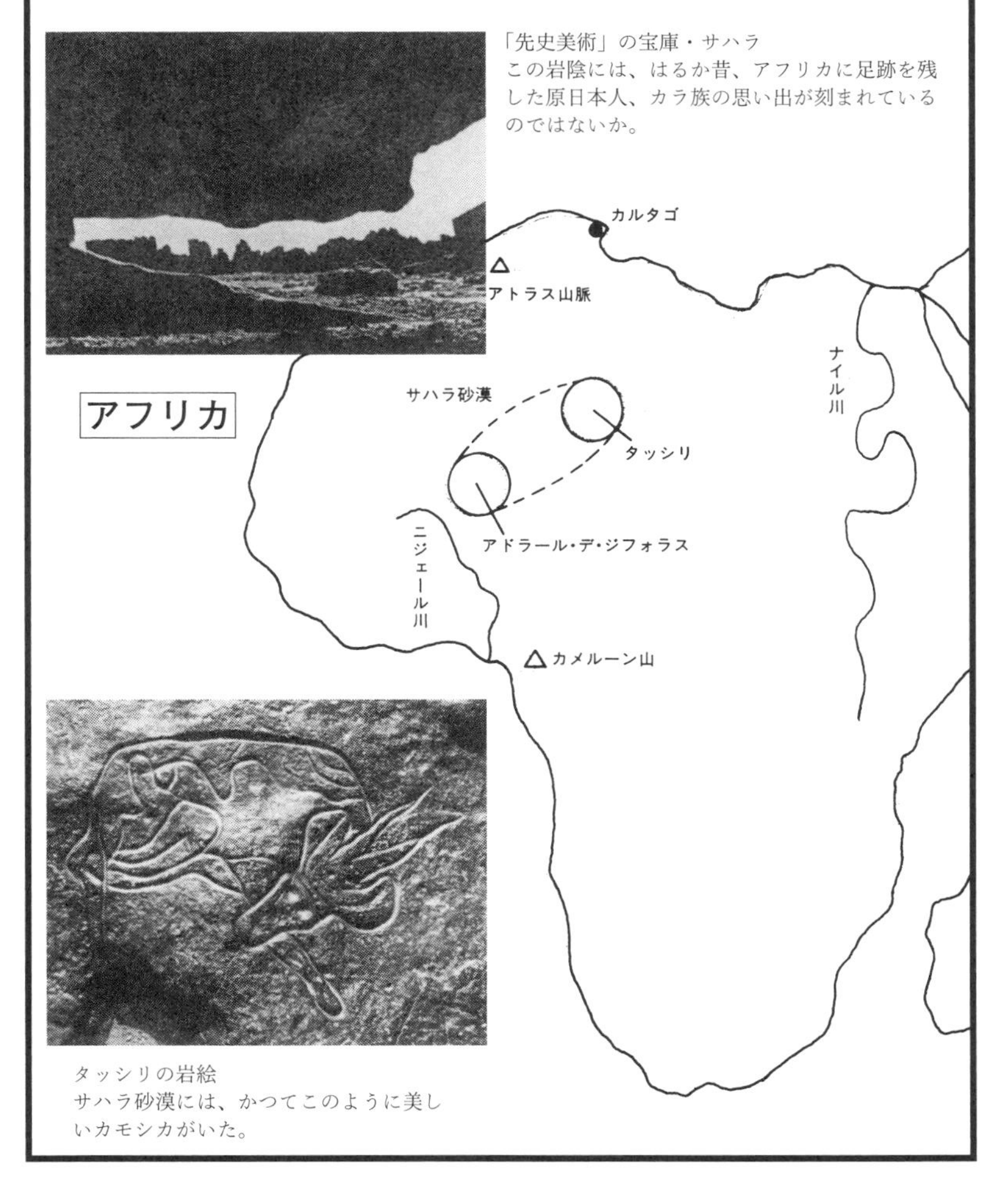

「先史美術」の宝庫・サハラ
この岩陰には、はるか昔、アフリカに足跡を残した原日本人、カラ族の思い出が刻まれているのではないか。

タッシリの岩絵
サハラ砂漠には、かつてこのように美しいカモシカがいた。

古代地中海地域の神代文字⑨

アドラール・デ・ジフォラスにあった⁉　サハラ帝国・幻の都

アンリ・ロート著『タッシリ遺跡』（毎日新聞社）参照

ローマの詩人ヴェルギリウスが残した叙事詩『アエネイス』は、その昔、一人の美女ヘレネーをめぐってトロイのパリスとギリシアの王たちが戦った時代に、炎につつまれて落城するトロイから脱出した英雄アエネイアスがカルタゴの女王ディードーとの恋を捨ててローマの建国に向かったいきさつを物語っている。

そのディードーは、前八世紀のカルタゴに実在した女王ティンヒナンをモデルにしている。そしてこのティンヒナンの時代に、サハラは今のような砂漠ではなく、河馬や水鳥がたわむれる緑のオアシスだったことが、タッシリやアドラール・デ・ジフォラスをはじめとするアフリカ各地に残された岩絵と文字からもうかがわれる。

フランスの探検家アンリ・ロートによって紹介されたサハラ砂漠のみごとな岩絵美術の研究は日本の木村重信（阪大名誉教授）に受け継がれた。そして木村は、ロートが見落としていた〝ティフィナグ文字〟を採集して世に紹介するという大変な偉業を達成した。

彼は、サハラの岩絵がティフィナグ文字を残した人々によって描かれたことを確信し、ティフィナグ人の正体をつきとめたいと思ったにちがいない。しかし彼は、ロートらによって

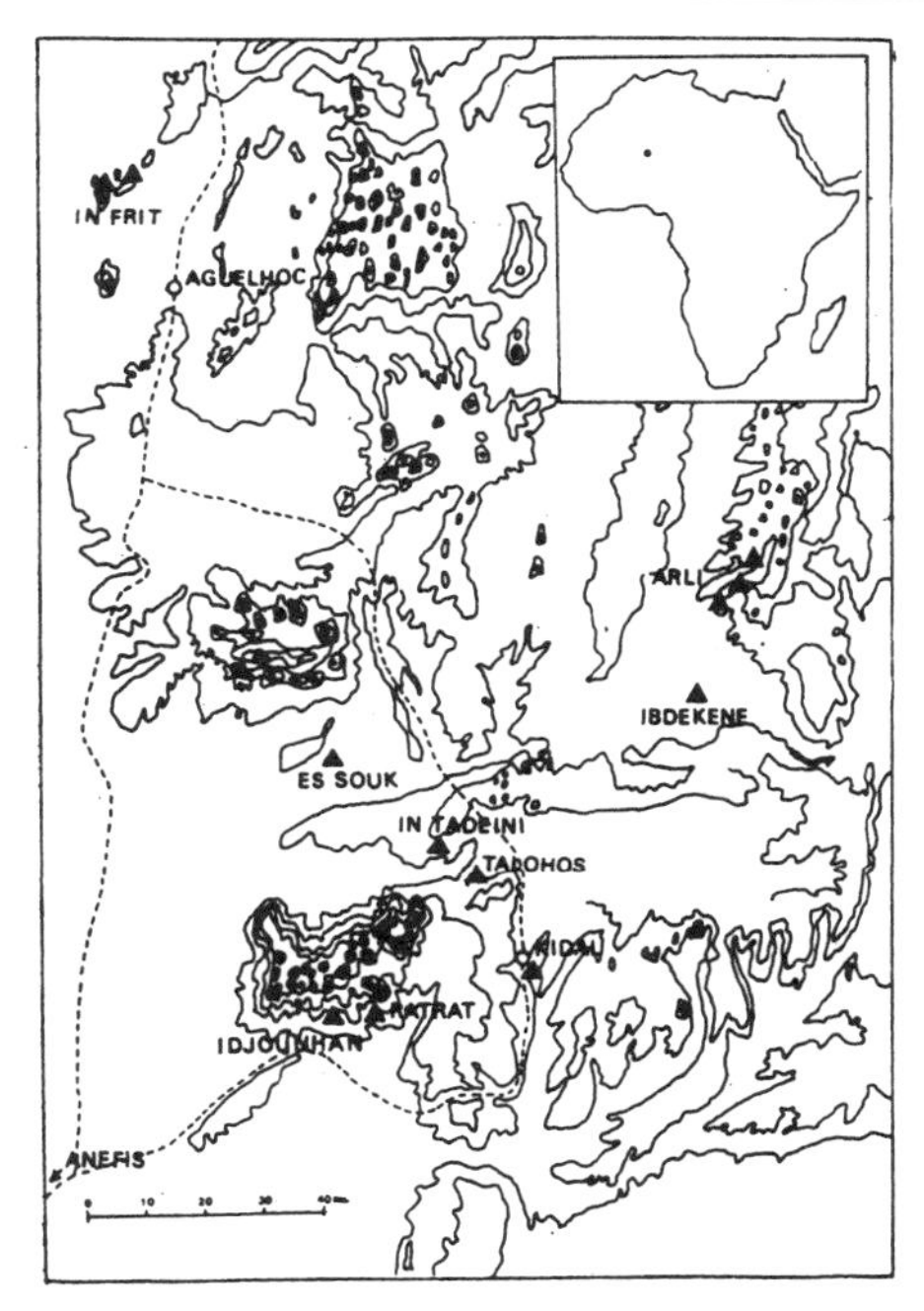

伝説の都タデメッカがあったとみられるアドラール・デ・ジフォラス地区
南部のイジュンハン遺跡（『契丹古伝』の斐伊峋倭）には、カラ族の都があった！

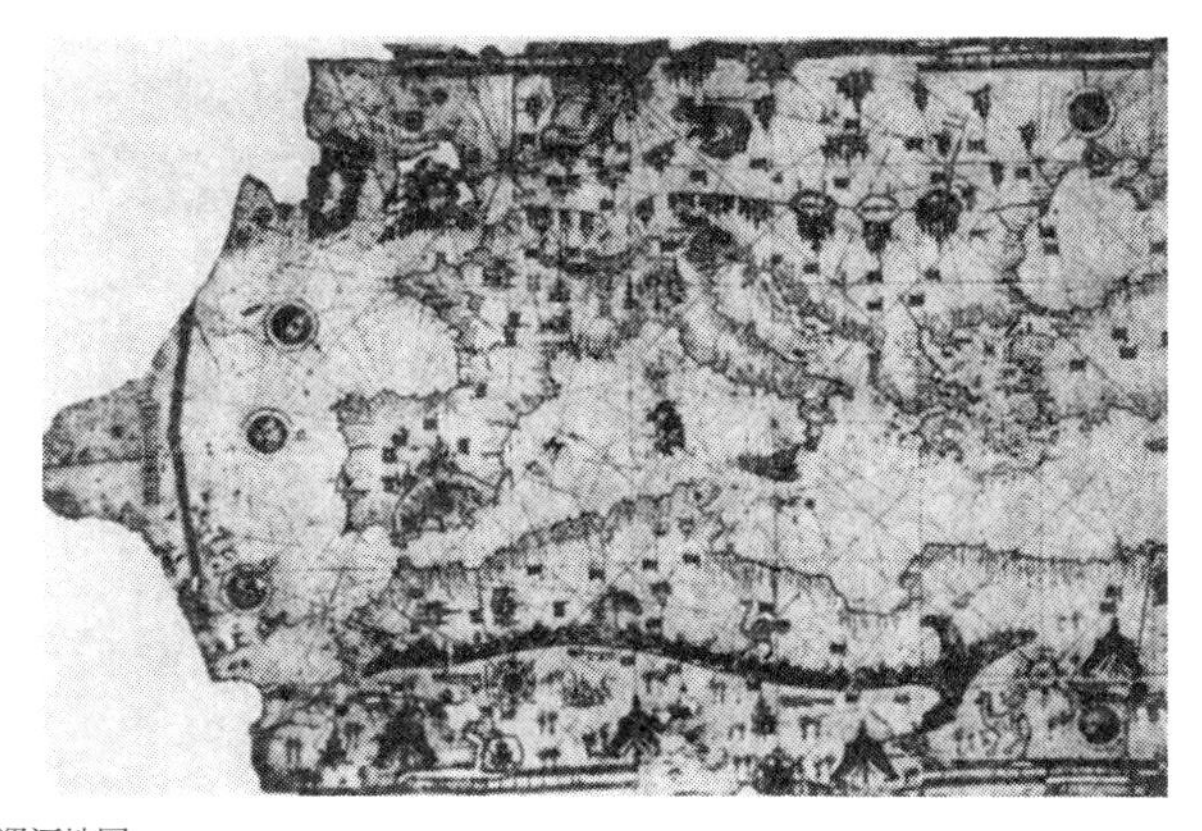

サハラ大運河地図
かつてアフリカが緑だった頃、サハラ砂漠にあった東西4000kmの大運河がトルコの地理学者イブン・ベンザーラの伝えた古地図に異変前の方位とともに描かれている。世界最古の地理書『山海経』の「南山経」にも登場するこの大運河は、紀元前８世紀のたび重なる異変で砂の下に埋もれてしまった。

設定された欧米美術史学者の年代観を基本的に受け継ぎ、彼自身の採集したティフィナグ文字が前八世紀の〝ティンヒナン国〟の文字であるとはみなしていない。

しかし、高橋はこれらの文字を前八世紀から前七世紀に活躍したカラ族の文字とみなし、原日本人がかつてアフリカにいた時代に使っていた神代文字としてその音を復元してみた。すると、どうだろう――これらの碑文は、前八世紀から前七世紀にかけて、北アフリカから東方へ向かったカラ族が大戦と異変の時代を生きのびたときの貴重な記録であることがわかったのである。

古代地中海地域の神代文字⑩

原日本人はアッシリヤの猛威を逃れてアフリカを脱出した！

木村重信著『美術の始源』（新潮社）参照

欧米の先史美術学者は、今も相変わらず、スペインのアルタミラやフランスのラスコー洞窟に描かれたみごとな岩絵とサハラの岩絵のタッチが同じものであることを認めながら、ヨーロッパの洞窟絵画は「一万二〇〇〇年前」の異変にさかのぼる時代のもので、サハラの岩絵とは何千年もの開きがあると説いている。けれども、われわれ探検協会が解読した「二万年前」のグローゼル文字や「一万五〇〇〇年前」のロシュベルチエ洞窟の文字は、いずれも紀元前七世紀の最後の異変か、それより少し前の前八世紀の異変時代に使われていたカラ族の文字である。しかも彼らによって「何千年もあと」の時代のものとみなされてきたサハラのティフィナグ文字も、ヨーロッパの古代文字と同じ前八世紀から前七世紀にかけての異変時代に残されたものであることさえわかってきた。

とすると、ここでもまた欧米人が組み立ててきた先史美術の年代観は大きく崩れる。と同時に、これまで封印されてきた真実の歴史がよみがえる。前七世紀の最後の異変時代に生きたわれわれの祖先は、このときアッシリヤと戦いながら平和な土地を求めて必死に砂漠を移動したらしいのだ。

紀元前7世紀の初めにアフリカ全土で大活躍したエチオピア出身のエジプトのファラオ・タルハカ（在位690〜663BC）
『契丹古伝』に「寧義氏」の名で登場するタルハカ（タハルカ）は、アフリカに侵入したアッシリヤの軍隊を撃破して勇名をはせたカラ族の英雄だ。彼が日本神話のニニギのモデルであったことは、エス・スク碑文に「タナァニニギ／タルハカマリク」と記されているところからも明らかだ。

我ら泣くらむ
邑国無けに
スラース、来らめ
邑壊れな
敵来ば崩える
スナースは何時ぞ
助けに来るならむ
邑は絶えし
邑国無し
すぐにぞなむ
助け給え

アドラール・デ・ジフォラス北部のイン・フリット遺跡に残された碑文
「スラース」「スナース」とも呼ばれたスサダミコ（山幸彦ホホデミ／ヨセフ）とタルハカ（ニニギ／ヤコブ）の助けを求めるカラ族の叫びが刻まれている。

タナア
タハルカ来らめ
タナア
クシュ
アラー在れ

アドラール・デ・ジフォラス南部のエス・スク遺跡に残された碑文
アフリカのカラ族の都イジュンハンに、タナァと呼ばれたエチオピアからタルハカとスダースが救援に駆けつけたことをこれらの碑文は物語っている。

我　皆救はむ
スダースな 神

タナア
スラース
（スダース）が来る
めでたし

タナア
ニニギ
瓊瓊杵
タルハカ王

タナア　着きたか
我アば助けな
スダーツ（スダース）

サハラ碑文の解読結果

古代地中海地域の神代文字⑪

〝モーセの大脱出〟のモデルはスサダミコの東方大長征だった⁉

『旧約聖書』の「出エジプト記」に記されたモーセとイスラエル人の〝大脱出〟を思わせるサハラ砂漠のティフィナグ文字碑文は、幸沙代子によれば、原日本人カラ族のアフリカ脱出の記録ではないかという。

彼女は、高橋が読み解いたサハラ砂漠の碑文の解読結果をふまえて、こう考えた——『聖書』にモーセ（息子）の偉業として伝えられた「出エジプト」の記録は、私たち日本人の遠い祖先が、紀元前六八七年の異変当時、エジプトに侵入したアッシリヤの大王センナケリブの率いる大軍の追及をかわしてアフリカからインドへ脱出したときのものではないか、と。

高橋によれば、サハラ碑文に登場するスダス王は『契丹古伝』のスサダミコ（スサダ王／山幸彦ホホデミ／ヨセフ）と同一人物だが、幸はこのスサダミコこそ『聖書』のモーセのモデルとなった前七世紀の日本の大王にちがいないというのだ。

タナァ
我　別れ行かむ

タナァ
去らむ
スダース
国主（くなあるじ）

旅立つ我ら
あな　別れ空し（むな）

カラ族がスダースに導かれてエチオピア（タナァ）方面へ向かったことを示すティフィナグ文字碑文

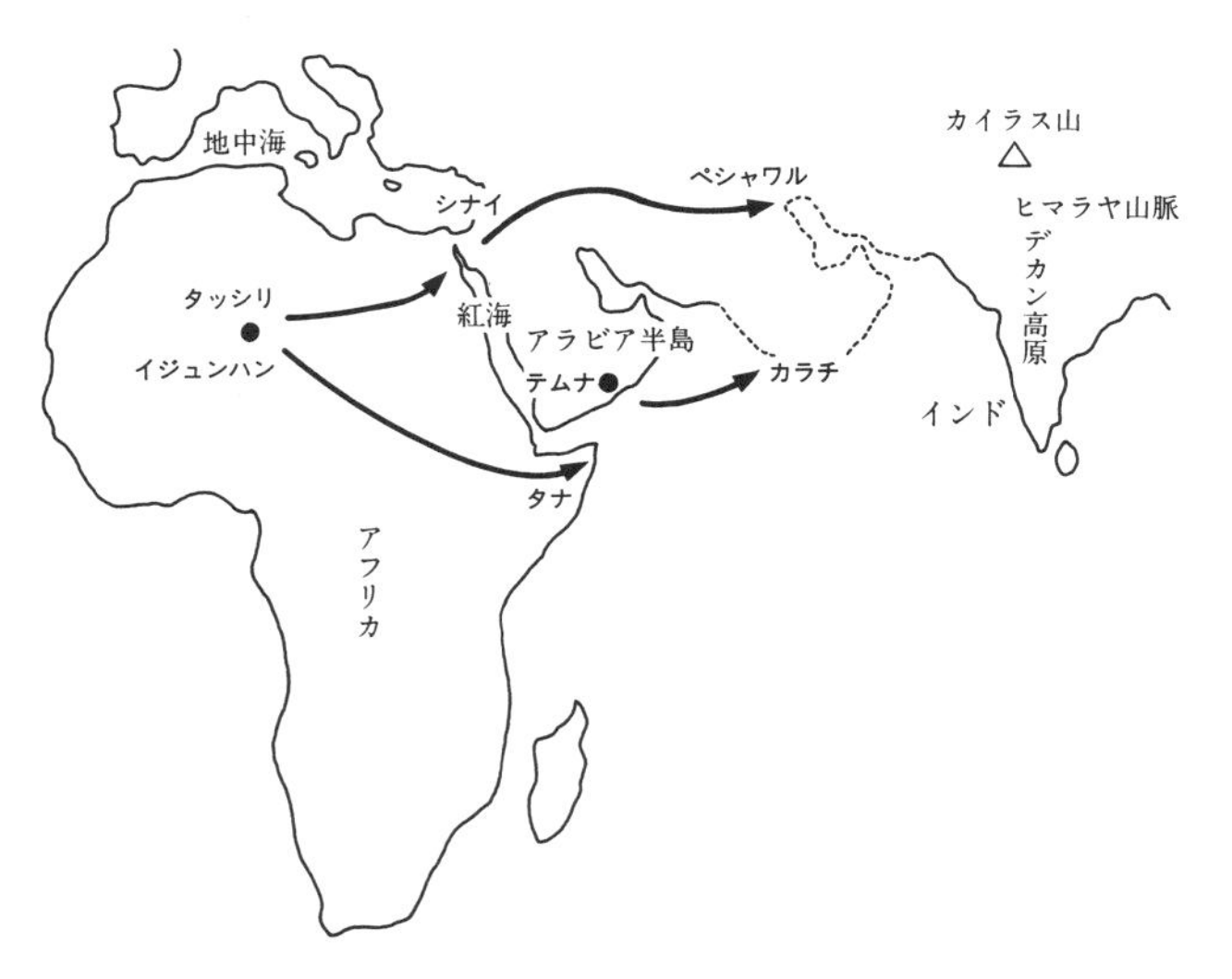

スサダ王（スダース）の東方大長征地図

胸郭たくましき人々は、
牛の群れを求めて東方に赴けり。
ダーサならびにアリアン族なる敵を倒せ、
インドラ・ヴァルナよ、
スダースを支援もて助けよ。
十王の戦争において、あらゆる方面より
包囲せられたるスダースを、
インドラ・ヴァルナよ、
汝ら両神は援助せり。
広がり満つる大水をも、インドラは
スダースのため、
渡るにやすき浅瀬となせり。
わがいと新しき讃歌を侮るシムユと
その嘲罵とを、大河に漂う流木となせり。
これら敵に悩まされたるトリッツ族は、
水のごとインドラにより解放せられて、
馳せ下りぬ。
敵は粉砕せられて、
すべての財貨をスダースにゆだねたり。

アフリカのスダス王（スサダミコ）がインドに来たことを物語る『リグ・ヴェーダ』の一節

古代地中海地域の神代文字⑫

さらば、アフリカ！　思い出せ、カラ族の悲しい別れを

アンドレーエヴァ著『失われた大陸』（岩波新書）参照

これまで欧米や中国の学者が日本に押しつけてきた世界史の教科書に従えば、「ブッダは日本人だった！」とか、「モーセも日本人だった！」などという〝非常識〟なことは一切唱えてはいけないことになっている。たとえ「仮説」であるとただし書きを入れても、そんなとっぴょうしもない説は断じて世に出てはならないことになっていた。が、事実は、ほんとうにそうだろうか。過去一〇〇年あまりにわたって日本の神代文字を否定し続け、欧米の学者の「仮説」を「真説」であるかのように受け売りしてきたのはどこの誰か。過去二〇〇〇年あまり、中国の「正史」を信じて日本の歴史を抹殺することに手を貸してきたのはいったい誰なのか。

われわれ探検協会は、これまでの歴史の通説をすべて疑ってみることにした。たとえば、モロッコ沖のカナリア諸島にかつていたといわれるグアンチ人は、欧米の研究者から「アトランティス人の末裔」といわれてきた。が、彼らが残したグアンチ文字を日本の神代文字で読んでみるとどうだろう――彼らは前七世紀の初めに地中海を脱出したわれわれカラ族の一派であることも明らかになってきたのだ。

◯新しい噴火口
◎新旧を兼ねている火口
◎古い噴火口

カナリア諸島地図

カナリア諸島のテネリフェ島に残された〝グアンチ文字〞
上・日本の神代文字で「新たなる帆上げ、荷造る」と読める。
下・この島の岩壁に「果てな村離れなむ名残りに」と記した私たちの祖先は、どんな思いでこの島を去ったのか。そして彼らは、その後どこへ向かったのだろうか。

今も君たちの解読を待っているカナリア諸島のカラ族碑文

第6の扉　アメリカ大陸の神代文字

THE SIXTH GATE

宝おさめし蔵

謎のマヤ文明人はどこから来たか？

前六八七年の異変を目前にした地中海地域のカラ族のうち、ある者は東へ逃れ、別の者は西へ逃れた。

クレタ島から脱出したカラ族の一派が、その後ジブラルタル海峡からカナリア諸島へ渡り、そこで大西洋横断の準備を整えてアメリカ大陸をめざしたことは、カナリア諸島に残されたグアンチ文字碑文の解読結果からもうかがわれる。

しかし、この当時アメリカ大陸に避難したカラ族は、どの港に到着し、それからどんな歴史をアメリカ大陸でつくりあげていったのか。

この点はいまだに明らかではない。

中米のユカタン半島には、今も謎につつまれたマヤ文明の都市が眠り続け、欧米の学者の懸命な解読作業が進められているにもかかわらず、密林に残されたマヤ文字碑文から、この謎の民族の失われた歴史を復元することには成功していないのだ。

はたして、マヤ文明の建設者は、いつの時代に、どこから来たのか。彼らは、私たちカラ族とどんな関係をもっていたのか。

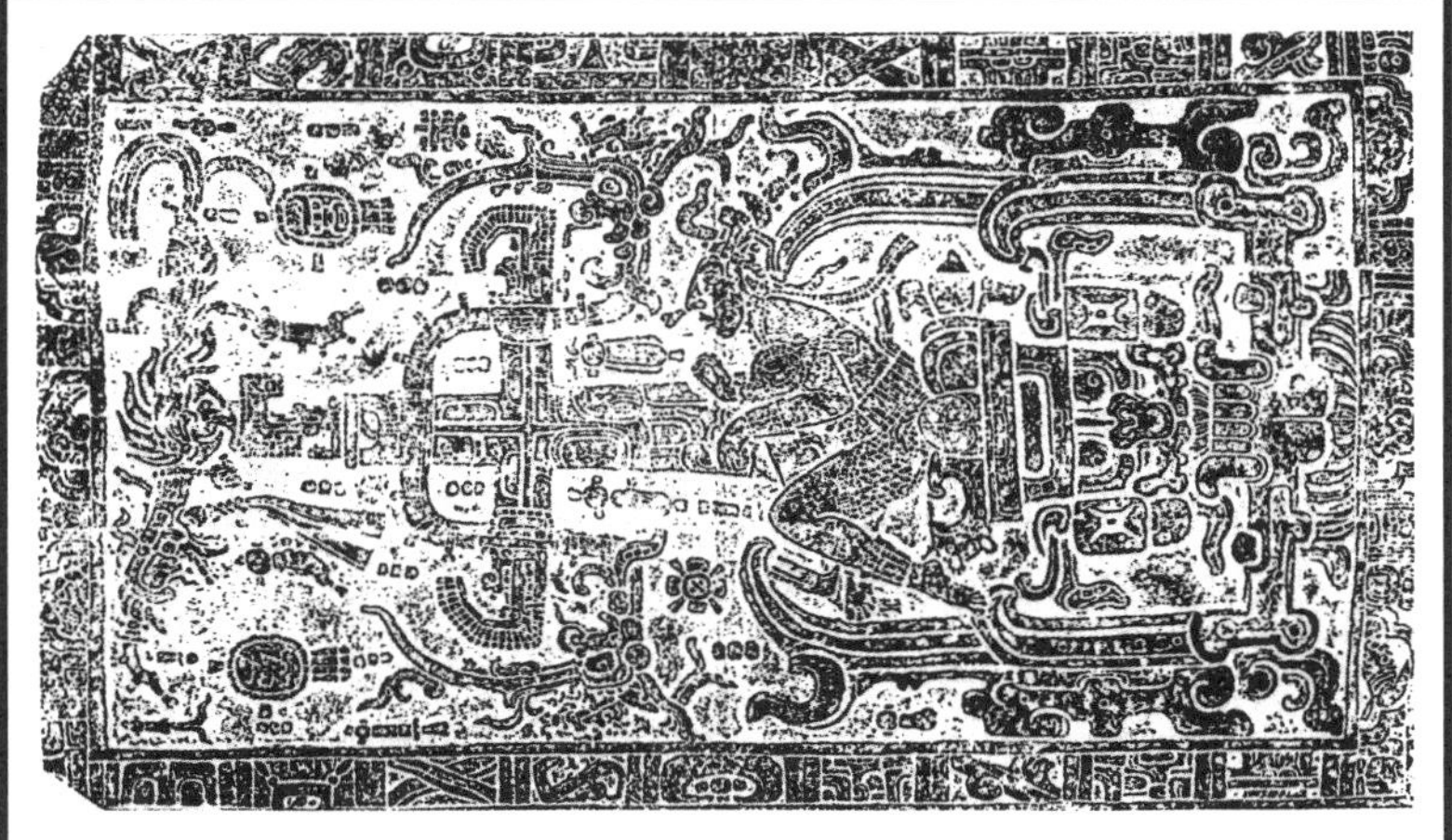

王墓の石棺に刻まれた〝パレンケの宇宙飛行士〟

イタリア・カラ族の聖地クマエのトンネル

王の墓室に到るパレンケのトンネル

メキシコ・パレンケ遺跡のマヤ文字碑文

〝わがシバ国　煙に焦がされ……〟

メキシコのユカタン半島から目を転じて、南米のブラジルに注目してみると、ここには多くのブラジル人が謎解きに夢中になっている〝セテ・シダデス（七つの都）〟の廃墟がある。ブラジル・ピアウイ州の州都テレジナの北方にあるこのセテ・シダデス遺跡は、何万もの岩絵と未解読文字の宝庫だ。遺跡全体がまるで高熱で破壊され、一瞬のうちに溶岩化したかのように見える。その遺跡のあちこちで目に入るのが、左頁のような文字群である。

図の碑文を日本の神代文字で読み解いた結果、そこには「わがシバ国　煙に焦がされ　地委え溶けて　深く波に覆われ　隠る」という内容が書かれている。

が、はたして、その「シバ国」とは、インドで「シバ神」として神格化された『マハーバーラタ』の魔王ドゥリヨーダナ、すなわち日本の天日鷲の国そのものだったことを意味しているのだろうか。そしてこのセテ・シダデスが異変に見舞われたのは、前八世紀のバーラタ核戦争の時代だったのだろうか。

セテ・シダデスの岩壁に刻まれた問題の碑文
この碑文が日本の神代文字で読み解けるということは、ここにかつて日本人の祖先カラ族がいたことを示している。そして碑文の解読結果から判断すると、この一文を残したのは、前792年のバーラタ核戦争で活躍したクル族の英雄ドゥリヨーダナ（天日鷲／面足／ポイヤウンペ）であった可能性が高い。なぜなら、その当時ドゥリヨーダナは、宇宙工学者マヤが造った銀河系最大のサブハ（宇宙ステーション）をもっていたため、シバ（サブハ）の大王とみなされていたことが、インドの叙事詩からうかがわれるからである。

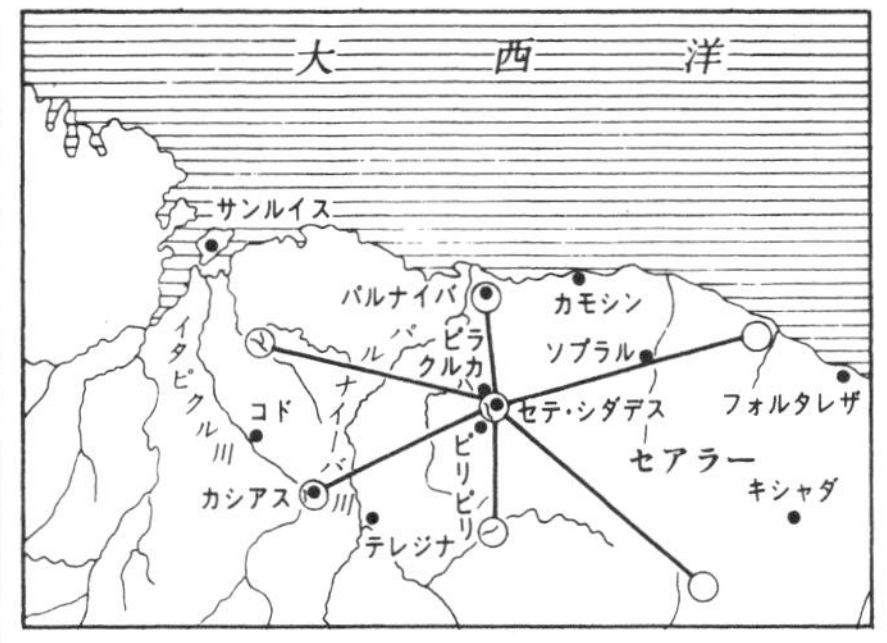

インディオの伝説から復元した〝7つの都〟
前8世紀の大戦と異変を生きのびたカラ族は、インドでクル、アフリカでプール（フラニ）、南米でグアラニと呼ばれた。南米のインディオの大部分は、原日本語にきわめて近いグアラニ（クル）系の言葉を話す。そのインディオが伝えるカラ帝国の〝7つの都〟は、はたしてセテ・シダデスの周囲にこのように配置されていたのだろうか。

廃墟と化した南米カラ帝国〝7つの都〟の一つ、セテ・シダデス遺跡の地図

高熱破壊の跡をとどめるブラジルのセテ・シダデス遺跡

南米カラ帝国〝七つの都〟の秘密をつかむのは誰か？

幸沙代子は、今から一九〇年ほど前にアメリカのジョセフ・スミスが発見した『モルモンの書』に、マヤ文明や南米のプレ・インカ文明をつくりあげた人々の歴史が記されていると考え、目下、マヤ族とカラ族の失われたつながりを明らかにするために調査を続けている。

彼女の見通しによれば、ユカタン半島のパレンケにマヤ文明の最初の拠点を築いたパカル王の正体は、前八世紀のバーラタ核戦争当時、ドゥリヨーダナ（天日鷲）とともにひそかに戦場を離れた宇宙工学者のマヤであった可能性が高いという。

クル族（カラ族）の飛行機械技師マヤは、『マハーバーラタ』によれば、当時の世界で最も巨大な宇宙船プシュパカ・ヴィマナをドゥリヨーダナのために造っただけでなく、数々のスーパー・ウエポンを設計した。そのマヤとパカル王が、実は同一人物だったのではないかと考えたのだ。たとえばマヤ文明の建設者は、神々の地下都市〝シバルバー〟の伝説を後世に残している。このシバルバーこそ、南米にかつてあったといわれるシバ国、すなわちカラ帝国の〝七つの都〟だったとは考えられないだろうか。

セテ・シダデスの各地に残された碑文(1)

ここに何万とあるこれらの碑文の解読作業は、今、始まったばかりだ。

①

「チュエト（地下都市）の入口」

②

「これより西へ」

③

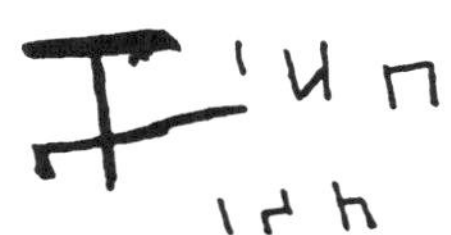

「われら誓いせり」

④

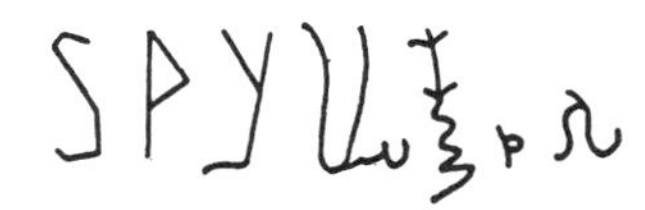

「御社（みやしろ）まつらしめん」

⑤

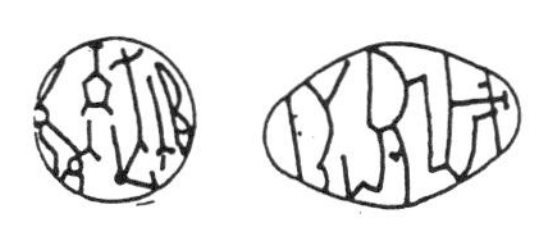

日本の印鑑を思わせるこの文字は
まだ読み解かれていない。

宝のありかを記したセテ・シダデス碑文
日本の神代文字で「ここにクルの宝　隠しけり」と書いてある。

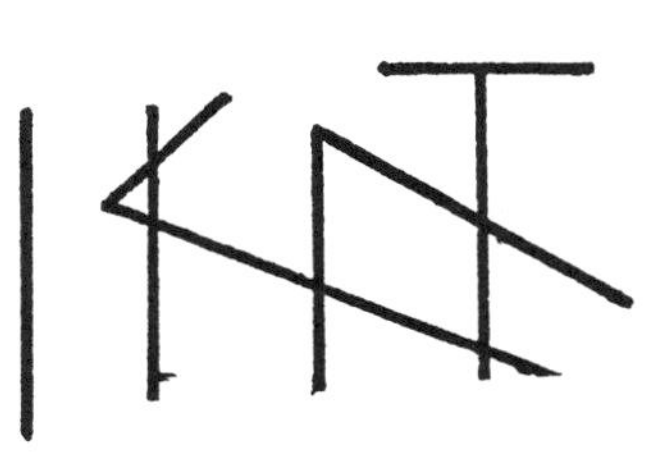

セテ・シダデス碑文の一つ
日本の神代文字で「地下への入口」と読める。はたして、この碑文の近くに、セテ・シダデスの地下都市へ通じるトンネルがあるのか。それは、現地へ行ってみなければわからない。

〝クルの宝〟は今も南米にある⁉

ブラジルのセテ・シダデス遺跡に残された碑文のいくつかを日本の神代文字で解読した高橋によれば、前八世紀に日本の天日鷲（インドのドゥリヨーダナ／トロイのパリス）が最後の拠点とした南米は、まさしく宇宙工学者マヤが天日鷲とともに敵に反撃を試みようとした場所であり、南米カラ帝国の〝七つの都市〟は、またの名を〝シバの都（シバルバー）〟と呼ばれたにちがいないという。

われわれがメキシコのパレンケ遺跡を調べたところ、パカル王の石棺が見つかった地下の通路の構造は、トロイ戦争を逃れたカラ族の亡命者がイタリアのクマエ洞窟に造った通路と、ほとんど同じ構造をしていた。この点から見ても、クマエ洞窟を造ったカラ族の指導者が、インドからさらに中米、南米へと飛んで、当時の〝クルの宝〟を南米のどこかに隠した可能性はきわめて高い。高橋は、セテ・シダデス碑文の一つに「地下への入口」と書かれたものや、「宝物納めし蔵」と書かれたものがあると述べている。とすれば、前七世紀の初めに地中海からアメリカ大陸へのがれたカラ族もこのことを知っていて、南米をめざしたのではないだろうか。

セテ・シダデスの各地に残された碑文(2)

これらの碑文には宝のありかが書かれている。

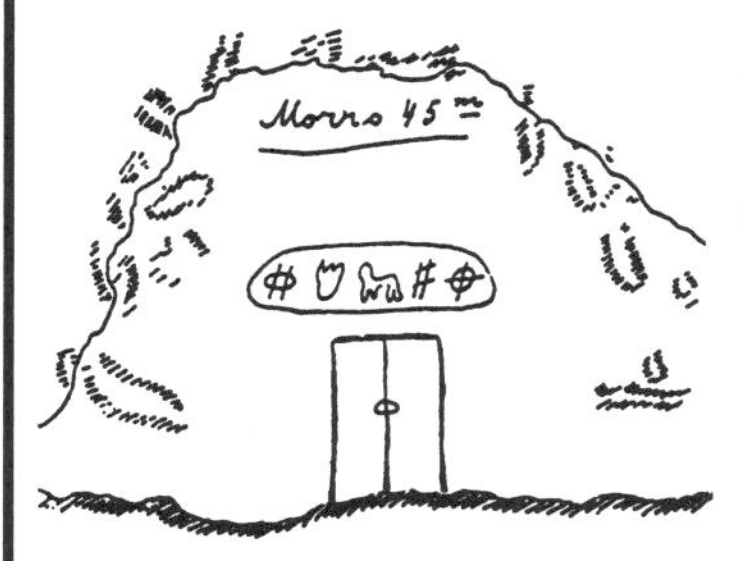

①すでに暴かれてしまった原日本人カラ族の宝庫マウンドの地下へ通じる扉の上部に刻まれた文字は、日本の神代文字で「タカラモノヲサメシクラ（宝物納めし蔵)」と読める。われわれの祖先は、ここに隠した宝を後世のわれわれに伝えるため、アヤ人にはわからない日本の神代文字で宝のありかを記しておいたのだ。ここにはいったい、何が収納されていたのか。

②「神に祈り幸を賜はらん」

③「西に宝」

④「沢の奥の洞に隠されたる宝」と読める

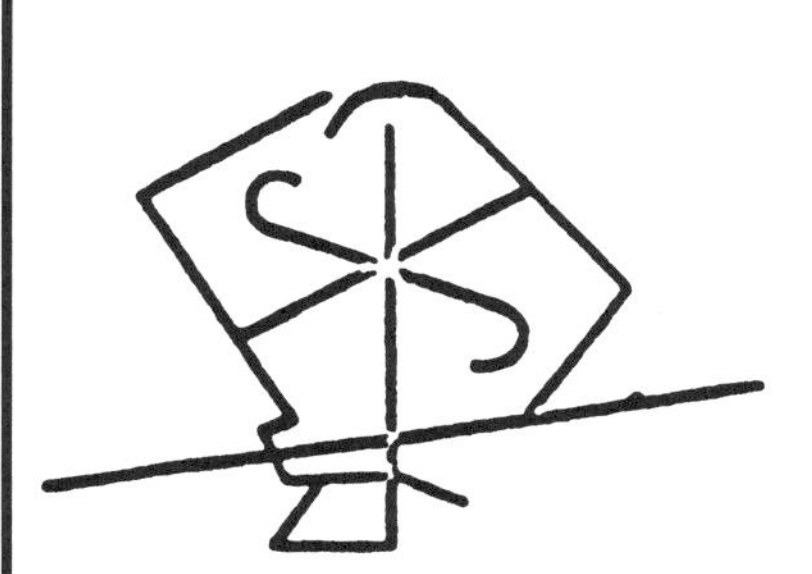

宇宙船の推進原理を記した岩絵

大西洋を越えてセテ・シダデスにやってきたカラ族の兄弟たち
これと同じ岩絵は、アフリカやヨーロッパ、シベリア、日本にもある。

世紀の発見？ バロウズ洞の謎の文字を解読せよ！

われわれ探検協会が〝叙事詩の時代〟と呼んでいる前八世紀から前七世紀にかけての大戦と異変の時代は、地球上のすべての民族と国家が途方もない混乱状態に投げこまれ、それまでわずか二～三種類の言葉と文字しかもたなかった人々が、ただひたすら生き残ることだけを願って激しい生存競争を繰り広げた時代だったと思われる。この時代はまさしく『旧約聖書』に記された〝バベルの塔〟事件が、再び地球のすべての人々をのみこんだ時代だった。『聖書』は、今から三五〇〇年前に、神の怒りを買った人々が全地のおもてに散らされ、諸民族の言葉がお互いに通じなくなったと伝えている。それと同じことが、前八世紀に再び地球を襲ったのではないか。

このことを如実に示す例が、つい最近アメリカで見つかり、大きな話題となっている。つまり、探検家のバロウズが発見した洞窟の出土品が、前八世紀の世界各地の文化と文字をすべてごちゃまぜにした状態を示しているからだ。われわれはその出土品のいくつかに刻まれた文字を解読した結果、かつてこの洞窟に避難した人々がまちがいなくカラ族の一派だったことをつきとめたのだ。

バロウズ洞の位置

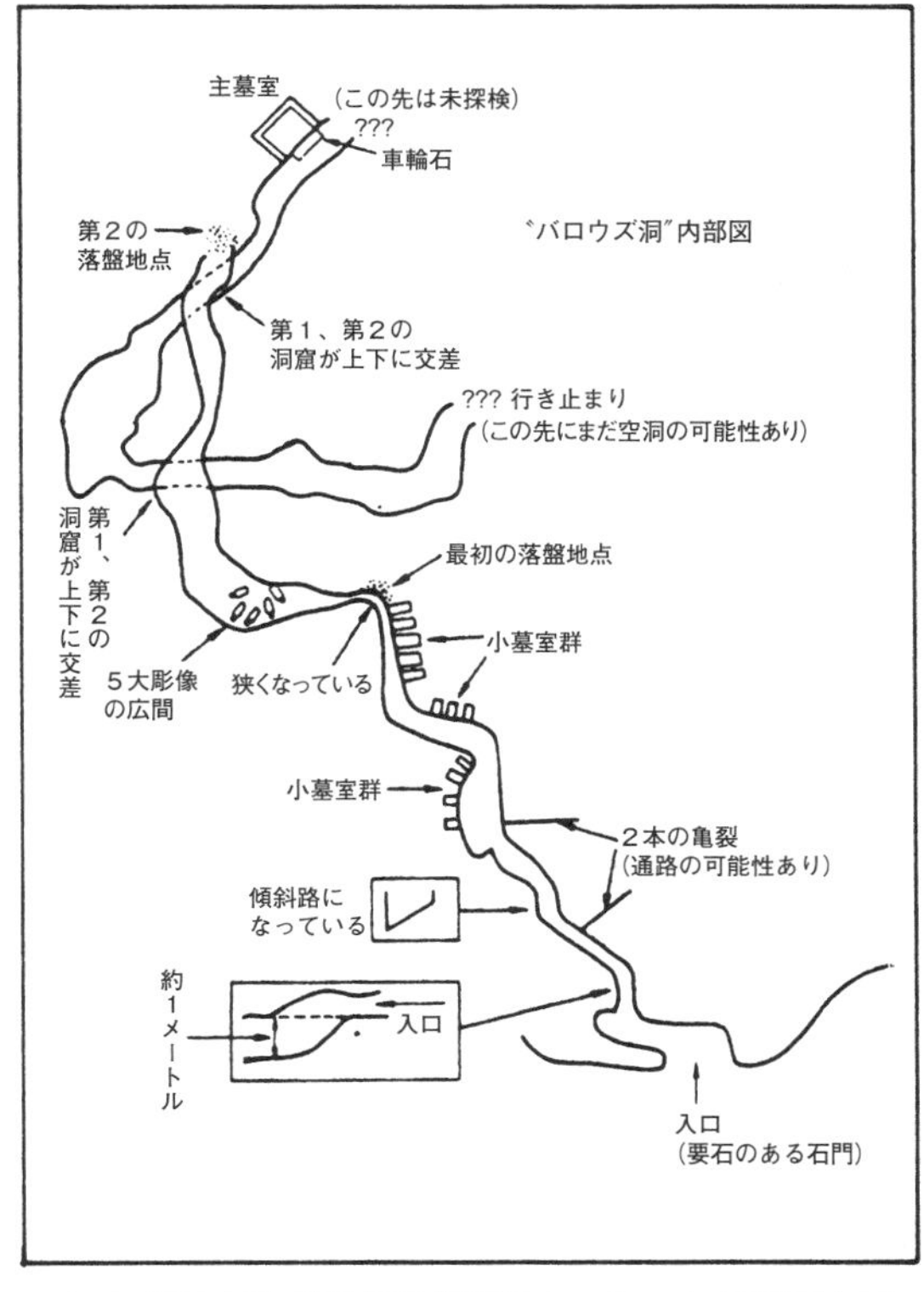

バロウズ洞の内部（南山宏著『奇跡のオーパーツ』二見書房より）

バロウズ洞から出土した黄金製品
表面には、アメリカの学会を二分する真偽論争をひき起こした謎の文字が刻まれている。

バロウズ洞出土の金貨
この金貨に刻まれた文字は、本書の読者ならただちに「カル」と読むことができる。カルとは、その昔カラやカリア、クル、クレ、コーレーなどと呼ばれた原日本人（ＫＬ／ＫＲ族）だ。ということは、バロウズ洞にこのような宝を隠したのが、前８世紀のクレタやケルト、カルナック、カルタゴからここへやって来たカルクー（カル国＝イスラエル）のヒブル人、すなわち旧約聖書に「日経る民」と記されたわれわれ日本人の祖先だったことを意味しているのだ。

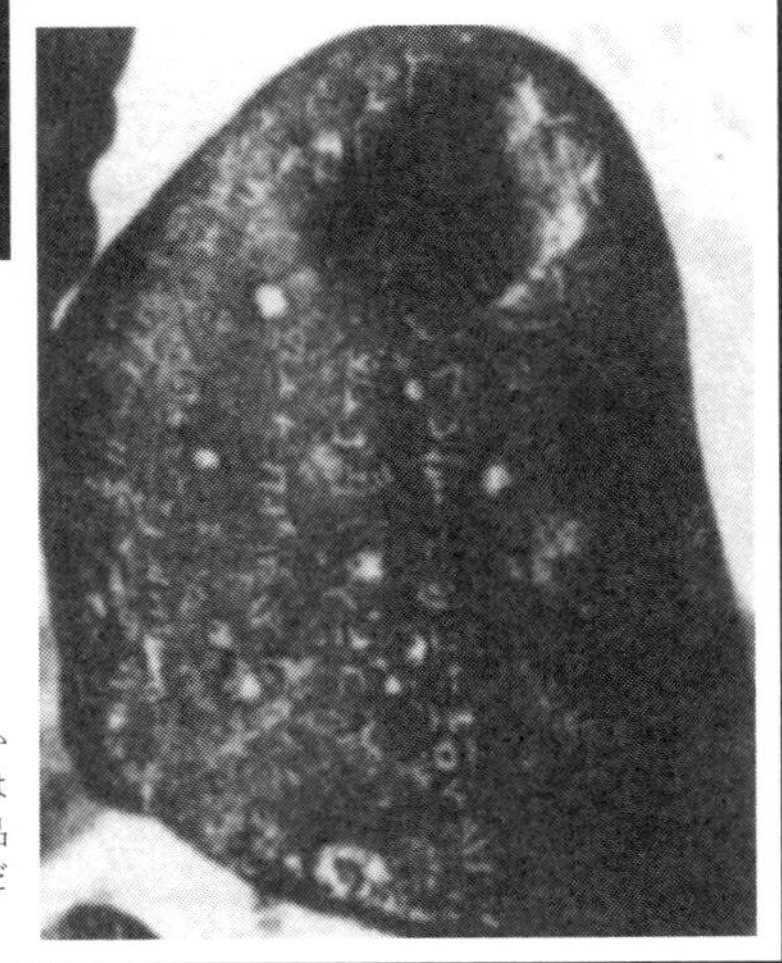

茨城県の皇祖皇太神宮にある〝モーセの十誡石〟
表面に刻まれた日本の神代文字と、バロウズ洞から出土した黄金製品の文字とがよく似ているのはなぜか——それは、バロウズ洞にこれらの貴重品を残した人々が、われわれ日本人の祖先カラ族だったからではないか。

アメリカ大陸の神代文字⑤

太古カラ族はアメリカ大陸に宝を隠した！

パリー・フェル著『紀元前のアメリカ』（草思社）参照

人間はいつの時代にも、基本的に同じ問題をかかえて生き続けた。現世での幸福を願って富をたくわえ、一家一族の繁栄を願って権力を手に入れると、その権力が永遠に続くことを求めてライバルを倒そうとしてきた。

しかし、前七世紀の最後の異変時代に生きたカラ族は、そんなことを考える余裕もなかった。ただひたすら生きのびることだけを求め、自分が死んだあとは、せめて自分の兄弟や子供たち、同胞たちにみずからが大切にしてきたものを無事に伝えることができるだけで幸せだと思った。そのような時代に地中海から大西洋に船出してアメリカ大陸にたどりついたカラ族は、この大陸の各地に自分たちが大切にしてきた宝を隠し、この宝が同じカラ族の子孫たちによって再び発見されることを願って、その手がかりを残した。それが、私たちに今までひそかに伝えられてきた日本の神代文字である。

日本の神代文字を学んだカラ族の一派、カルタゴ人がアメリカ大陸に上陸したとき、彼らはそのカルタゴ文字で宝のありかを記し、後世の兄弟たちがその遺産を役立ててくれることを願ったのである。

ウエスト・ヴァージニア州グレイヴ・クリークのマウンド
合衆国だけで10万以上はあったといわれる〝マウンド（高塚）〞の建設者は、これまで全く謎につつまれていた。が、探検協会の調査によれば、これらのマウンドを造ったのは、前８世紀の大戦と異変の時代を生きのびたわれわれ日本人の祖先、カラ族であることがはっきりしてきた。

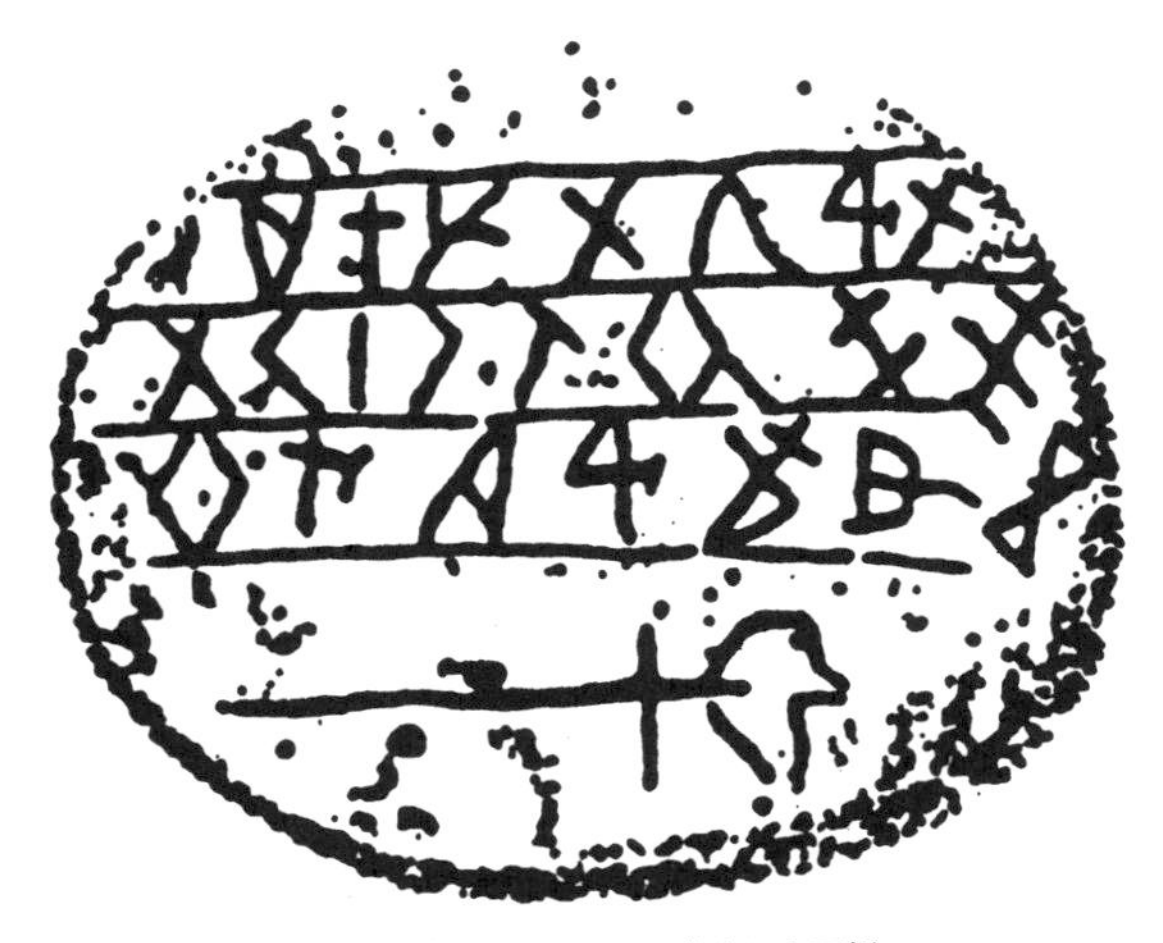

グレイヴ・クリークから出土した石板

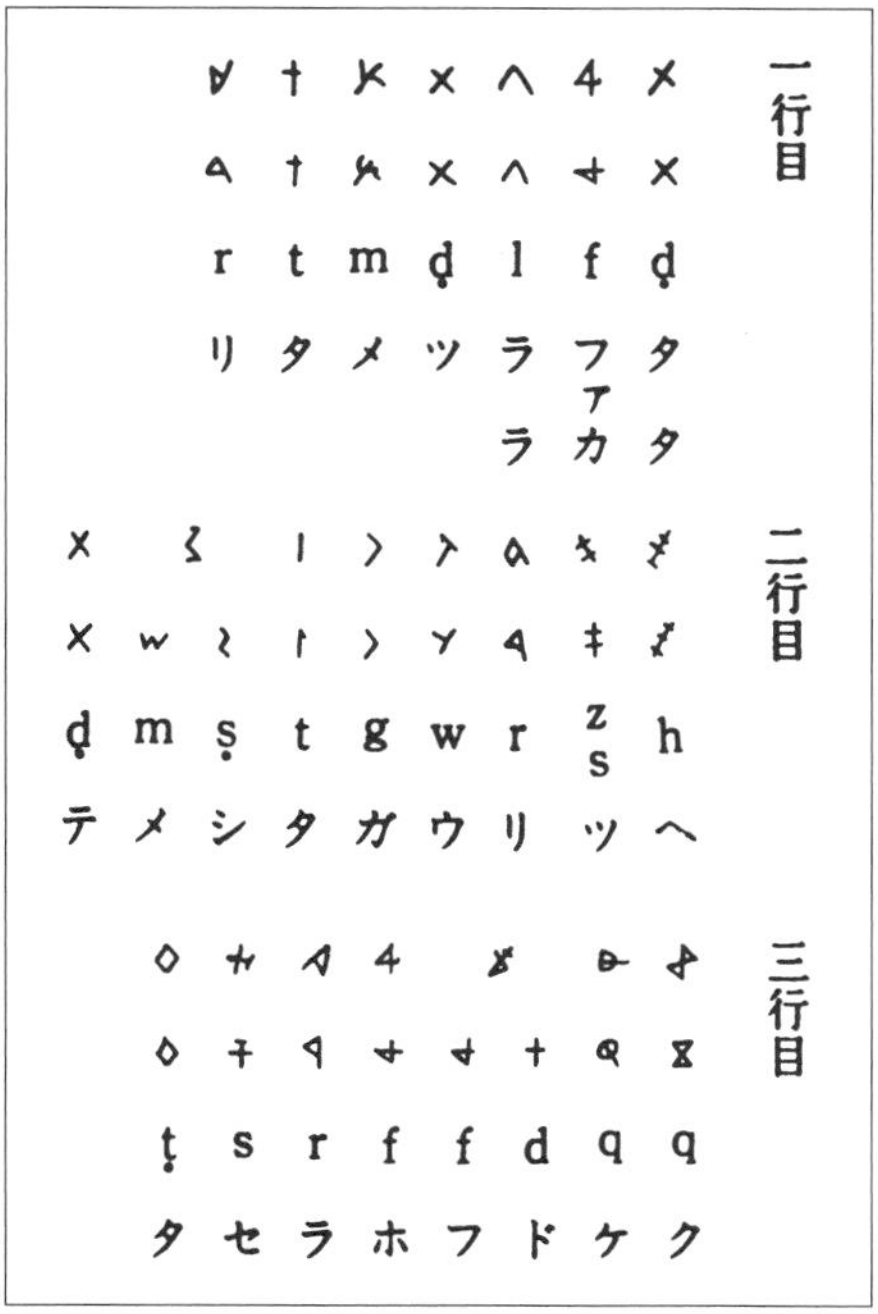

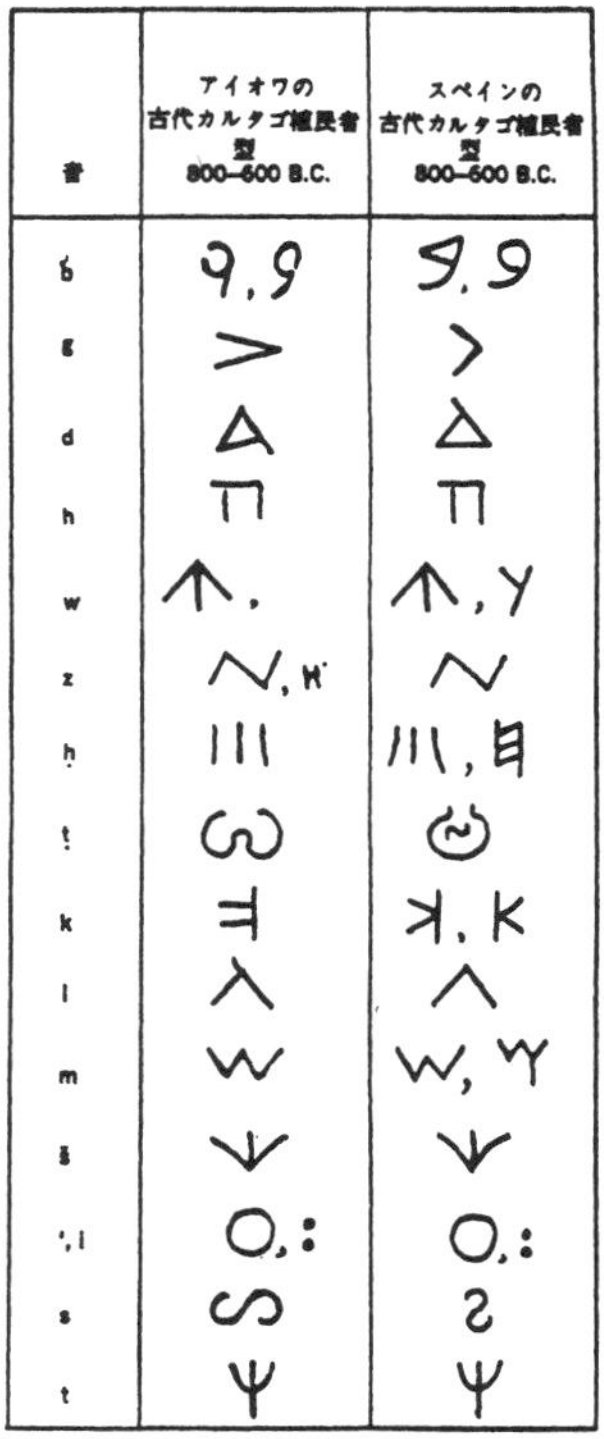

音	アイオワの古代カルタゴ植民者型 800–600 B.C.	スペインの古代カルタゴ植民者型 800–600 B.C.
b	9, 9	9, 9
g	>	>
d	Δ	Δ
h	Π	Π
w	个.	个, Y
z	N, ĸ	N
ḥ	III	III, 目
ṭ	[illegible]	[illegible]
k	ヨ	ヨ, K
l	^	^
m	W	W, Y
š	↓	↓
ʿ, l	O, :	O, :
s	S	S
t	Ψ	Ψ

解読の手がかりとなったカルタゴ文字表

一行目

r t m ḍ l f ḍ

リ タ メ ツ ラ フ タ

ラ カ(ア) タ

二行目

ḍ m ṣ t g w r z/s h

テ メ シ タ ガ ウ リ ツ ヘ

三行目

ṭ s r f f d q q

タ セ ラ ホ フ ド ケ ク

グレイヴ・クリーク碑文の解読プロセス
最上段の文字は石板の文字、次の文字はそれに対応するカルタゴ文字、その下に記したのはカルタゴ文字の発音、最下段はカルタゴ文字の子音に母音を補った日本語の発音である。クケドフとは古代の「抜け穴」を意味する言葉である。
解読結果を読みやすい形で示せば次のようになる。

一行目　宝(タカラツ)詰めたり
二行目　剝(ヘツ)り穿(ウガ)たしめて
三行目　間道(クケドフ)掘らせた

前1世紀にローマ帝国のカエサルによって滅ぼされたガリア人・ケルト人・カルタゴ人は、これまで欧米の学者の説を受け売りしてきた日本の学者にとって、日本人の祖先とは何のつながりもない人々とされてきた。が、彼らは前8世紀のバーラタ大戦で〝トロイ〟と呼ばれた地下都市を脱出したわれわれ日本人の祖先、カラ族の兄弟民族だった。とすれば、カルタゴ人が前8世紀から前7世紀にかけてアメリカ大陸に残した碑文の中に、古代の日本語で意味をなすものがあったとしても不思議ではない。

ムー文明の秘密を解き明かす？　日本のアヒルクサ文字

今や私たちは、紀元前九世紀まで世界各地に広がって、今よりもっとすぐれた地球文明を実現していたかもしれないわれわれの祖先カラ族が、前八世紀から前七世紀の異変の時代に、ひたすら〝永遠の生命〟を願って私たちに手渡そうとしてきた遺産をそっくり譲り受ける鍵を手にした。それが、日本の神代文字である。

われわれ探検協会がめざしているのは、この時代に失われてしまったカラ族の遺産を再び手に入れて、これを新しい地球文明の再建に役立てるだけでなく、太古日本のカラ族が過去に築き上げた偉大な宇宙文明の歴史を明らかにし、その文明がなぜ滅び去ったかという原因を突きとめて再び過去のあやまちを繰り返さないシステムをつくりあげることだ。

私たちがこれまで教わってきた歴史は、〝永遠の生命〟を見失った人々によって作り上げられた、実に現世的な覇王の歴史にすぎない。しかし、前七世紀にカラの同胞をアメリカ大陸に導いたイザナギ（イサク）とホホデミ（ヨセフ）が求めたのは、そのような現世的な理想ではなかった。彼らは天界から与えられた理想を地上において実現しようとしたのである。

ブラジル北部・ロライマ州のペドラ・ピンタダ遺跡

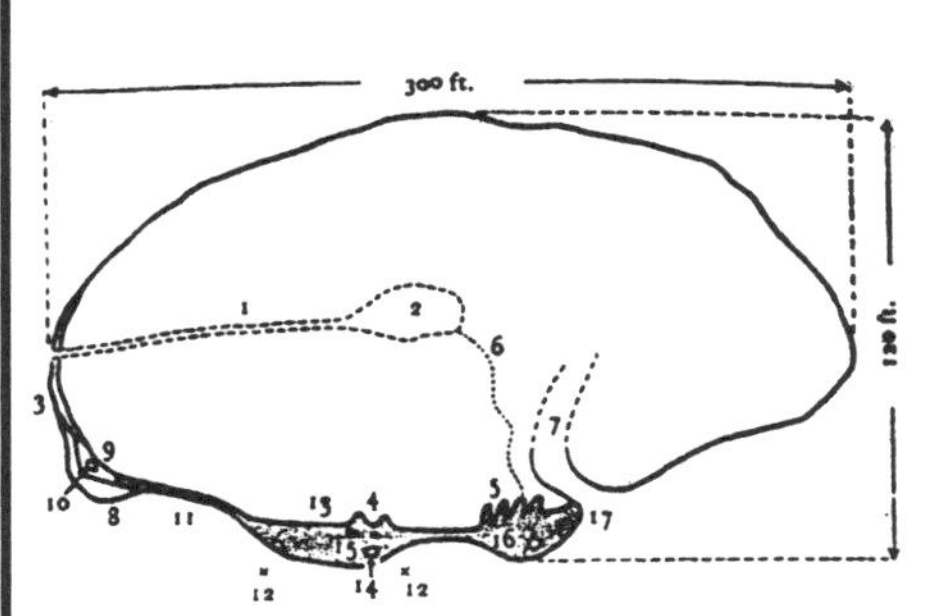

ペドラ・ピンタダ遺跡の構造
フランスの探検家マルセル・オメの調査によれば、現地のインディオ（カラ族の子孫）から〝宇宙卵〞と呼ばれているこの巨大な岩の内部には、頂上へ通じる秘密のトンネルがあるらしいという。これと同じ〝宇宙卵〞の形をした南アフリカのマプングブウェ遺跡では、内部の秘密の部屋から何トンもの黄金製品が見つかっている。とすると、ここにも太古日本のカラ族の遺産が眠っているのではないか。

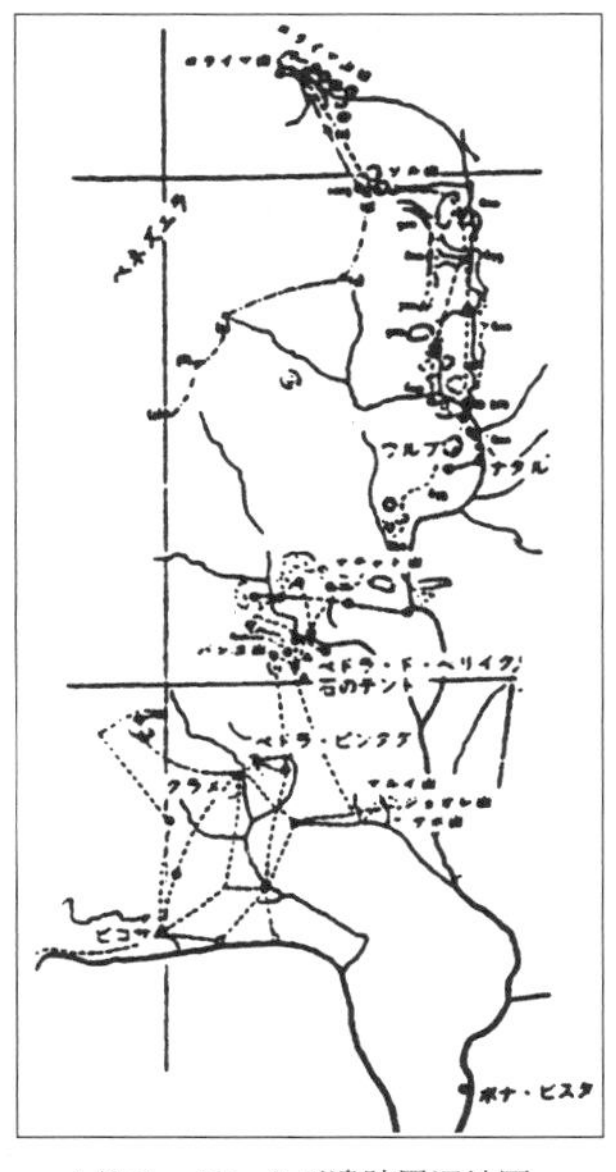

ペドラ・ピンタダ遺跡周辺地図

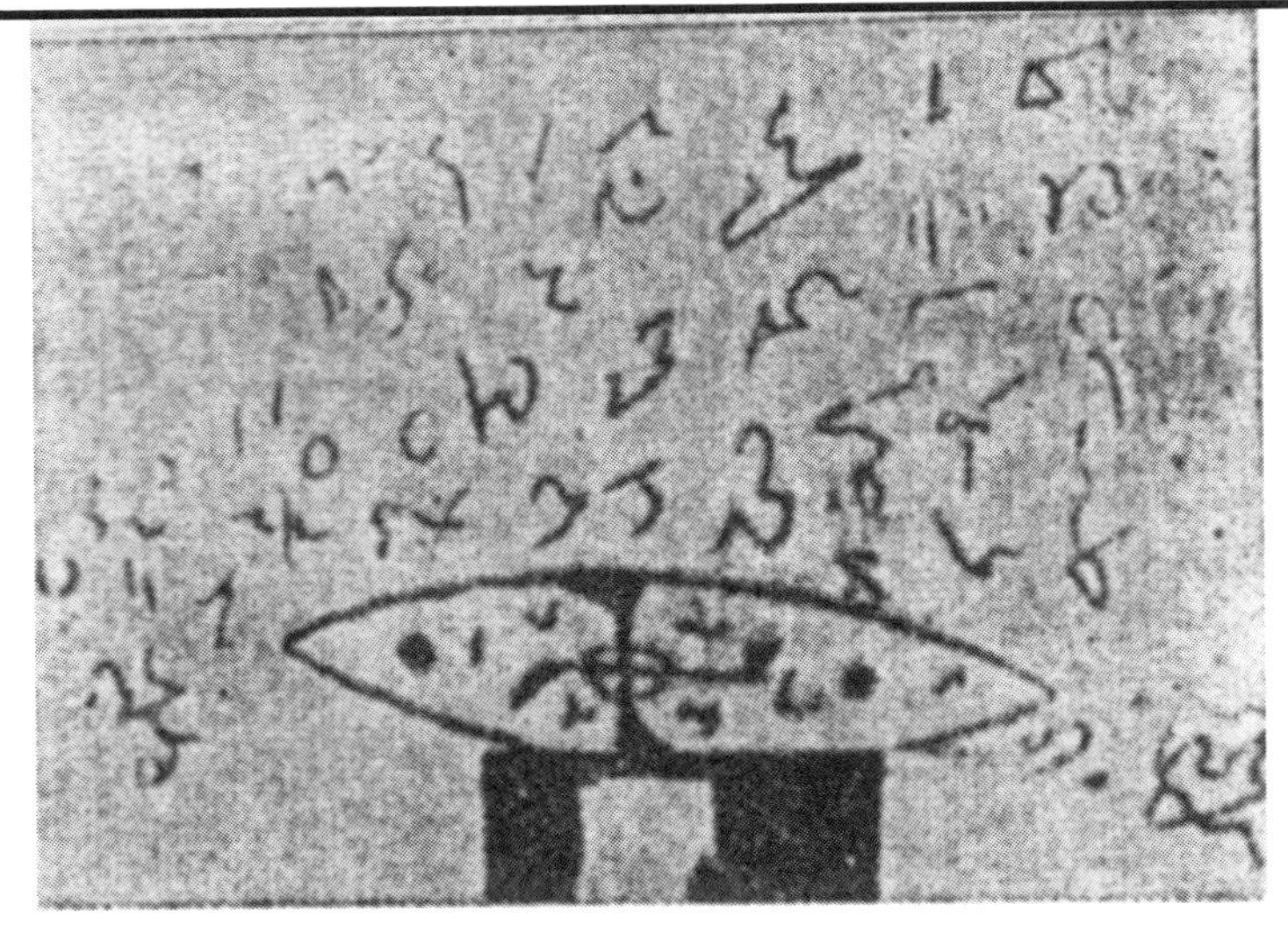

〝金星人オーソン〞がアダムスキーに示した〝宇宙人の文字〞

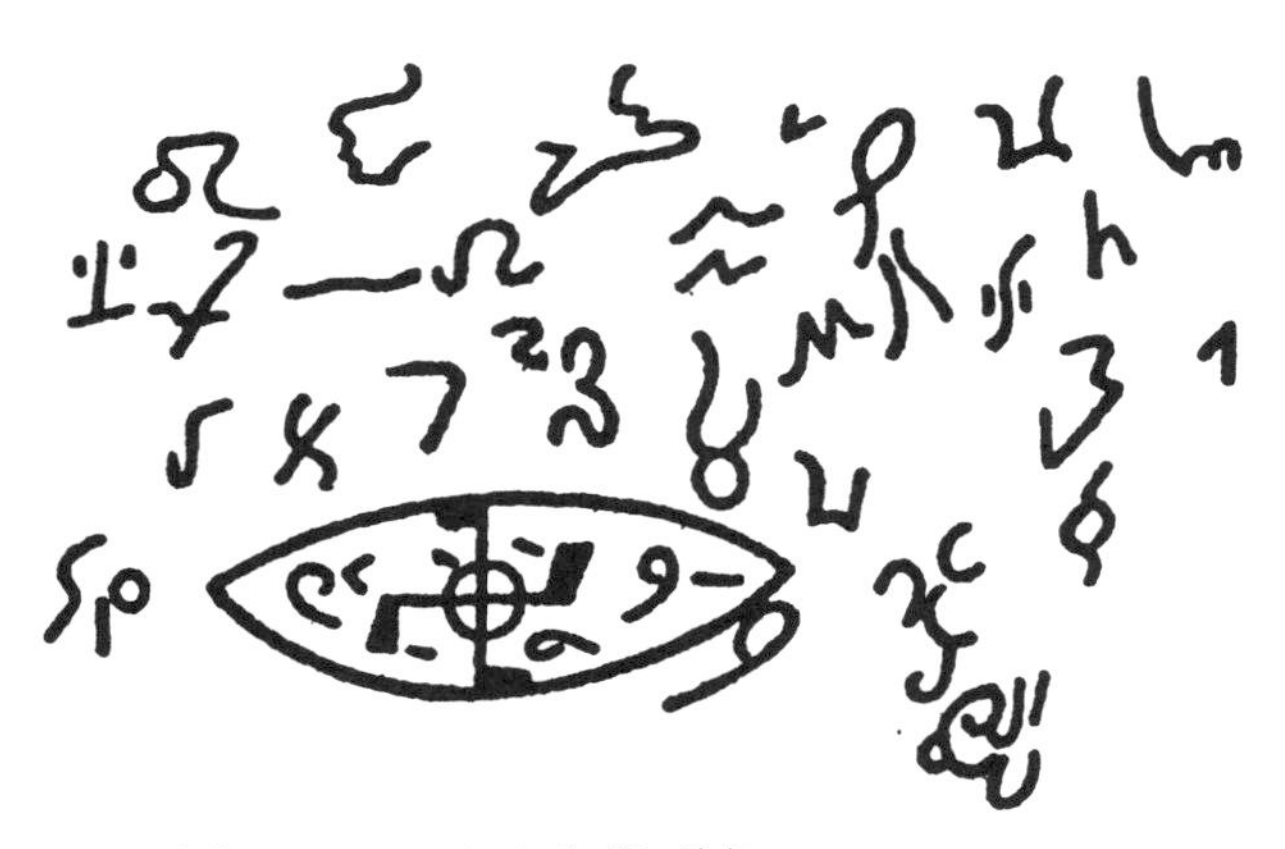

マルセル・オメが発見したペドラ・ピンタダの謎の碑文
ジョージ・アダムスキーが金星人のオーソンから受けとった〝宇宙文字〞とよく似ているのはなぜか。

ペドラ・ピンタダ碑文の解読結果
われらの会長・高橋良典は、この碑文が日本のアヒルクサ文字であることをつきとめ、「イサクとヨセフに船を降せる神を見よ。イサク、ヨセフとともにこれを手厚く守れ」と読み解いた。その船とは、日本でイザナギ（オシホミミ）、ホホデミ（スサダミコ）と呼ばれた前8世紀末のイスラエル王ホセアとその養子スダースが、天界から授かった宇宙船ではなかったか。ペドラ・ピンタダの〝宇宙船〞は、かつて日本の王が世界を治めていた時代に使われていた宇宙船ヴィマナ、古代のシュメールで空飛ぶ乗り物の呼び名であった〝ムー〞をかたどったものではなかったろうか。

アメリカ大陸の神代文字⑦

紀元前のアメリカ大陸は日本人のふるさとだった？

天界から与えられた理想をこの地球上で実現するといっても、これまで長い間、欧米人や中国人が求めてきた現世の理想とはあまりにもかけ離れているため、その理想的な状態が何かを理解するのは確かにむずかしい。

けれども、私たちが住む地球は、かつて一つの民族が一つの言葉を話し、お互いに〝いのち〟の大切さをわきまえてその〝いのちの輝き〟を実現できるよう力を合わせ、現世だけでなく来世の幸福をもともに分かちあおうとしていた。そのような理想にきわめて近い状態にあった三五〇〇年前の日本は、シュメールの伝説に神々が住む楽園とうたわれたティルムンそのものだった。そのティルムンにかつて住んだ日本の神々は、アイヌ伝説に登場する小人族コロポクルのように、自分の〝いのち〟を犠牲にしても多くの〝いのち〟が助かれば良いと思っていた「お人好し」である。そんな「お人好し」が過去三〇〇〇年の歴史の中で次第に消されてきたからといって、怒ってはならない。この地球が「お人好し」のために造られたことは、すでに見たスクナヒコナ（徐福）やスサダミコが私たちのために残してくれたものを再び手に入れれば十分に報われるからだ。

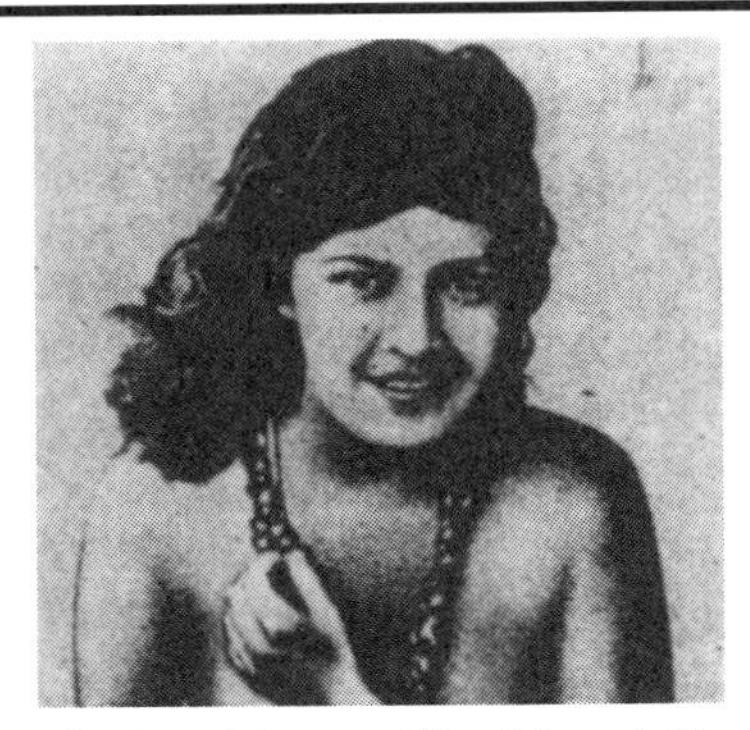

ブラジルに今もいるカラ族の〝ヴィーナス〟

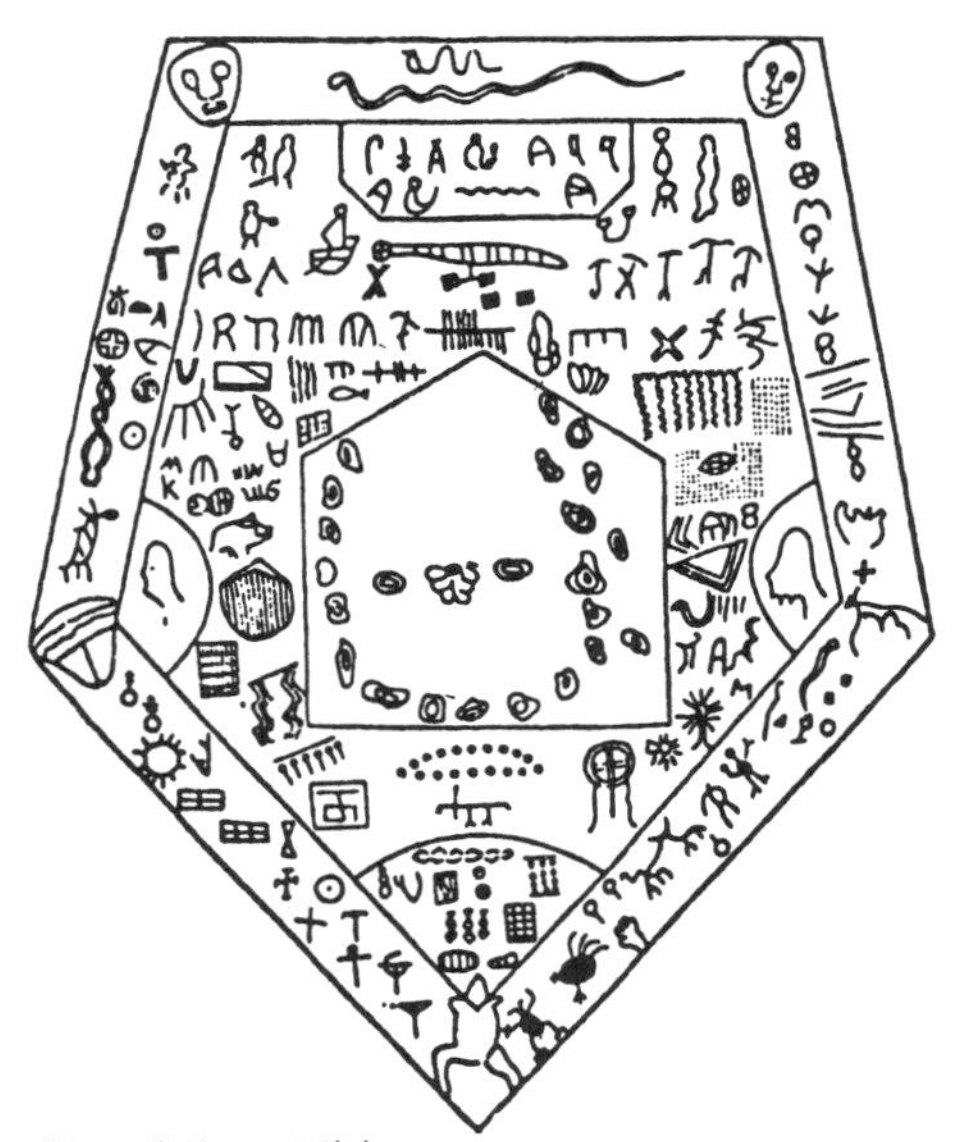

ペドラ・ピンタダで新たに発見された碑文
絵文字を解読すると､「ステルニの父なるカムイを祭らむナイムラプの母から力を給はらむ」となる。アイヌの女性がつけていた〝ポンクツ〟と呼ばれる貞操帯と同じ形をしている。ブラジルのインディオの女性もまた、かつてはこのような五角形の貞操帯をつけていたという。ならば、カラ族は、今の日本人とアイヌの共通の祖先だったのか。

この碑文を日本の神代文字で解読した会長は、ここに「ステルニの父なるカムイをまつらむ／ナイムラプの母から力をたまはらむ」と記されているので、これは紀元前200年頃この地にやって来たステルニとナイムラプの部下が残したものだという。

そのステルニとは、幸沙代子によれば、前３世紀末に始皇帝の追及をかわして日本からアンデスへ亡命した徐福、すなわち日本神話の中でオオクニヌシとともに出雲（斉）の国造りをしたコロポククルの指導者スクナヒコナのことだという。

ともかく、このペドラ・ピンタダには、われわれにとって未知の歴史をひもとく手がかりがあることだけはまちがいない。

アメリカ大陸の神代文字⑧

二〇〇〇年前までつながりがあった？　太古日本とアンデス

紀元前の日本人、カラ族が世界各地で活躍した可能性を考えようともしない日本の「歴史学者」にとって、地球の裏側に住むインディオの祖先がかつては私たちの祖先と同じ歴史、同じ血を分けあった兄弟であった、などとは思いもよらないことだ。しかし、ブラジル東部ペルナンブコ州のフルニオ族の話すイアテ語は日本語とそっくりだ。アマゾンやアンデスの各地から見つかり始めた文字は日本の神代文字で読み解くことができる。

インディオの伝説によれば、その昔、太平洋のかなたからカラ族を率いてアンデス海岸部に上陸したステルニは、ペルー北部にチョトという神殿を建てたあとエクアドルのカラケス湾一帯にカラ族の町を造り、その後さらにキトーに進出してアンデスの高地と海岸部をすべて治める王になったという。その伝説の神殿はペルー北部にワカ・チョトナのピラミッドとして実在する。カラ族の町の一つもエクアドルでバルディビア遺跡として発見された。バルディビア出土の土器が日本の縄文土器に由来することは、すでに証明済みの事実だ。そしてこの「ステルニ」が、中国で徐福と呼ばれた日本の王、スクナヒコナであったことも明らかになっている。

紀元前200年頃、
日本人がアンデス海岸部に来たことを証明する事実

例①弥生時代の銅鐸絵画（上）のモチーフは、アンデス海岸部の岩絵（中）やペルーのキルカ文字（下）に見られるモチーフとそっくりだ。

例②日本の縄文土器（左）と一致するバルディビア土器（右）

弥生時代の家型埴輪（左）とよく似たバルディビアの家型土器（右）

例③エクアドルの地下都市から出土した石板

ニ
ヘ
ナ
ム
タ
テ
マ
ツ
ル

左の石板の解読結果
日本のトヨクニ文字で「ニヘ（犠牲獣）なむたてまつる」と読める。

アメリカ大陸の神代文字⑨

黄金都市〝エルドラード〟に突入せよ!!

高橋良典監修『驚異の地底王国シャンバラ――銀河連邦の宇宙都市へようこそ』（明窓出版）参照

紀元前の中国大陸で出雲の大国主とともに国造りをした小人族の神スクナヒコナは、今から三五〇〇年前に地球を襲った大洪水を治め、ティルムン＝日本の世界王朝（夏王朝）を開いたウソリ（禹）の子孫である。その時代に地球各地に〝仙洞（シャンバラ）〟と呼ばれる地下都市を造ったスクナヒコナの祖先は、アイヌの伝説によればコロポクルと呼ばれた背丈の低い人々だった。そしてインディオの伝説もまた、アンデス山脈に巨大な地下都市を造ったのは、カラポクルと呼ばれた小人族だったと伝えている。

今ではまちがって〝ふきの葉の下の人〟と伝えられている日本のコロポクルは、アンデスのカラポクルと同じ地下都市の建設者だった。とすれば、カラポクルの子孫のスクナヒコナは、当然アンデスの地下都市の存在を知っていたにちがいない。なぜならインディオの伝説は、前二〇〇〇年頃「ステルニ」の再来として迎えられたこのスクナヒコナが、アンデスの地下都市に入ったあと、〝光り物〟に乗って天界に去ったと伝えているからだ。はたしてスクナヒコナの遺産はアンデスのどこに隠されたのか。われわれはエクアドルの黄金都市（エルドラード）伝説を知って、さっそくアタックしてみた。

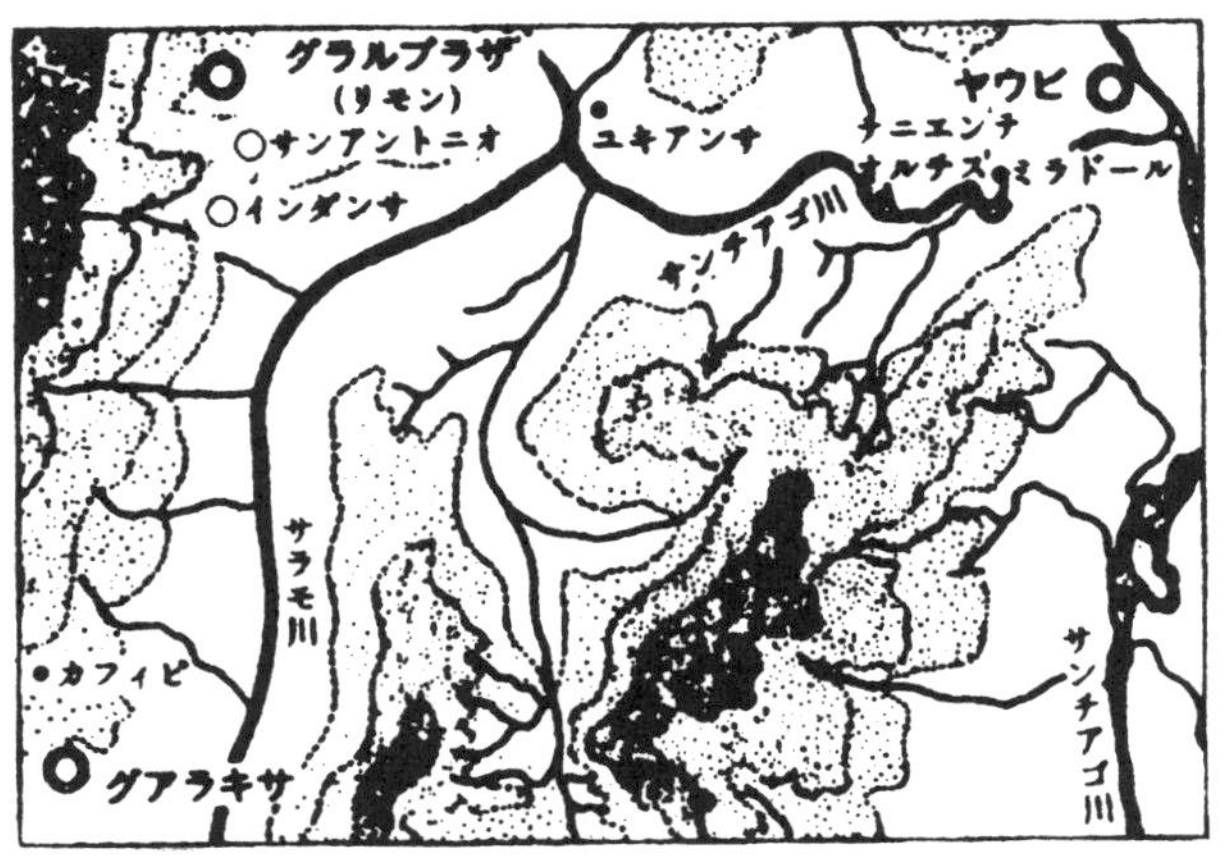

エクアドルで発見された黄金都市ロス・タヨスの位置
ロス・タヨス地下都市はユキアンサの南の密林地帯にある。

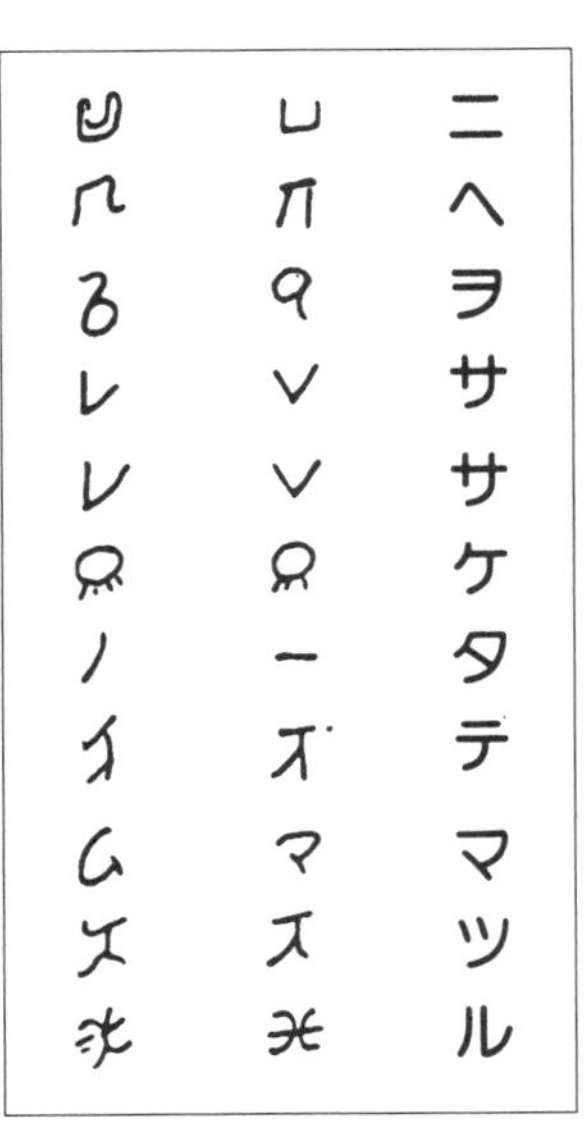

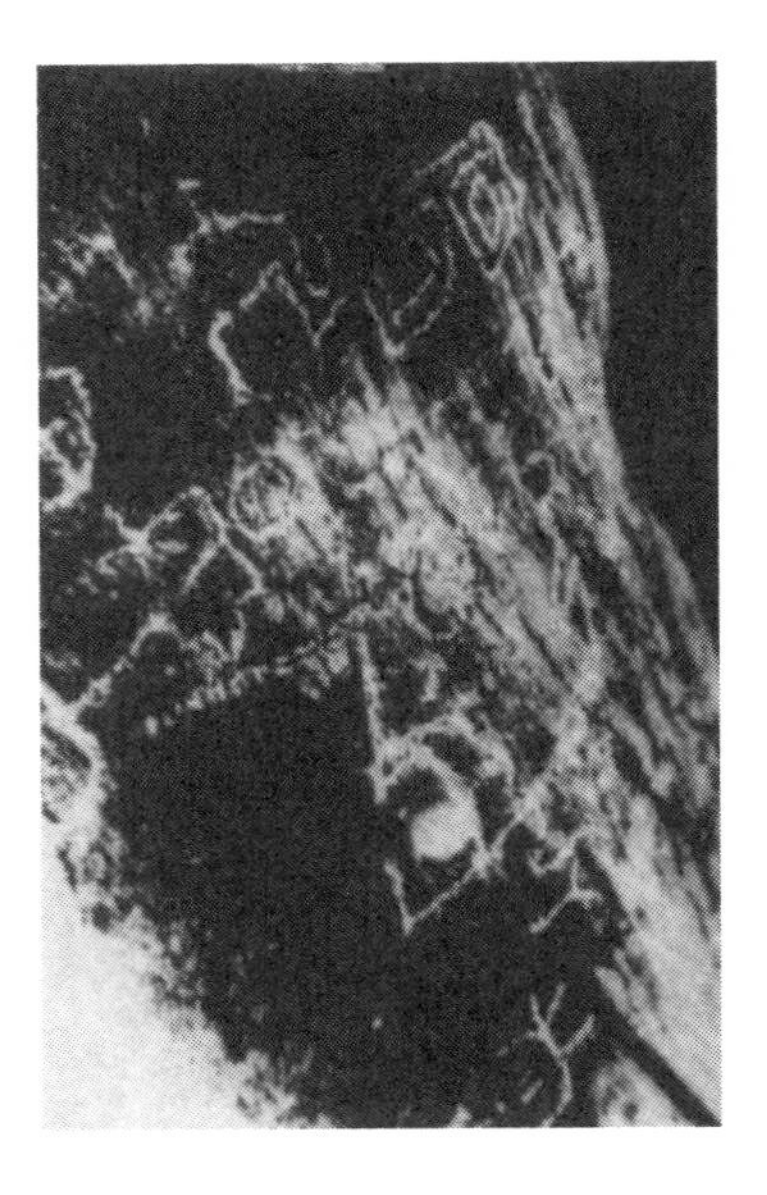

ロス・タヨス地下都市の入口にある謎の碑文
碑文の解読結果
日本の神代文字で「ニヘヲササケタテマツル（贄を捧げたてまつる）」と読める。この碑文は、洞窟の入口を守ってきたカラ族の一派、モグララ族の祖先が残したものか？　周囲の密林地帯に住む別のカラ族の一派ヒバロ族が残したものか？　現地のインディオが今は読めなくなったこの碑文が古代日本の文字と言葉で書かれていることは、ロス・タヨス地下都市の建設者が日本人の祖先であったことをまちがいなく示している。

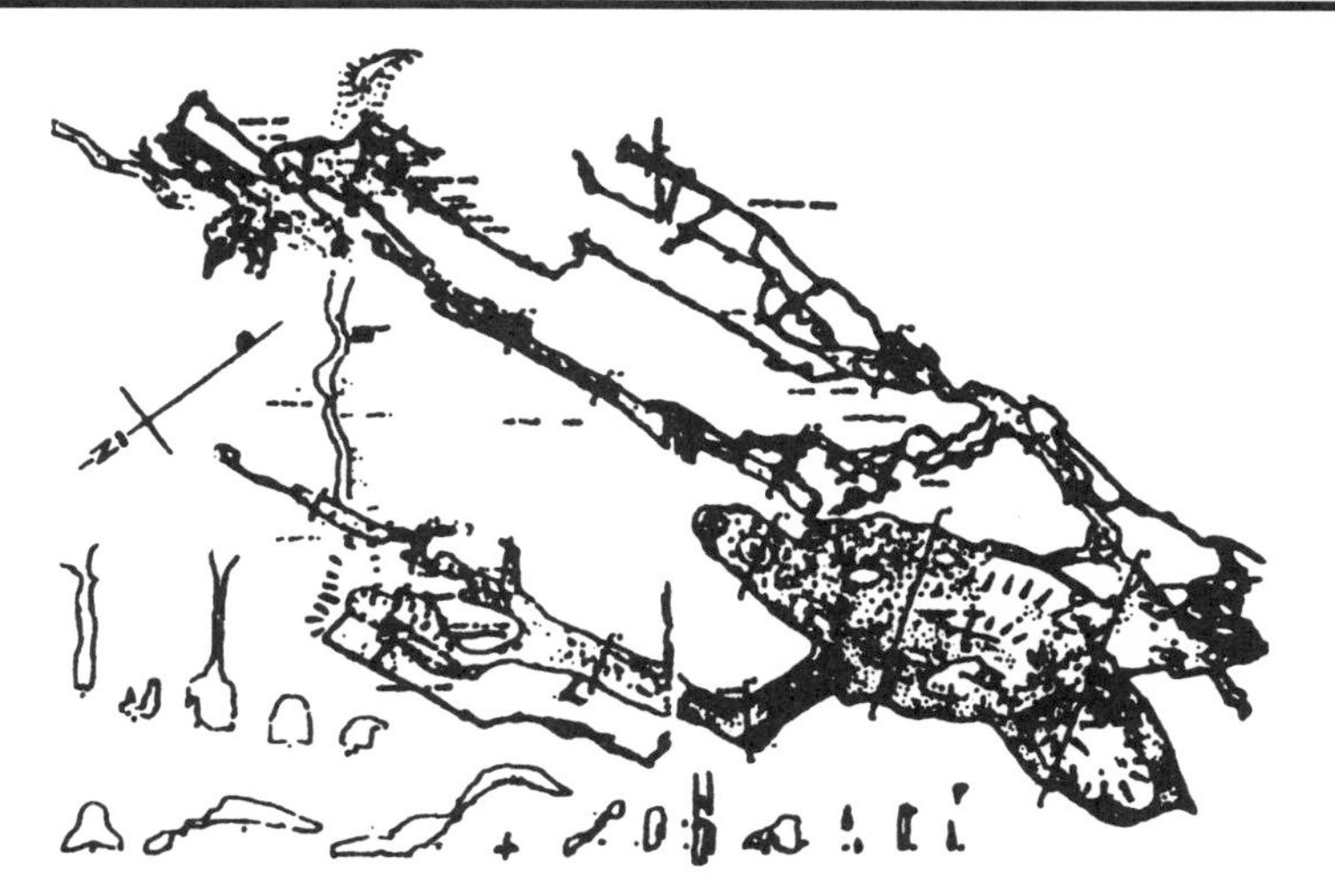

ロス・タヨス地下都市平面図
インディオの伝説によれば、このロス・タヨスは〝光り物〟に乗って空を飛んだ神々の地下の館だという。タヨスとは〝太陽鳥〟を意味している。とするなら、アンデスに地下都市を造ったといわれる小人族のカラポクルは〝空飛ぶ円盤〟をこのロス・タヨスに隠したのではないか。

ロス・タヨス地下都市の内部
地下の大ホールへ達するには、80mの垂直下降を3回繰り返さなければならない。探検はいつも危険と背中合わせだ。

アンデスの地下都市には何が隠されていたのか？

E・V・デニケン著『宇宙人の謎』（角川書店）参照

今から四〇年ほど前に、探検家のファン・モーリスが〝発見〟したエクアドルの地下都市ロス・タヨス（太陽鳥洞窟）は、もぬけの殻だった。

日本のカラ族の一派、モグラ族やヒバロ族が長いあいだ入口を守ってきたこの地下都市は、一九六四年にモグラ族の酋長タチュニカ・ナラからその存在を聞きつけたナチス・ドイツの親衛隊、ＳＳの生き残りといわれるファン・モーリスによって調査されたあと、そこから出土した遺物が行方不明になっている。

しかし一九七二年にモーリスの案内でこの地下都市に入ったスイスの作家デニケンが伝えるところによれば、地下の大広間には、左図のような〝宇宙人〟を思わせる黄金製品と謎の文字板がたくさんあったという。

図の石板を分析した高橋は、棒を手にしたインディオの頭上にある五層の文字区画が太陽の光の届かない地下都市を表わしたものと考えた。そしてこの地下都市の文字を日本の神代文字で読み解いた結果、この石板には「声をい出して暗がりの奥に潜む地下の悪霊を払う」と書かれていることをつきとめたのだ。

ロス・タヨスから出土した謎の黄金人物像
デニケンはこの人物を〝宇宙人〟とみなした。

ロス・タヨス地下都市を調査するエクアドル大統領の親衛隊

A		コ	コ	トヨクニ
エ		エ	エ	トヨクニ
ロ	B	B	ヲ	イヅモ
丄		｜	イ	北海道異体
		=	ダ	北海道異体
Y		Y	シ	北海道異体
下	天	オ	テ	北海道異体
X		X	ク	イヅモ
≟		ラ	ラ	トヨクニ
ｷ		¥	ガ	トヨクニ
少	小	:|	リ	トヨクニ
く	く	メ	ノ	トヨクニ
∢	≮ ≠	オ	オ	トヨクニ
ㄋ	ㄋ	ろ	ク	トヨクニ
M	M	ロロ	ニ	トヨクニ
回		匕	ヒ	トヨクニ
		ソ	ソ	トヨクニ
N		ム	ム	トヨクニ
D		∇	チ	トヨクニ
7		へ	カ	北海道異体
く			ノ	トヨクニ
S	?	?	ア	トヨクニ
X			ク	イヅモ
L		レ	レ	トヨクニ
｜		｜	イ	北海道異体
ロ	A	B	ヲ	イヅモ
	ソ	ハ	ハ	トヨクニ
⊂		ラ	ラ	トヨクニ
		う	ウ	トヨクニ

全文：コエヲイダシテクラガリノオクニ
ヒソムチカノアクレイヲハラウ
意味：声を出して闇がりの奥に潜む
地下の悪霊を払う

石板の解読プロセス

地下都市から出土した石板

〝ここにわがクルの宝あつめしめ……〟黄金板が物語る秘められた真実の歴史

高橋良典著『太古日本・驚異の秘宝』（講談社）参照

デニケンは、ロス・タヨス地下都市の大広間の奥に、すでに見た石板とはちがう文字が刻まれた黄金板が〝何千枚〟もあるのをその目で確かめた。

彼が〝図書室〟と呼んでいる地下都市の一画に収められた黄金板の文字は、エクアドル第二の都市グアヤキルの東方にあるクエンカのクレスピ神父が、聖母マリア教会の倉庫でこっそりデニケンに見せてくれた252頁の図のような黄金板の文字とまったく同じだった。そして、デニケンによって〝宇宙人の文字〟として世界に紹介されたこの文字は、欧米の碑文学者の調査で、前三世紀のインドのマガダ国のブラーフミー文字とよく似ていることがわかったが、似てはいても、彼らには読み解くことができなかった。

ところが探検協会は、黄金板の文字がブラーフミー文字の元になった日本のイヅモ文字そのものであることに気づき、会長がさっそく解読に取り組んだ。その結果、この黄金板には「ここにわがクルの宝あつめしめ、のちの世に伝へていしずえたらしめん」と書かれていることを発見したのである。

インディオ伝説の黄泉（よみ）の神（地下都市の王）ミクトランテクトリ
ミクトランテクトリの音を入れかえたテンラトクトリミク～テンラタカトリミコを漢字で表わすと天日高鶏皇子（ラはエジプト語で日の意）となる。天日高鶏～天使高鶏を入れかえた「高天使鶏」は、『契丹古伝』の中で大日霊（アマテラス／ウヘリ）から〝高天使鶏〟と呼ばれた宇宙船を授かって地上に降臨したスサダミコ（ホホデミ／スダース）の乗り物だ。ということは、ロス・タヨス地下都市の建設者が、前8世紀末から前7世紀の初めにかけて活躍したカラ族の王スダースであったことを意味している。

ロス・タヨス地下都市から出土したといわれる黄金板
縦52㎝・横14㎝・厚さ４㎝のこの黄金板に刻まれた文字は、日本の神代文字だ！

黄金板の拡大図
左上の最初の文字は、日本のイヅモ文字で「コ」と読める。読者もイヅモ文字表で確認してほしい。

・これなる金の板にイサク
とヨセフ記す（一行目）
・ここにわがクルの宝あつ
めしめ（二行目）
・のちの世に伝へていしす
ゑたらしめん（三行目）
・ヤアヱをわれらのカムイ
とあがめよ（四行目）

黄金板碑文の解読結果

アメリカ大陸の神代文字⑫

〝七つの都〟に今も眠る太古日本の秘宝

エクアドルの地下都市からクエンカの教会に移された黄金板は、まぎれもなく、私たち日本人の祖先がかつてこの地下都市に隠した〝クルの宝〟の一部だった。われわれが〝アンデスの黄金板〟と呼んでいるこの碑文が書かれたのは、黄金板の一行目に見える「イサクとヨセフ」の時代だ。そのイサクとヨセフが紀元前七〇〇年頃活躍した日本神話のオシホミミとホホデミをさし、イスラエル王国最後の王ホセアとその養子スダース王として実在したことは、すでに高橋がいくつかの書物で明らかにしている。

とするなら、この黄金板は、イスラエル王ホセア（イサク）とスダース（ヨセフ）がエジプトのタルハカ（ヤコブ）とともにアッシリヤと戦った時代に、〝クルの宝〟を執拗に求めた欧米人の祖先からこの宝を守るためにロス・タヨスに隠されたにちがいない。

そのころ南米に避難したカラ族の一派、グアラニ族は、〝クルの宝〟が南米の〝七つの都〟に隠されたことを今も伝えている。その宝は、次頁の古地図に記された六つの都市にブラジルのセテ・シダデスを加えた七つの都市のどこかに今も眠っている、というのがわれわれの見通しだ。

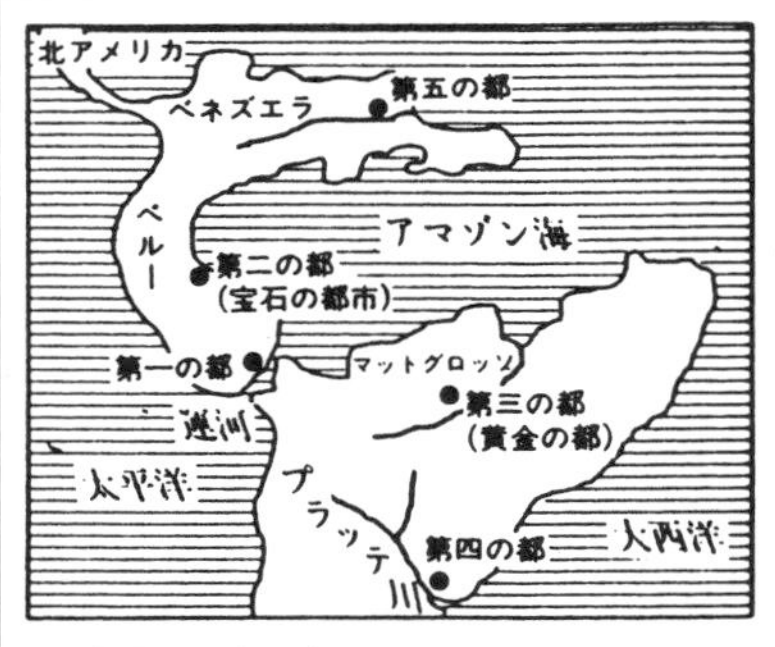

南米カラ帝国地図
欧米の秘密結社に伝えられた異変前の南米地図には、彼らが今も探し求めている〝クルの宝〟を隠した地下都市の位置が記されている。

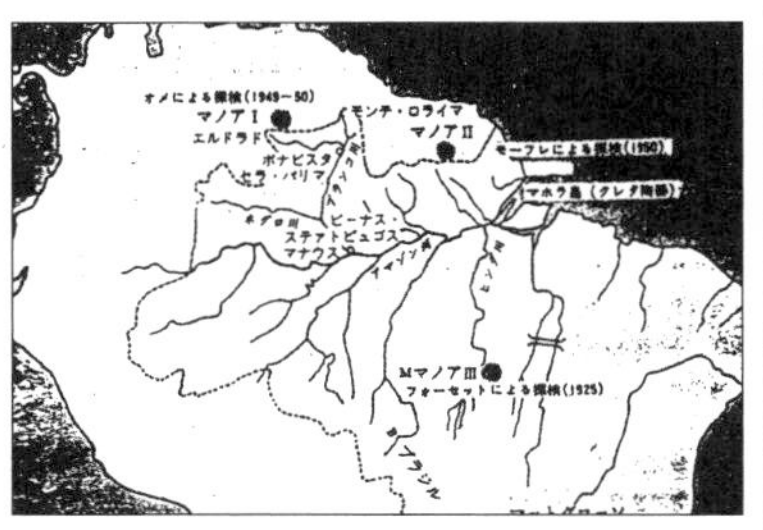

南米探検地図
1925年にブラジル・マットグロッソ州クヤバの奥にある黄金都市マノアを求めて姿を消したイギリスの探検家フォーセット大佐以来、アマゾンとアンデスの地下都市に隠された太古宇宙文明の遺産を追求する欧米の探検家はあとを絶たない。彼らは今も太古日本の〝クルの宝〟を求めているのだ。

直径22cmの黄金製円盤に刻まれた絵文字

ア イヅモ
カ イヅモ
ヒ トヨクニ
ム トヨクニ
ア トヨクニ
ガ トヨクニ
ム トヨクニ

ロス・タヨス地下都市から出土した黄金製円盤

円盤に刻まれた絵文字の解読結果
日本のイヅモ文字とトヨクニ文字で「アカヒムアガム（吾が君　崇む）」と読める。このことから、われわれ探検協会はロス・タヨス地下都市がかつて「吾が君」と呼ばれたスサダミコの時代に、〝高天使鶏〟を収納するために造られた地下基地だったのではないかとみている。インディオの伝説は、このアカヒム以外にもアカニスやアカコルと呼ばれた地下都市が造られたという。そのアカニスとは「吾が主」、アカコルとは「吾がクル」を意味しているのではないか。エクアドルに造られた「吾が君」の地下都市はすでにもぬけの殻だが、それ以外の２つの地下都市はまだ手つかずのまま南米のどこかにあるはずだ。

アメリカ大陸の神代文字⑬

クルの宝は〝空飛ぶ真珠マニ〟と呼ばれた！

高橋は、われわれ探検協会のメンバーにいつもこう言う――「南米の地下都市に隠された〝クルの宝〟を一日も早く世に出して、その昔われらカラ族が高度な宇宙文明で地球を治めていた時代の栄光の歴史を明らかにしようではないか」と。われわれもまた、紀元前の時代にこの地球を治めていた日本の王が、インドでヴィマナ、チベットで〝空飛ぶ真珠マニ〟、エジプトでアムヒ（天日）と呼ばれた空艇〝天の浮き船〟に乗って世界を駆けめぐったと考えている。

その証拠が、ナスカ地上絵をはじめとする世界各地の航空標識であり、コロンビアの国立銀行地下室に保管されたシャチ型の宇宙船模型であり、日本各地から出土する遮光器土偶という名の宇宙服模型ではないか。

会長は、コロンビアの宇宙船模型の尾翼に刻まれた記号が日本の神代文字で「マニ」と読めることを示すだけでなく、チチカカ湖の東方にそびえるイリマニ山とイリャンプ山が「神(イリ)のマニ」「神(イリ)の天日(アムヒ)」に由来する空艇の飛行目標だったことをわれわれに示して、本格的なアンデス調査を進めるようながしている。

南山宏著『宇宙から来た遺跡』（講談社）参照

ナスカ宇宙港への着陸標識となったペルー・ピスコ湾の〝燭台〟

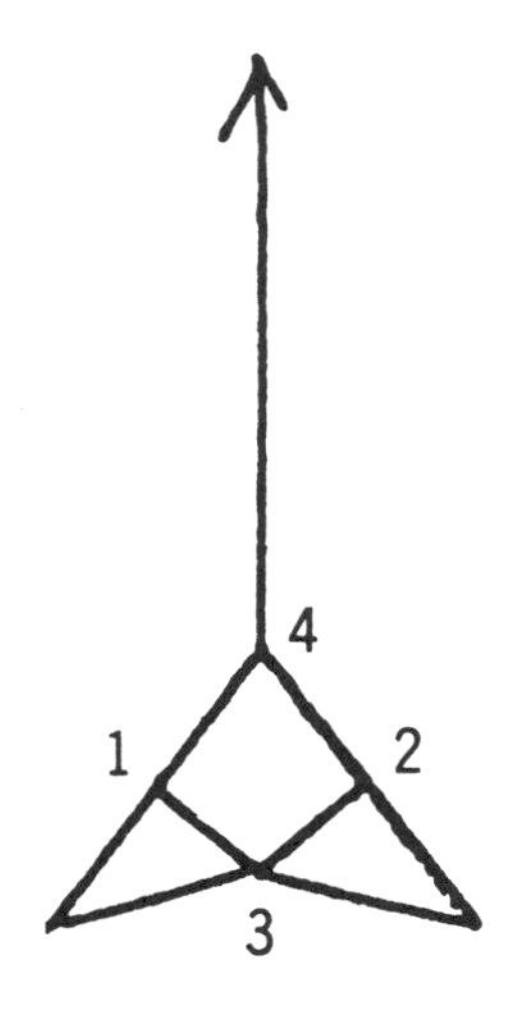

アンデスの巨大な矢印形航空標識
ナスカからチチカカ湖へ向かう途上の山腹に描かれたこの地上絵は、北海道異体文字のＴＴ∧∧（チチカカ）を組み合わせて、チチカカへ向かう空艇の飛行進路を示している。

コロンビアの〝黄金ジェット機〟
これと同じものが、ロス・タヨス地下都市からも出土した。これは太古日本の宇宙船模型ではなかったか。

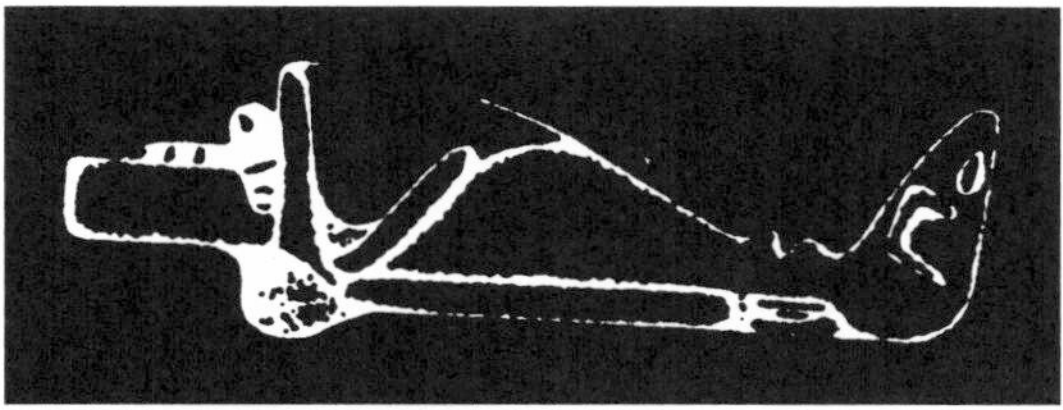

〝高天使鶏〟の側面図

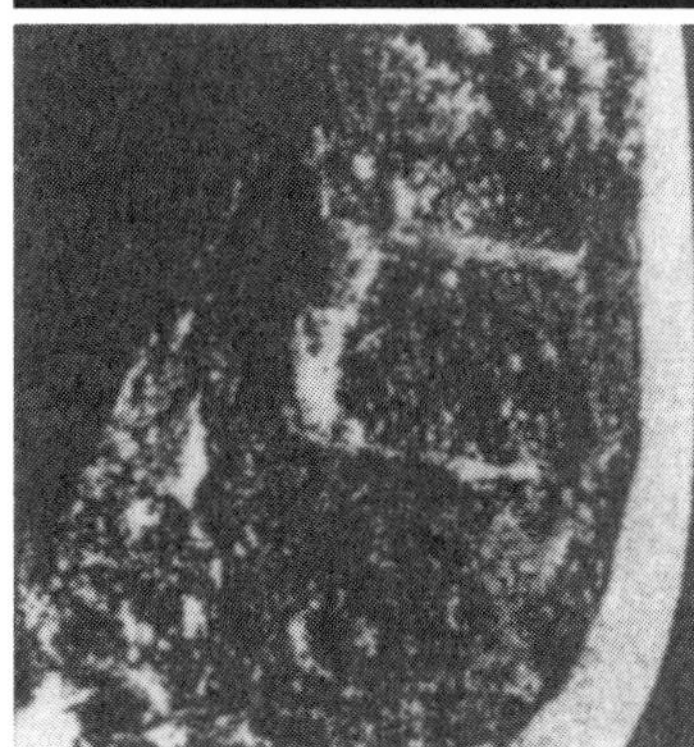

尾翼に刻まれた文字
欧米の学者は匚をヘブライ文字のB、すなわち「家」を意味する記号とみなした。が•|匚は日本の神代文字でマニと読める。マニとは、チベットで〝空飛ぶ真珠〟を意味するマニ宝珠、インドの空艇ヴィマナをさしている。

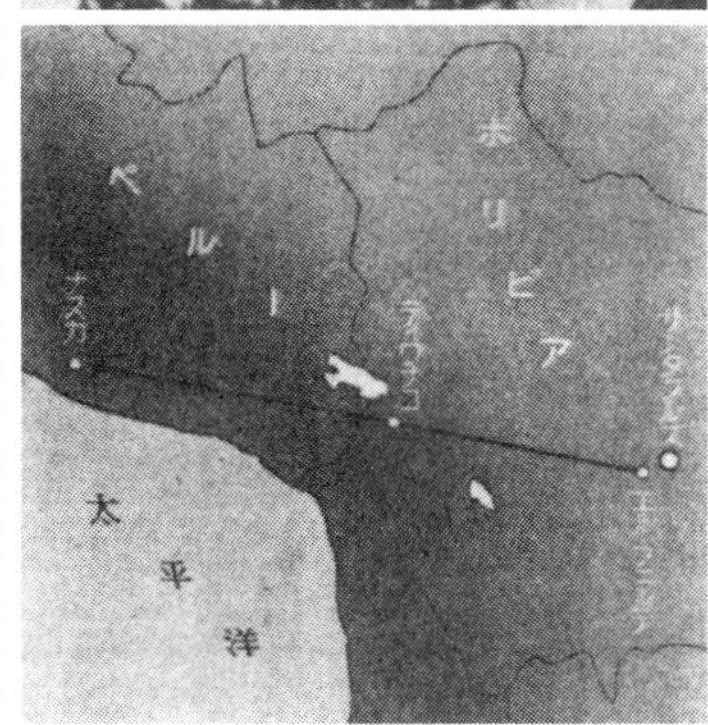

太古日本の宇宙船飛行ルート

ナスカ地上絵の〝シャチ〟
コロンビアの宇宙船と同じ形をしたこの地上絵は、ナスカ平原の地下にはりめぐらされたトンネル網の存在とその入口を暗示している。

いさかいを
さけ
とこしへに

第7の扉　環太平洋地域の神代文字

THE SEVENTH GATE

太古日本、カラ文明の秘密を解き明かせ！

その昔、私たち日本人の祖先がカラ族とかクル族と呼ばれ、世界全体を治めていた時代に、私たちの祖先は今よりもっと自由に地球の各地を行き来していた――われわれがこのように考えるのは、ほかでもない。日本の由緒ある神社に古くから伝わる神代文字で読み解ける碑文が、それこそ世界の各地から次々に見つかり始めているからである。

過去二〇〇〇年の間に欧米の学者が組み立ててきた今の世界史は、基本的に、彼らの祖先がオリエント（東洋）を征服したときに残したアッシリヤやペルシア、マケドニア時代の碑文の解読結果にもとづいている。そして彼らの祖先が消し去ったそれ以前のカラ族の諸文字（クレタ絵文字やインダス文字、アンデス文字など）は、今も相変わらず「未解読文字」とされている。

が、欧米の学者がそう言うからといって、君たちまでがそう思う必要はない。なぜなら、欧米の学者の大部分は自分たちの祖先が消し去ったカラ文明の文字を解読することに興味がなく、たとえまじめな学者がいてこれらの文字を読み解こうとしても、古代の日本語と神代文字の知識がなければカラ文明の秘密をつかめないからだ。

謎のインディアン・ホピ族の祖先が築いた巨大集合住宅

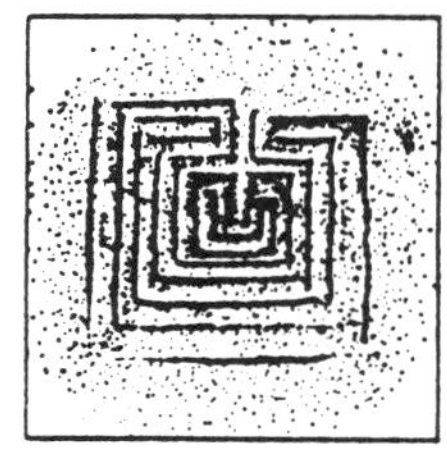

地中海のクレタ（左）と一致するホピの迷宮（右）

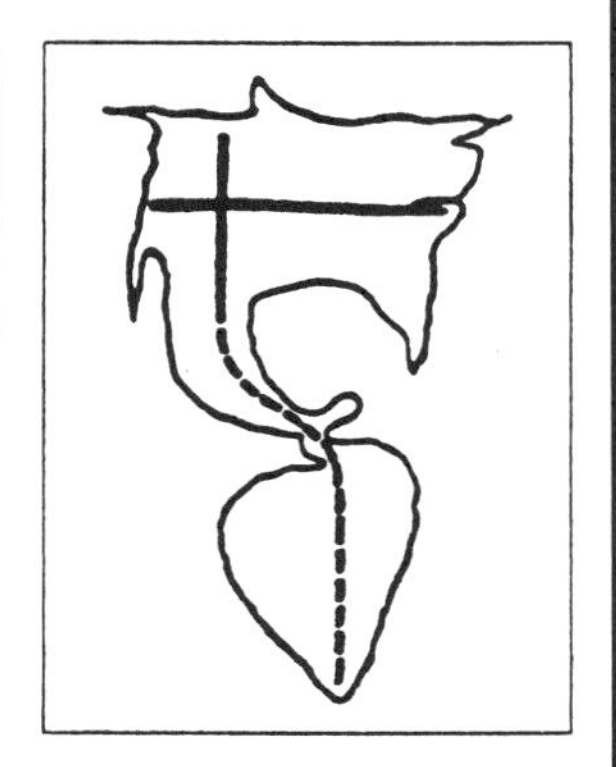

伝説に基づくホピの移動図

北米インディアン・ホピ族のルーツは日本人？

ホピ族は、彼らの伝説によれば、その昔、南方の〝赤い都市〟をめぐる神々の戦いがあったとき、カチナと呼ばれる神の導きで地下都市に逃れ、長いトンネルをくぐりぬけて北米に脱出したという。彼らがアリゾナやユタ、ニューメキシコの各地に残した〝プエブロ〟と呼ばれる特異なマンションは、地中海のクレタやトルコのチャタル・ヒュユク、パキスタンのモヘンジョダロ等に残された集合住宅と同様、窓をもたない数階建ての半地下式構造となっており、エーゲ海や小アジア、インダス地域のカラ族とまったく同じ迷宮マークと卍の文様を部族のシンボルとしている。

このことは、ホピ族が紀元前８世紀のバーラタ核戦争と地球大異変の時代にわれわれ日本人の祖先と離ればなれになったカラ族の一派、穂日（菅原氏の祖先ホピ）の子孫であることを意味しているのではないだろうか。ホピ族に代表されるプエブロ諸族の謎の岩絵と文字を詳しく調べてみると、意外な発見があるかもしれない。

〝宝の蔵〟の封印を解くのは君たちだ！

太古日本のカラ族が世界各地に残したおびただしい数の「未解読文字」——これを真っ先に読み解くのは、欧米人や中国人ではない。今も日本の神代文字を否定し続ける「学者」ではない。それは君たち自身だ。

古代カラ族の宇宙文明と秘密の地下都市、そこに隠された貴重な〝クルの宝〟を侵略者の手から守り続けるために、これまでの日本では、たしかに「上古、文字なし」ということにされてきた。第二次大戦後に神宮皇学館の山田孝雄が否定し、白村江の敗戦ののちに斎部広成が神代文字を否定したのは、単に占領軍とその協力者の圧力に屈したからではなく、ティルムン以来の古い伝統を持った日本の神代文字が、私たちの祖先によって封印された〝宝の蔵〟を再び開くマスターキーでもあったからだ。そのマスターキーを本書で手に入れた君たちがこれから果たす役割は重大である。

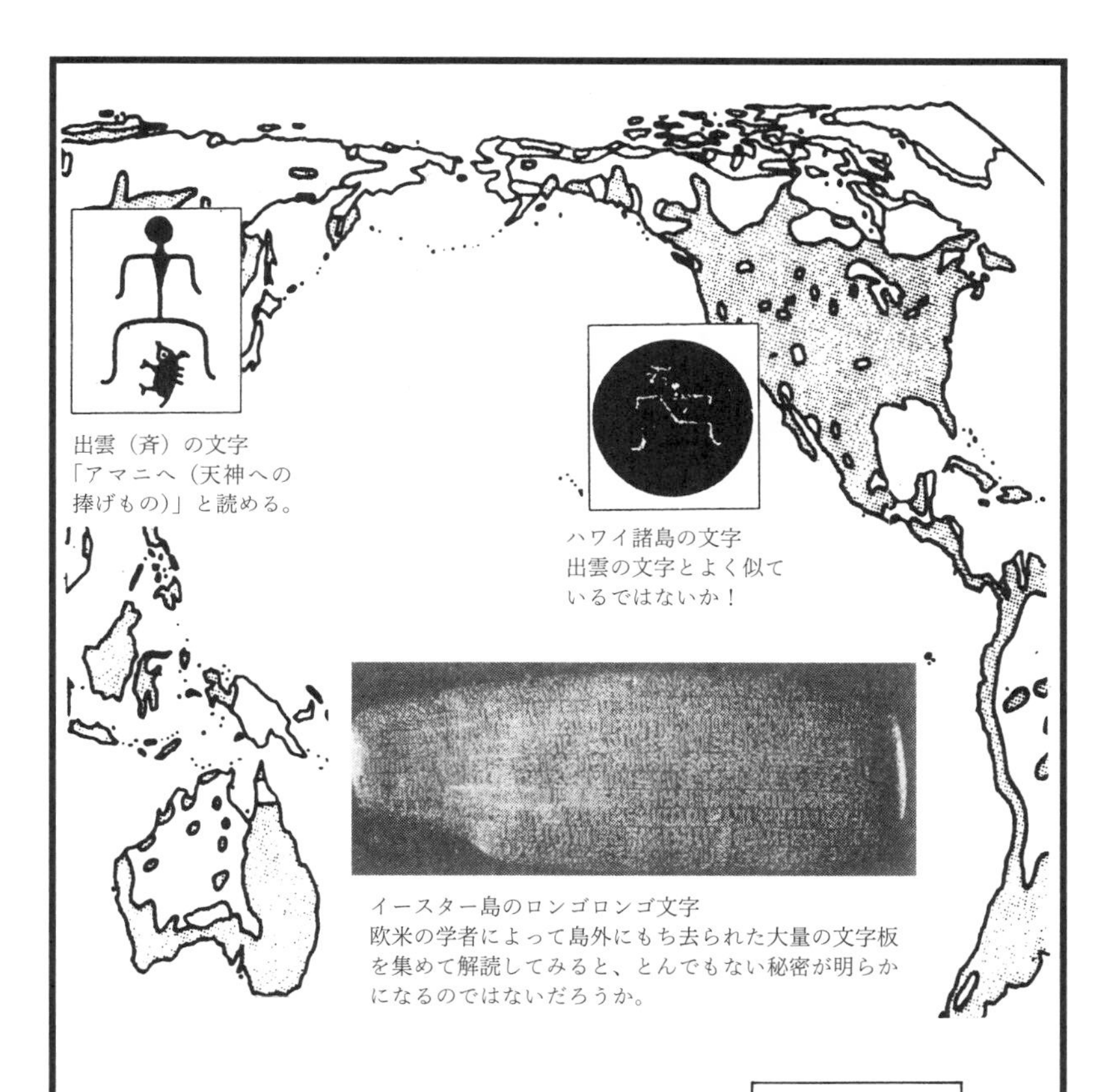

出雲（斉）の文字
「アマニヘ（天神への捧げもの）」と読める。

ハワイ諸島の文字
出雲の文字とよく似ているではないか！

イースター島のロンゴロンゴ文字
欧米の学者によって島外にもち去られた大量の文字板を集めて解読してみると、とんでもない秘密が明らかになるのではないだろうか。

オーストラリア大陸の先住民アボリジン（天降り人？）の文字
アボリジンの岩絵を絵文字として読み解くと、どんなことが書かれているのだろうか？

カロリン諸島の文字
これらの文字を詳しく調べた人はまだいない。

環太平洋地域に広がる未解読文字群

今よみがえる！　カラの勇士の熱き思い

日本の神代文字をマスターすれば、私たちは限りない富と知恵を手に入れることができる。たとえば君たちは、この地球上で過去に繰り広げられたカラ族の栄光の歴史と秘密の地下都市をつきとめ、〝地球史〟のドラマを自分にも納得のいく形で知ることができる。それだけでなく、太陽系のかなたの星にまで文明を残した私たちの祖先の足跡を知り、今も別の星にいる兄弟たちと連絡をとることさえできるのだ。

こんな途方もない可能性を秘めた日本の神代文字を使って、謎のインダス文字やクレタ文字、その他を読み解くことに成功した高橋は、イースター島に伝わる有名なロンゴロンゴ文字板の一つを左頁のように読んだ。

この解読結果は、私たちの祖先カラ族の一派が前七世紀のヨセフの時代にイースター島から日本をめざしたことや、カラ族がこの島を拠点として太平洋全域に広がった時代があったことを物語っている。紀元前の太平洋にはこれまでまったく歴史がないとされてきた。が、君たち自身が神代文字をマスターして未解読文字に挑戦すれば、太平洋にある数万の島々は君たちの新しい発見を待つ歴史の宝庫として必ずやよみがえることだろう。

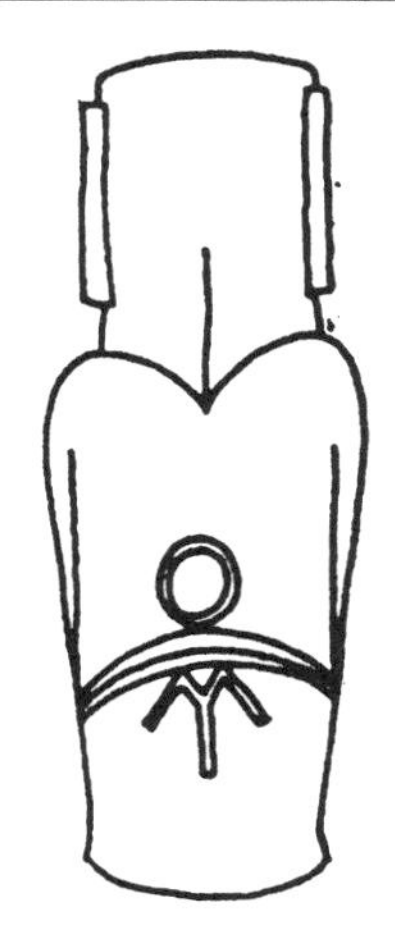

モアイの背中に刻まれたふしぎな文様
この文様は、日本の神代文字をいくつか組み合わせた合体字とみなせば、「我はカムイ」「我はシバ・カムイ」と読める。イースター島のロンゴロンゴ文字とインダス文字が瓜二つで、しかもシバ神をまつったインダス地域がイースター島から2万km離れた地球の裏側にあたる島であることがインドで知られていたこと等を考えてみると、前8世紀のイースター島でもシバ神（ドゥリヨーダナ／天日鷲）がまつられていたことは確かだ。

カラ族の勇士をたたえるために造られたイースター島のモアイ

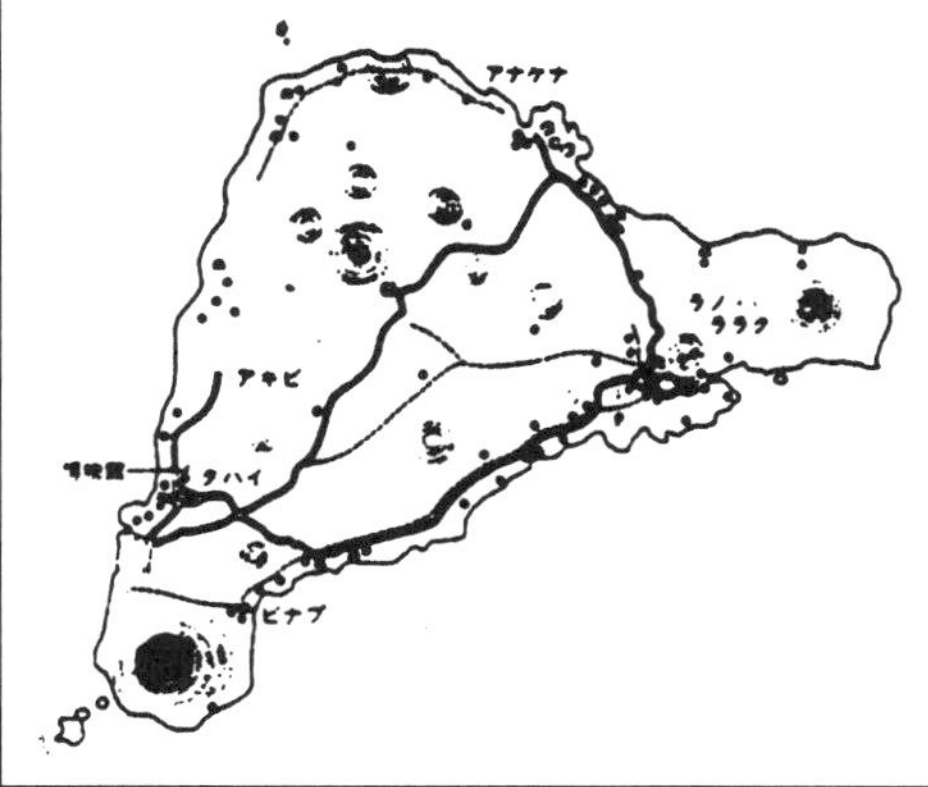

〝世界のへそ〟イースター島
ハワイとニュージーランド、イースター島を結んでできるポリネシア三角海域とその周辺には、前7世紀にニュージーランド北島のマヌカウに南原の都を定め、イースター島のホツイチに離京を置いて太平洋地域を治めたキリコエアケ（アケ＝ワケ＝王）の活躍ぶりが、ウォガウォガやボゴング等の呼び名で親しまれている英雄神の国生み神話として伝えられている。

贄(にへ)ささげたてまつりて
降ることなき雨が降らめと
水をも飲まず
一時(ひととき)なむも寝ずに
夜昼となく海見晴らしし
父母(ちちかか)たちを讃(たた)えまつらく
熊野(くまぬ)の諸手船(もろたぶね)の舵をとり
我ら神さびつつ廻(まわ)る……

ノルウェーの探検家トール・ハイエルダールが発見したイースター島の謎の文字板
エステバン・アタンが伝えた〝ロンゴロンゴ（物言う木）〟碑文の解読結果
この碑文は、インダス文字と同様、北海道異体文字とトヨクニ文字を混用して書かれている。文中に日本神話の山幸彦ホホデミ（スサダミコ／スダース）に相当する「ヨセフ」が登場するところから、アタン文字板が作製されたのは前687年の最後の異変時代だったことがわかる。『契丹古伝』は、前７世紀にスサダミコ（ヨセフ）がイースター島に離京を定めてキリコエアケ（聞得王）に南原と呼ばれた太平洋地域の統治をゆだねた時、この島にはカラ族の勇士をたたえる霊廟が設けられたと伝えている。

環太平洋地域の神代文字③

チチカカ湖は、太古日本の父母(チチカカ)の湖だった！

紀元前の環太平洋地域が今よりもっと豊かで、カラの兄弟民族が自由に行き来していた時代――この時代の記憶は今も私たちの魂と遺伝子に刻まれている。

つい最近、日本人とアンデスのインディオとのつながりを調査した鹿児島大学医学部のチームは、血液遺伝子を分析した結果、アンデスの住民と日本人は紀元前の時代に共通の祖先をもっていたことがはっきりしたと述べている（一九九四年秋）。

この共通の祖先がカラ族と呼ばれたことは、すでに見たインディオの伝説によって裏づけられるだけでなく、彼らが残した環太平洋地域の謎の文字が日本の神代文字で読み解けることからも明らかになろうとしている。

これまでアンデス高地の〝チチカカ〟湖が日本の「父母」湖だったなどといえば、ただのこじつけだと思われた。が、時代は今や地球探検の世となり、次頁のチチカカ碑文の解読結果からも、紀元前のアンデスを治めたのは「チチカカカムイ（父母神）」と呼ばれた日本の王家であったことがわかってきたのである。

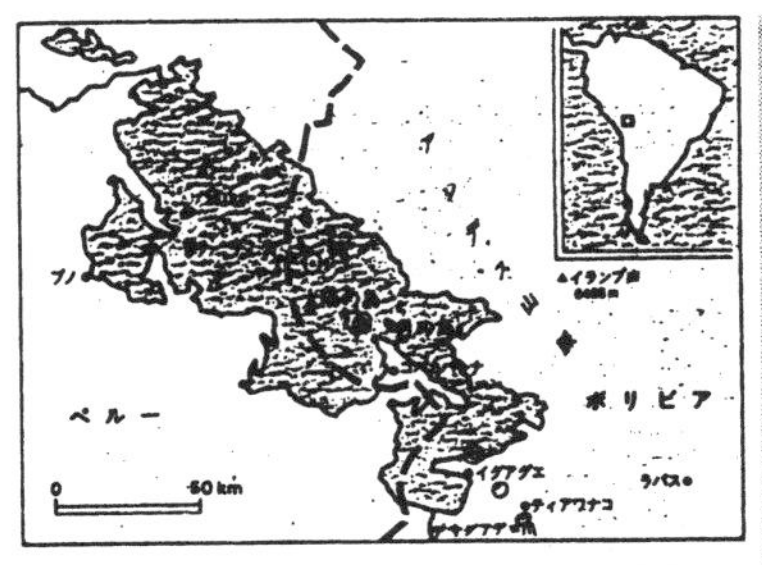

南米アンデス高地に横たわる〝父母湖〟

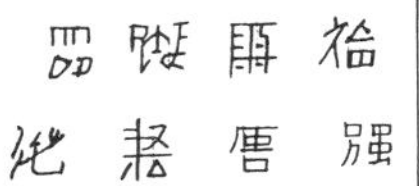

ステルニとナイムラプの
父母(チチカカ)からスシリ神(カムイ)の国は
生まれける
つねづね敬ひ(ウヤマ)祭れ(マツ)
土居(ツチイ)を闢(カ)きて彫る

桀王孫(ケツミコ)

神像の上の台座に刻まれた碑文
とその解読結果

棚田(タナダ)につねづね水(ミツ)をかけて
種子(タネ)をとること
飯穂(イヒホ)をつねづね鴨居(カモイ)の下に垂(タ)らして
かわかすこと
野(ノ)に落ちたる種子(タネ)を必(カナラ)ず拾(ヒロ)うことど
も言う

父母神(チチカカカムイ)

神像の下の台座に刻まれた碑文
とその解読結果

イリャンプ山の洞窟から出土した神像

いくつかの地質調査資料によれば、チチカカ湖は2800年前まで太平洋とつながっていたアマゾン海の「西」の入江であったこと、現在のティアワナコにあるカラササーヤ遺跡は、かつて「カラ族の岸辺（カラササーヤ）」に造られた港の跡だったことがうかがわれる。われわれはこれまで、アンデス山脈が前８世紀の異変で4000ｍも隆起したなどという仮説はあまりにも極端だと思っていた。が、中国の『山海経』がこの入江は2800年前までアマゾン海の「北」に口をあけていたカラ族の港だと記しているのを知って、すっかり見方を変えたのだ。今から2800年前に地軸が90度も傾くような極移動があったなら、アンデスとヒマラヤが一瞬のうちに何千ｍも隆起したことは十分に考えられるからだ。この恐るべき時代を生きのびたインディオの祖先が、途方もない大洪水をのがれて山頂に避難したとき、みるみるうちにアンデス山脈が隆起したと伝えているのはほんとうだったと思われる。

環太平洋地域の神代文字④

ムー文明の秘密はナスカ地上絵に秘められていた！

中国に伝わる世界最古の地理書『山海経』によれば、その昔〝天帝の秘密の都〟と呼ばれたティアワナコには、「泰逢（ティファナク）」の神と「武羅（プーナ）」の神がいた。彼らは〝光り物〟に乗ってチチカカ湖を出入りし、ティアワナコからイースター島を経てヒマラヤにある神々の都へ飛行したあと、さらにレバノンのバールベック宇宙港を経てティアワナコに戻ったという。われわれ探検協会は、三上皓也隊長とともにティアワナコからナスカへ飛んでみた。ペルーのナスカ平原に、上空からしかわからない巨大な地上絵がいくつも描かれていることはあまりにも有名だ。が、その地上絵が、いつ、誰によって、何のためにつくられたかは大きな謎だった。

ところが隊長は現地に着くと、これらの地上絵が〝ムー〟と呼ばれた太古日本の空艇のための方向指示標識として描かれたのではないかと言い出した。なぜなら、それらは日本の神代文字でアンデス各地の地名と産物を表わしているからだという。たとえばコンドルの絵は、確かにコンドルのすむ「アタカマ」をめざしている。そこでナスカ地上絵は太古日本の〝宇宙船文明（ムー）〟を証明する有力な遺跡ではなかったかと考えたのだ。

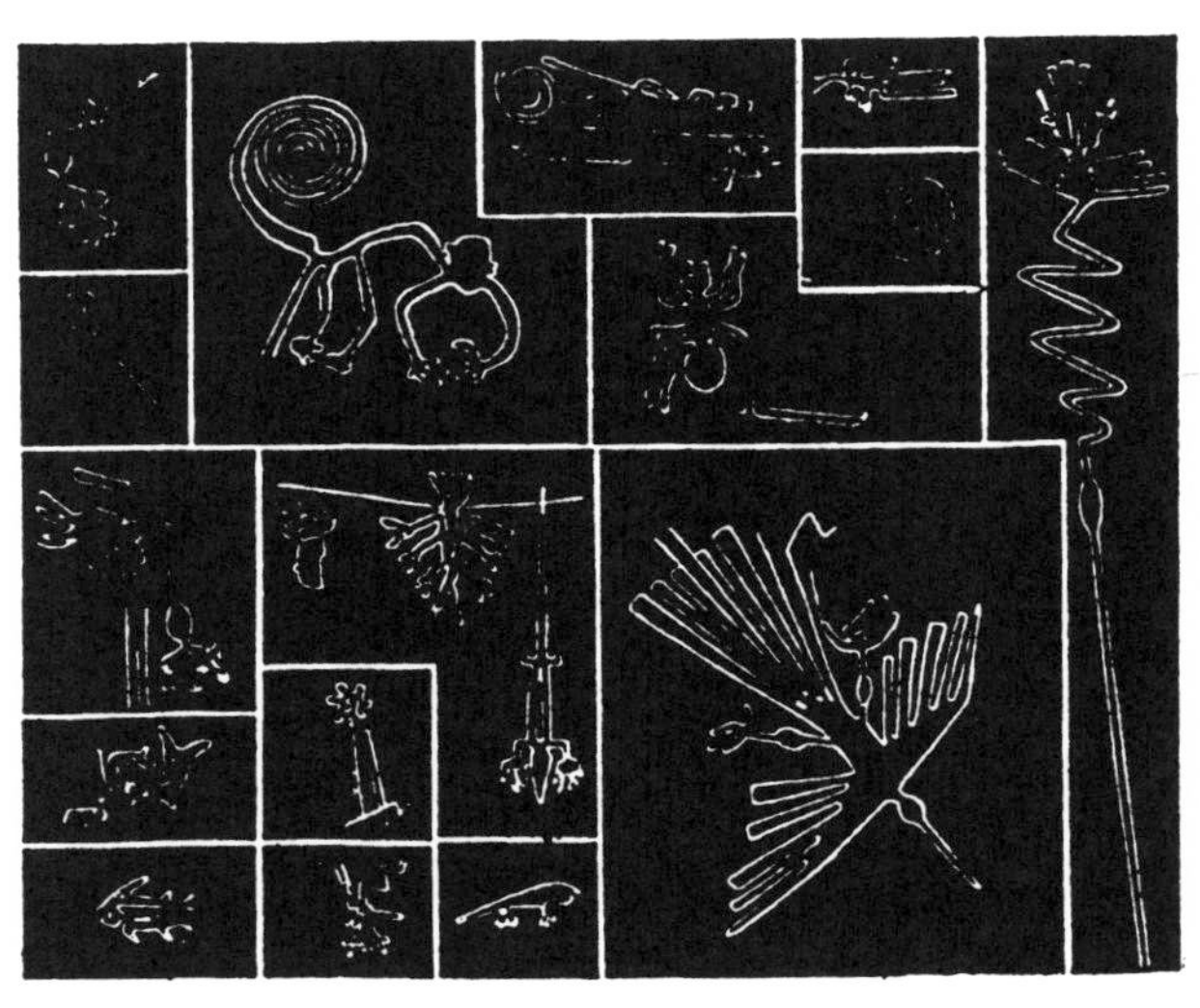

ペルーのナスカ平原に描かれた地上絵群
これまで世界最後の謎とみられてきたこれらの地上絵は、われわれの調査によれば、前３世紀末に日本からアンデスに亡命したスクナヒコナ（徐福）とその部下が、異変前のシャンバラ・ムー文明（太古日本の地下都市・宇宙船文明）を再建するためにつくった可能性が出てきた。日本の神代文字で表わされた現地名がすでにわれわれにとってなじみの深いインディオの地名であることや、地上絵のひとつに、ステルニ（スクナヒコナ）の部下だったヤプチュイの名が見えるところから、そう考えられるのである。インディオの伝説は、ステルニが空飛ぶ乗り物をもっていたと伝えているので、これらの地上絵は空からレーザー光線か何かで一筆書きされたのではないだろうか。

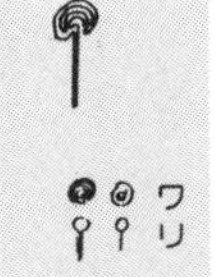

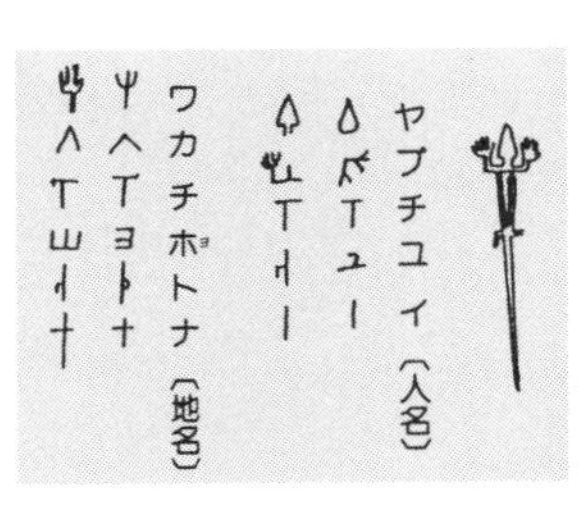

ヤプチュイと読める地上絵。ステルニを襲名したスクナヒコナの側近だ
ワカチホトナとも読める。ワカチョトナとは、ステルニ伝説の神殿〝チョト〟に対応するペルー北部のピラミッド都市だ。

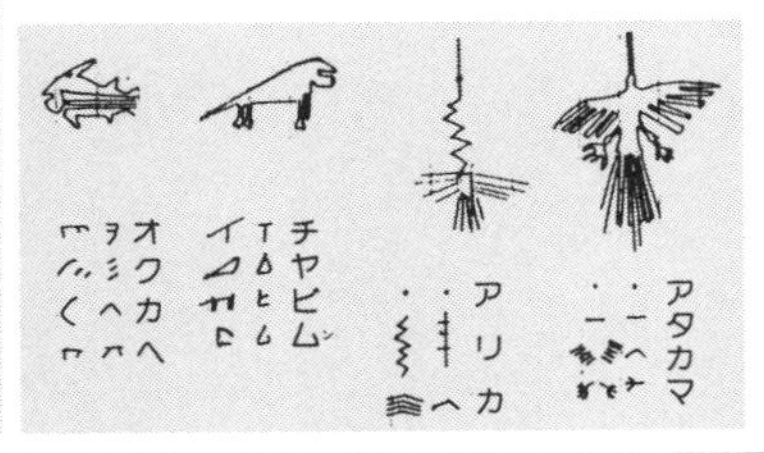

ナスカ地上絵を日本の神代文字で読み解くと、驚くべき事実が明らかになった！

環太平洋地域の神代文字⑤

地球史革命はゲバラの要塞から始まる？

私たちはすでに、ティアワナコからナスカへ向かう途中に、全長五〇キロメートルを超える巨大な〝矢じるし〟図形が地上に描かれているのを見た。そしてその図形は、ティアワナコからピスコ湾のイカへ向かうときには「イカ」と読め、イカからティアワナコへ向かうときは「チチカカ」と読めることを知っている。隊長は、『山海経』に〝天帝の秘密の都〟と記されたティアワナコが、ペルーのイカとボリビアのエルフェルテを結ぶ飛行ルートの、ちょうど中点に位置していることに注目し、エルフェルテ遺跡にも日本の神代文字があるのではないかと推理した。

そこでわれわれがエルフェルテに行ってみると……確かにここにも神代文字があった！スペイン語で「砦」を意味するエルフェルテは、かつてキューバ革命を実現したカストロの盟友・ゲバラがゲリラ基地にしたところだ。そこにわれわれの祖先カラ族の文字があるのを見つけたとき、われわれは思わず叫んだ——「おお、万国のカラ族よ、団結せよ！」と。こんなところにもカラ族の高度な文明の跡と文字があるのを知れば、南米だけでなく、世界中のカラ族の兄弟が喜んでくれるのはまちがいない。

〝要塞〞の頂部にある用途不明のくぼみ
くぼみのそばに刻まれた文字は、「神壺」と読める。ここはかつて、南米各地の神殿に使われた巨石を加工したところなのか。

ボリビア第2の都市サンタクルスの近くにあるエルフェルテ遺跡
岩壁を加工して造られた凹凸は、どんな目的のために使われたのだろうか。今も大きな謎だ。

エルフェルテの謎の軌条
重量物をのせた機械が斜面を滑り落ちないようにするため彫られたのではないか。

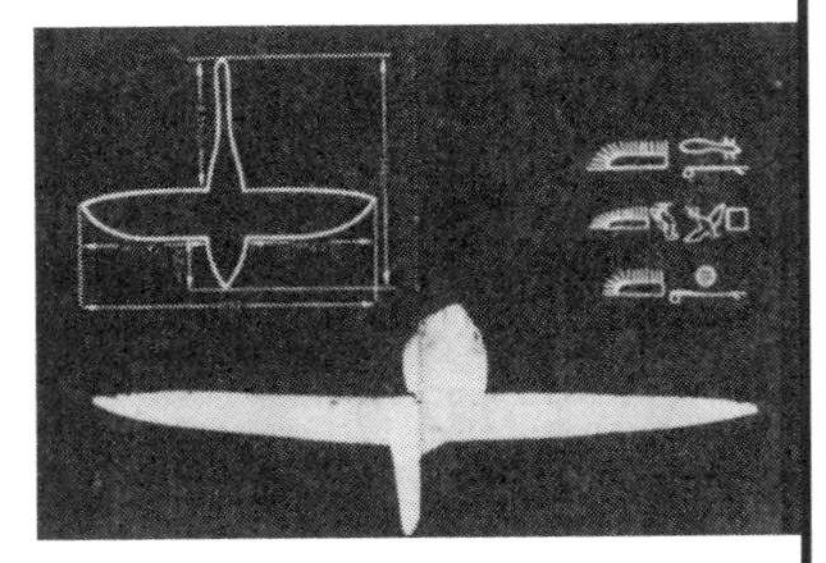

サッカラのグライダー模型
エジプト最古のサッカラ・ピラミッドの近くで発見された鳥形製品は、ピラミッドに使われた巨石を運搬するための重量物運搬用飛行機械の模型だったことがわかっている。

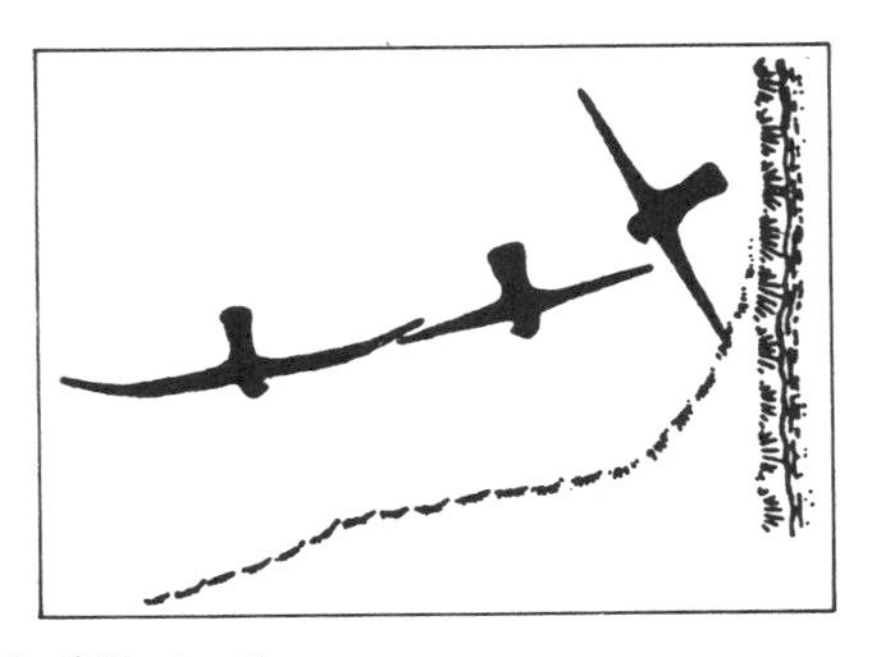

アメリカ・オハイオ州の鳥形マウンド
前8世紀のミシシッピー川流域に、空からしかわからないこのようなマウンドをいくつも残したカラ族は、大量の土砂を運ぶために、サッカラ・タイプの飛行機械を使ったと考えられる。とすると、エルフェルテは巨石運搬用の飛行機械が発着したところではなかったか。アメリカ大陸の謎の遺跡と遺物が意味するものを正確に位置づけるためには、どうやらこれまでの世界史を捨て、新しい地球史を組み立てる必要がありそうだ。

環太平洋地域の神代文字⑥

ムーンシティ――地球が再び溶けるのを許すな!

欧米人が過去二〇〇〇年の間に作り上げてきた世界史によれば、太古日本のカラ族は今から二八〇〇〇年前まで今より高度な文明をもって世界を治めていたこともなく、恐るべき核戦争とそれによってひき起こされた地球規模の異変で滅び去ったこともなく、ただひたすら、恐竜の絶滅後にサルから進化して今のような文明をつくったのだと説かれている。

しかし、ペルーのイカやメキシコのアカンバロでは、人間が恐竜とともに生きていたのがわずか三五〇〇〇年前であることを示す証拠がすでに見つかっている。今から「一万年ほど前」に終わったとされる「氷河時代」が、実はバーラタ核戦争のあとに発生した前八世紀から前七世紀にかけての異変時代をさすものであることも明らかになろうとしている。

今の教科書が何の歴史もないと教えているオーストラリアにかつて美しい都〝ムーンシティ〟があったにもかかわらず、神々の戦いのはてに高熱で破壊されてしまったという伝説は何を物語っているか。このことをわれわれは黙って見過ごすわけにはいかない。われわれは、近い将来、再び核戦争が起こって地球がこれ以上破壊されるのを許すわけにはいかないのだ。

伝説のムーンシティ
オーストラリア北東部のアーネムランド半島にあるこの遺跡は、われわれの祖先が今から三千数百年前に月や火星にも都市を築いていた時代に、アボリジン（天降り人）の神々が住む美しい都があったところだという。その中心部に今も人を寄せつけない高濃度の放射能地帯があるムーンシティには、アボリジンの伝説によれば、人間が月と地球を行き来していた時代の記憶をとどめる未知の洞窟絵画の宝庫があるという。遠い昔、神々の戦いで溶け去ったといわれるこのムーンシティを本格的に調査した探検家は一人もいない。が、ここにわけ入れば、〝世紀の発見〟が待ち受けていることだけは確かだ。

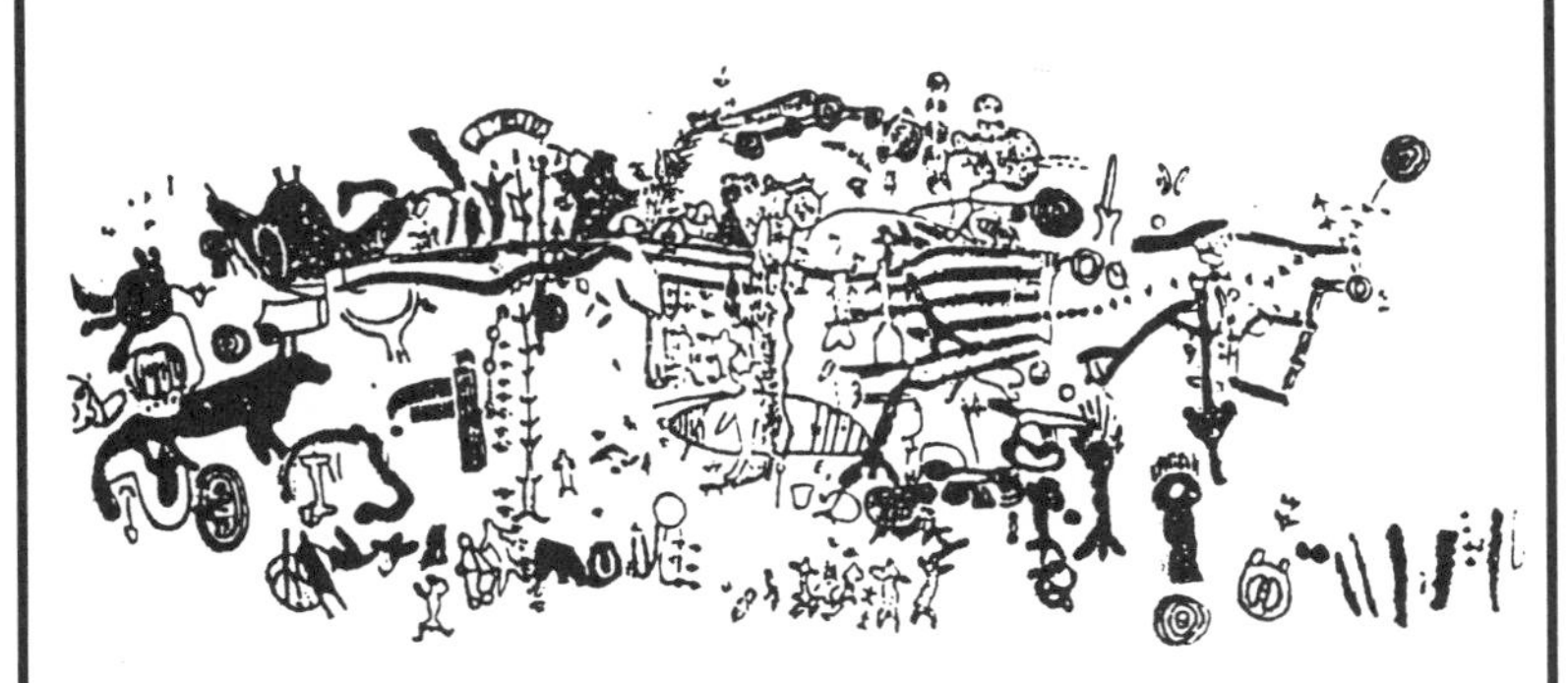

エアーズ・ロックの岩絵と文字
オーストラリア中央部、アリス・スプリングスの西方に赤々とそびえる巨大な〝宇宙卵〟、エアーズ・ロックの洞窟内部には、われわれがいまだにその意味を解き明かせない〝夢〟のような絵が残されている。アボリジンの祖先が描いたという、この抽象絵画の謎解きをしてくれるのは誰か。

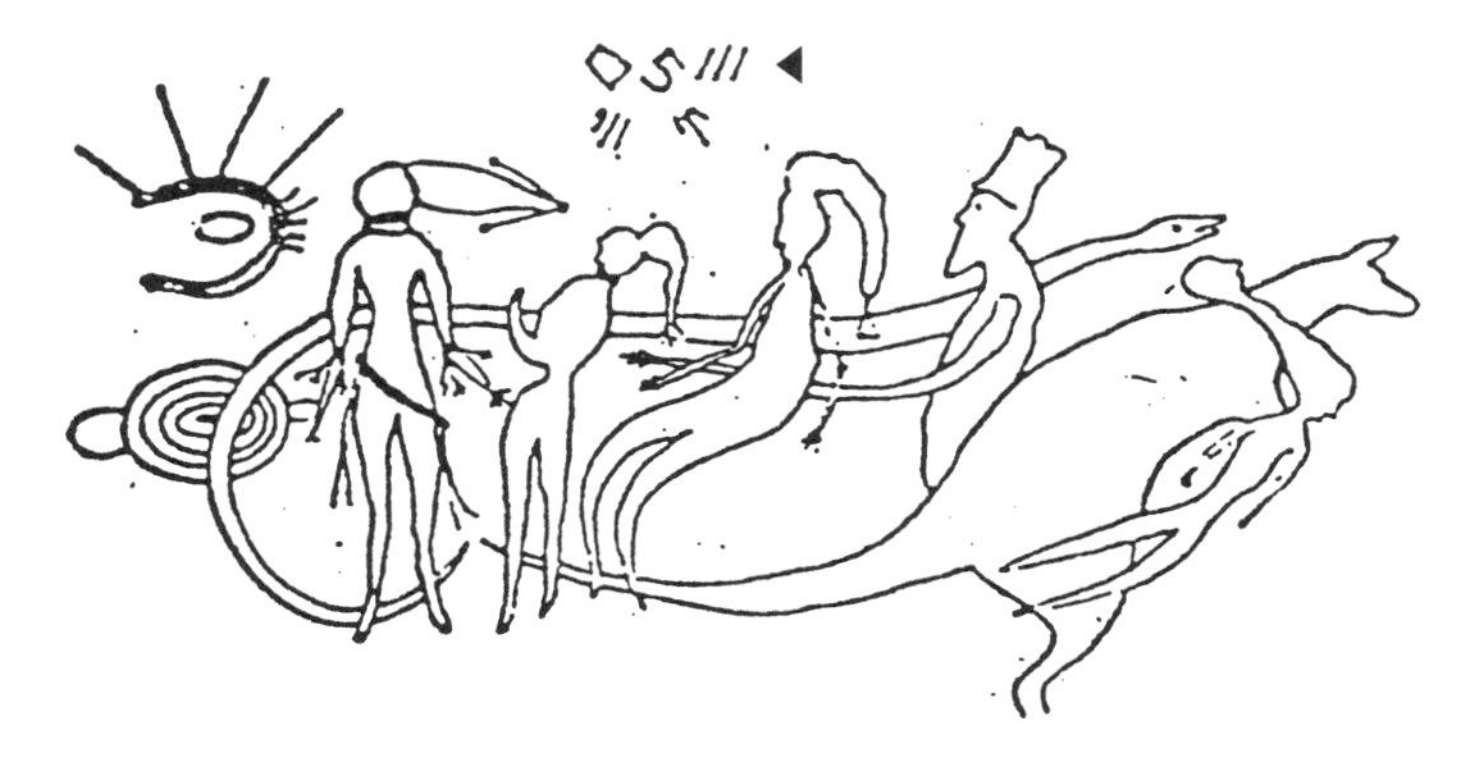

キンバリー高地の謎の岩絵と文字
オーストラリア北西部、キンバリー高地を流れるプリンス・リージェント川の上流の洞窟の内部にあるこの岩絵は、超現代的な宇宙服を身につけた人々が宇宙船を待っている光景を描いたものだ。人物の頭上に刻まれた文字は、日本の神代文字で「カムラツク（神ら着く）」と読める。

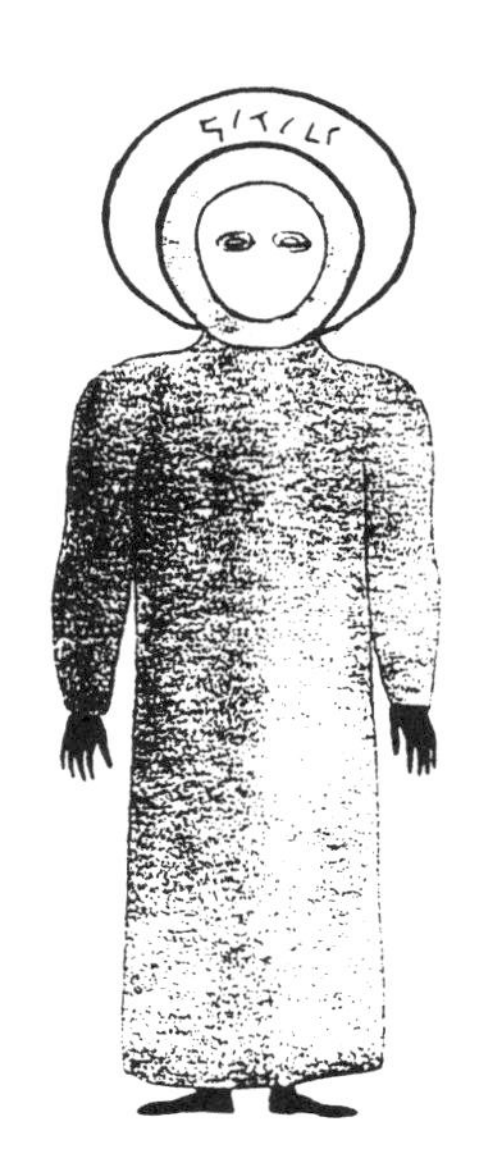

キンバリー高地の別の岩絵と文字
宇宙人を思わせる人物のヘルメットの上に刻まれた文字も、日本の神代文字で「アルジイサク（主イサク）」と読むことができる。ということは、これらの岩絵と文字をキンバリー高地に残したのは、前8世紀末から前7世紀の初めにかけて活躍したわれわれ日本人の祖先だったことを物語っているのだ。

幸沙代子著『日本が創った超古代中国文明の謎』(日本文芸社)参照

〝いさかいを避け、とこしえに溢れん生命(いのち)を重ねしめよ!〟

コロンブスのアメリカ大陸「発見」に代表される〝地理上の発見時代〟に、欧米人がアジア・アフリカ・アメリカ・オーストロネシア(環太平洋地域)に次々に植民して、それぞれの土地に住む私たちの兄弟民族、カラ族の歴史と伝統を消し去ってきたこと——これは、今から二八〇〇年前まで地球を治めていたカラ族の王家が分裂したあと、欧米人の祖先がエジプトとインド、中国に侵入し、始皇帝の時代にユーラシア大陸に覇権を確立したときに果たせなかった野望を実現することでもあった。

前二二一年に秦の始皇帝が出雲(斉)を征服し、オオクニヌシとスクナヒコナに出雲が管理していた神宝をさし出すことを要求したとき、ステルニを襲名したスクナヒコナはカラ族の一団をひき連れて熊野からアンデスに脱出した。彼が前二〇〇年頃までにアンデス一帯を治め、始皇帝の求めた神宝をどこかに隠したことはすでに見たとおりだ。その彼がなぜ神宝を隠さなければならなかったのか。理由は、エクアドルの地下都市から出土したという黄金の胸飾りの銘文を高橋が解読した結果の中に示されている。神宝は、〝いのち〟を大切にしない人の手に渡してはならなかったのだ。

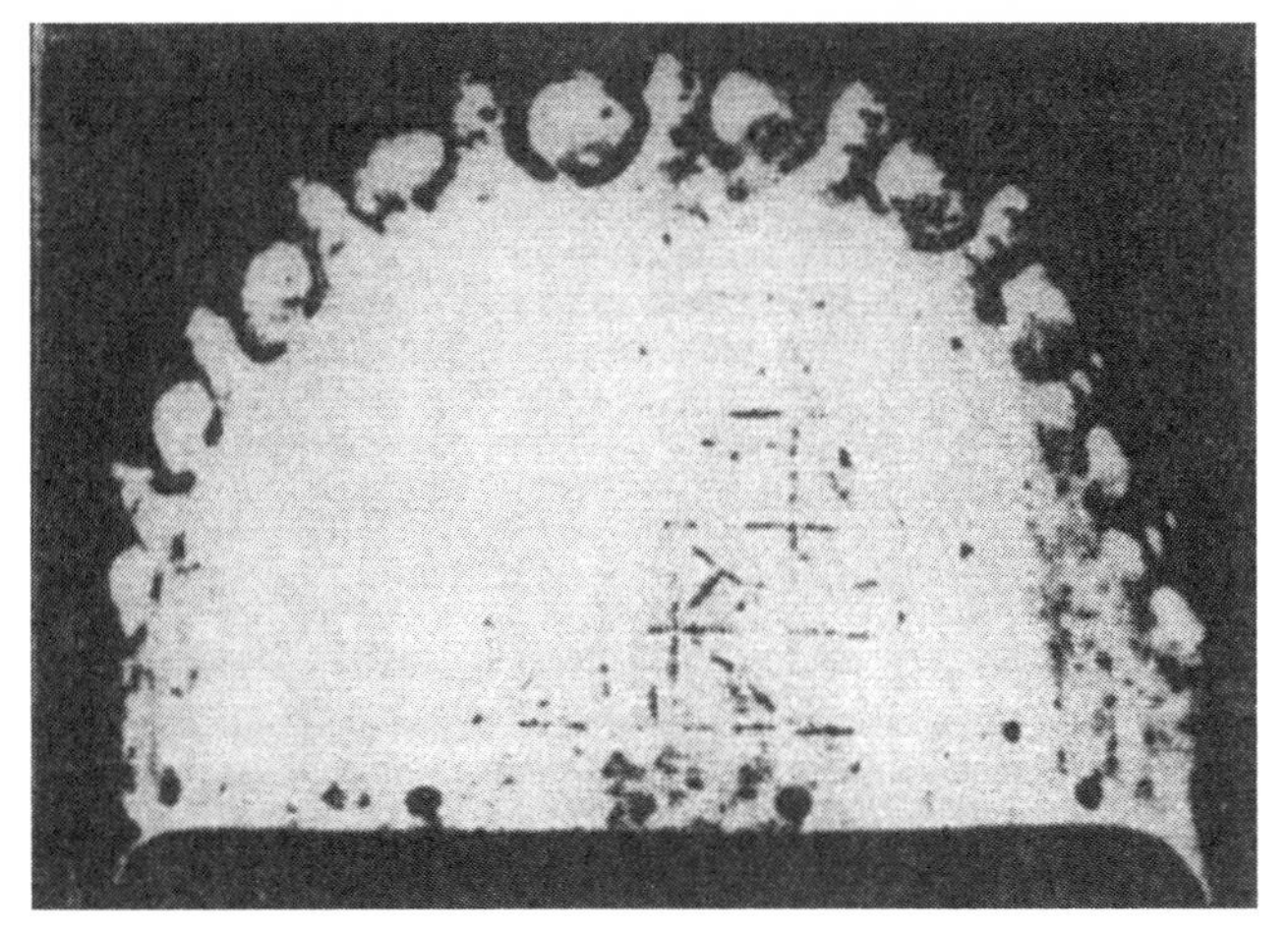

〝吾が君〟の地下都市、ロス・タヨスから出土したといわれる黄金の胸飾り

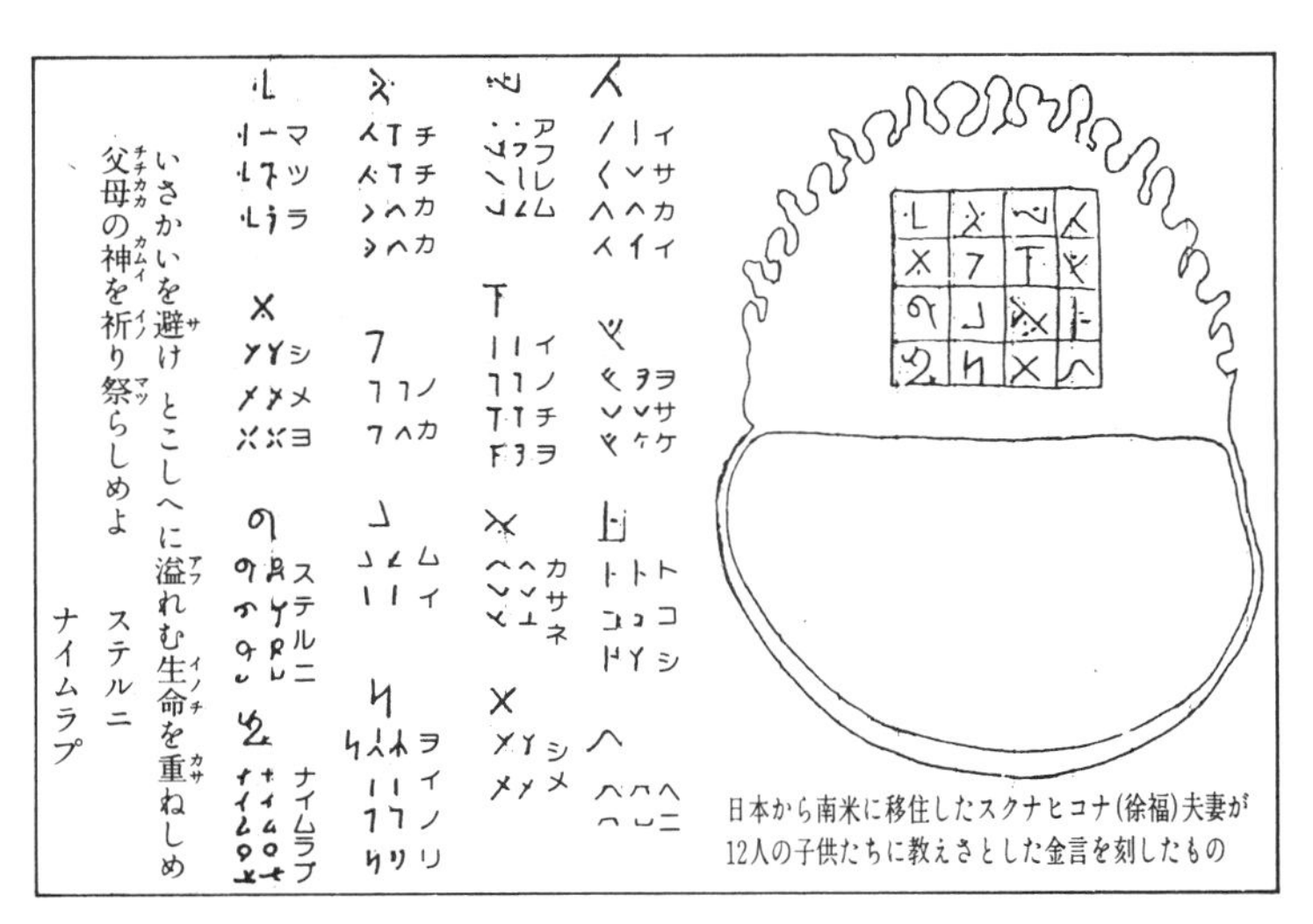

胸飾りに刻まれた碑文の解読プロセス
北海道異体文字とトヨクニ文字から成る16の合体字で表わされたこの碑文は、前３世紀末に始皇帝ニニギの追及をかわして日本からアンデスへ亡命したスクナヒコナ（徐福）夫妻が、12人の子供たちにどうしても伝えたかった帝王の心得を記したものだ。スクナヒコナは、今から2800年前まで世界を治めていたカラ族の王家が分裂して地球を崩壊させてしまったのは、父母のおかげでこの世に生を受けた子供たちが、父母の願いをふみにじってお互いの〝いのち〟を消し去る覇王の道に走ったからだと教えさとしている。昔から私たちは〝いのち〟を大切にし、〝和〟を重んじてきたが、スクナヒコナ夫妻は、この地球が再び平和を取り戻すためには、すべての人が〝永遠のいのち〟を求めてお互いを大切にしなければならないと説いたのである。

環太平洋地域の神代文字⑧

始皇帝が求めた神宝は、太古日本の空艇だった⁉

インディオの伝説によれば、ステルニ（実はスクナヒコナ）は、晩年に〝光り物〟に乗って天界に神去ったという。このことは、高橋によれば、前七世紀にエクアドルの地下都市にヨセフ（ホホデミ／スダース）が隠した〝クルの宝〟の中で最も重要なもの、つまり〝空艇〟をスクナヒコナが手に入れて月に去ったことを意味しているのではないかという。

『史記』は、燕人の蘆生（カルタゴのハミルカル・バルカ？）が〝崑崙（こんろん）の玉（ぎょく）〟とも呼ばれた〝不死の薬〟を手に入れたあと、始皇帝の追手を避けて行方をくらましたと伝えている。この話もまた、前三世紀末にバルカが月へ脱出したことを物語っているのではないか（高橋は、月面で見つかったいくつかの文字が、古代のカルタゴ文字で読めると述べている）。

しかし、われわれとしては、当時の崑崙の玉（不老長寿と元素変換、重力制御を可能にしたもの）が、今も南米のどこかに手つかずで眠っているにちがいないと思う。なぜなら、一九二五年にアマゾンの黄金都市マノアを求めて消えたイギリスの探検家、フォーセット大佐のマスコット人形には、「瑠璃（るり）富むカムイの宝（光り物）」のありかが記されているからだ。

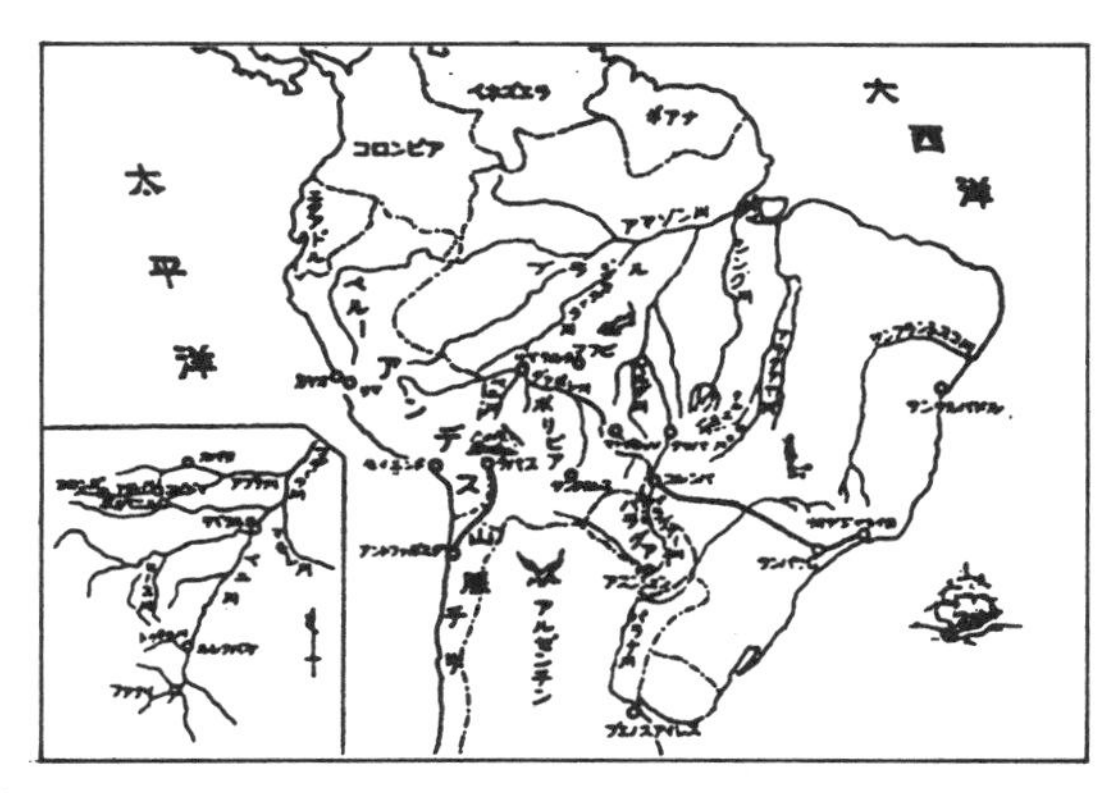

マノア探検地図

今なお太古日本の〝クルの宝〟を追い求める欧米の探検家は、1925年ブラジル・マットグロッソ州の密林で消息を絶ったフォーセットのように、その宝がアトランティス（アッシリヤ／アーリヤ／アヤ）の覇王の遺産だと思いこんでいる。が、フォーセットは死の直前に「イギリスはこの捜査に関わる権利はない。これはまったくブラジルの問題なのだ」というメッセージをわれわれに残した。

フォーセット大佐のマスコット人形

フォーセットが友人のベストセラー作家ライダー・ハガードから譲り受けた高さ30㎝のこの彫像の胸部には、日本の神代文字で「瑠璃富むカムイの宝」の位置が記されている。足元に刻まれた文字を解読した結果、この彫像の作者は、前３世紀末に南米を治めたスクナヒコナ夫妻であることも判明した。

〝カムイの宝〟が隠されている？　アマゾンの源流地帯

〝宝のありか〟はアリカのピラミッドに隠されている！

われわれは、高橋が「イリャンプを越えた×××」にあるという〝瑠璃富むカムイの宝〟を求めて、一九九四年にイリャンプ（神の天日）山の東方をめざした。目的地は、ソラタの巨大な洞窟だ。この洞窟の奥に〝カムイの宝〟が隠されているのではないか？　その昔、インカ帝国の遺民がたてこもってスペインの侵略者を撃退したと伝えられるこの洞窟は、〝光り物〟が出入りしたというチチカカ湖の底にある未知のトンネルとここでつながり、その先の地下都市に通じているはずだった。しかし、ソラタの洞窟は途中で陥没し、地底湖がわれわれの行く手を阻んだ。

そこでソラタをあきらめて周囲の情報を集めてみると、ソラタの近くに〝ラリパタ〟という気になる土地があることを知った。そのラリパタこそ〝ルリパラ＝瑠璃の都〟が訛ったものではないか（しかし、ここもまた、村全体が陥没を続けていて調査できなかった）。

仲間の一人は、われわれの苦闘をしり目に、今度はチリのアリカにあるピラミッドをめざそうと言い出した。なにしろ、左頁の文字を読み解ければ、宝のありかがわかるというのだ。

アリカのピラミッド
チリ北部のアリカにあるこのピラミッド型巨岩の表面には、ごらんのとおり、日本の神代文字らしき謎の文字が刻まれている。会長はすでにこの碑文を読み解いたというが、われわれにはその答えを教えてくれない。みずからも解読に挑戦する者でなければ、宝のありかを知る資格はないというのだ。

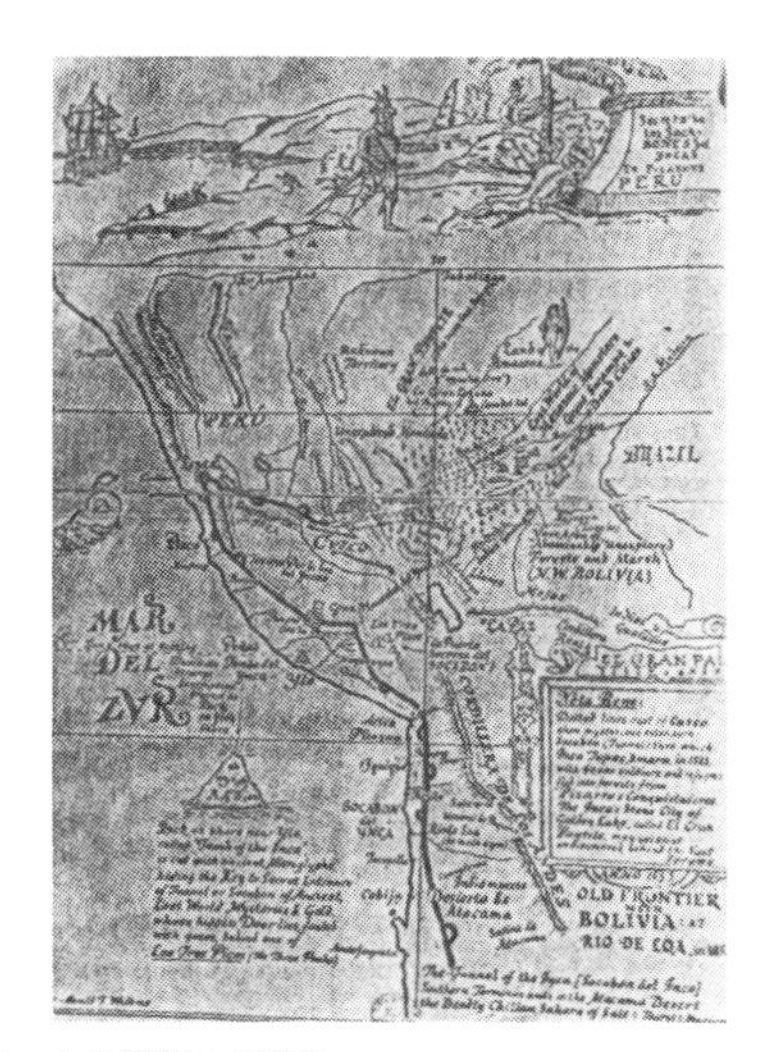

アリカのピラミッドにまつわる秘密の古地図
〝インカ王の墓〞と呼ばれているアリカのピラミッドには、黄金都市に通じる秘密のトンネルの入口の位置が記されている。アリカからチチカカ湖へ行く途中にある〝三つの峰〞が、地下都市への入口だ。この地図では、チチカカ湖の北方、アマゾン源流地帯のジャングルに未知の古代都市があると記されている。

日本人が太古ムー文明の遺産を手にするのはいつの日か？

〝クルの宝〟をめざすわれわれ探検協会の前途はけわしい。なぜなら、日本のほとんどの「学者」はわれわれの言うことを信じないし、そんな「学者」の言うことを真に受けている有力者は、われわれの探検調査に資金を出すのはムダだと思っている。けれども、日本の政府と企業がわれわれの調査を支援してくれたら、どんなにすばらしい発見が待っていることか。ＯＤＡ（政府開発援助）のわずか〇・一パーセントを、私たちの祖先と兄弟民族、カラ族の失われた歴史を解明するためにふり向けてくれたら、どんなに効果的に、私たち日本人と世界の兄弟民族の理解が深まり、共通の夢に向かってふるい立つことだろうか。

しかしわれわれは、たとえどこからも援助がなくても、自分たちの力で太古日本の歴史と真実の地球史を明らかにしていこうと思う。なぜなら、すでにわれわれは神代文字というマスターキーを手にして、これまで二〇〇〇年以上も封印されてきた秘密の宝のありかをつきとめられるようになったからだ。その秘密が近未来の日本の宇宙文明にとって重要なものであることは、伊勢神宮の鏡に刻まれた銘文の解読結果からも明らかだ。

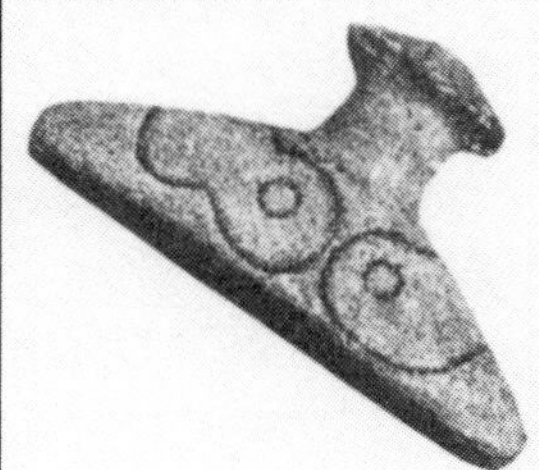

紀元前の日本に宇宙船があったことを示す飛騨の〝石冠〟

〝石冠〟分布図
太古日本の宇宙船をかたどった〝石冠〟が岐阜県と富山県、長野県にまたがる北アルプスの一帯で大量に見つかっていることは、今から2800年前まで〝天の浮船〟で世界を治めた日本の天皇の都が北アルプスにあったという、『竹内文書』の記録を裏づけている。

エイエ アシエル エイエ

伊勢神宮にある八咫鏡の謎の文字

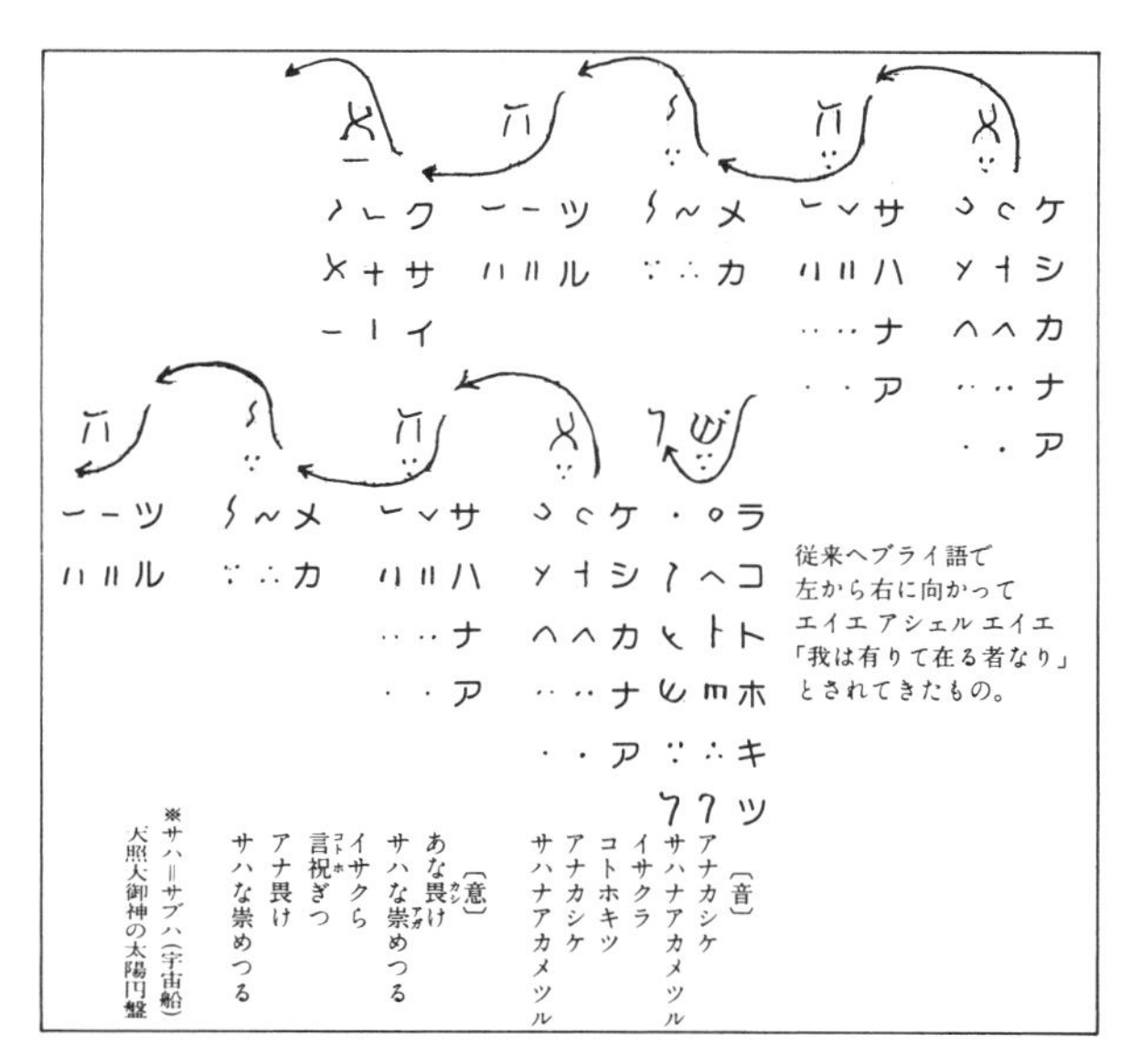

従来の読み方と新しい読み方
これまでヘブライ文字で「我は有りて在る者（エイエ　アシェル　エイエ）なり」と読まれてきたこの銘文を、会長は、前8世紀末のアフリカで使われていたティフィナグ文字で「あな畏け　サハな崇めつる／イサクら言祝ぎつ／あな畏け　サハな崇めつる」と読んだ。その「サハ」とは、どうやらイサク（イザナギ／オシホミミ）とヨセフ（ホホデミ）がブラジルのペドラ・ピンタダで手に入れた宇宙船、インドでサブハと呼ばれた巨大な円盤だったらしい。とすると、伊勢神宮の鏡の銘文は、この円盤が紀元前の日本に実在したことを物語っているのではないだろうか。

環太平洋地域の神代文字⑪

〝この島にぁ、いや続く花咲かせなば……〟

高橋良典著『縄文宇宙文明の謎』（日本文芸社）参照

「あな畏け　サハな崇めつる　イサクら言祝ぎつ　あな畏け　サハな崇めつる」伊勢神宮の鏡に刻まれた銘文は、その昔、私たちの祖先カラ族が大戦と異変の時代にアフリカからインド、中国を経て日本にやって来たときに記されたものだった。

この銘文がサハラ砂漠の各地に残されたカルタゴの女王ティンヒナンにちなむティフィナグ文字で刻まれていることは、文中のイサク（日本のイザナギ／オシホミミ）に率いられた私たちの祖先が、長く苦しい旅のすえにようやく日本にたどりついたことを示している。そしてイザナギ（イサク）らがこのとき大切に日本にもたらしたものは、インドでサブハと呼ばれた巨大な宇宙船、近未来の日本人が再び天とのつながりを回復した時に現われると予言された宇宙船をさしている。

その日が一日も早く来ることを願ったイスラエル最後の王ホセア（イザナギ）は、奈良県三輪神社の石鏡にこう記した——「この島にぁ、いや続く花咲かせなば」と。われわれもまた、この言葉を肝に銘じて、今の私たちの繁栄をすべてのカラ族とともに分かちあうため、努力しようと思う。

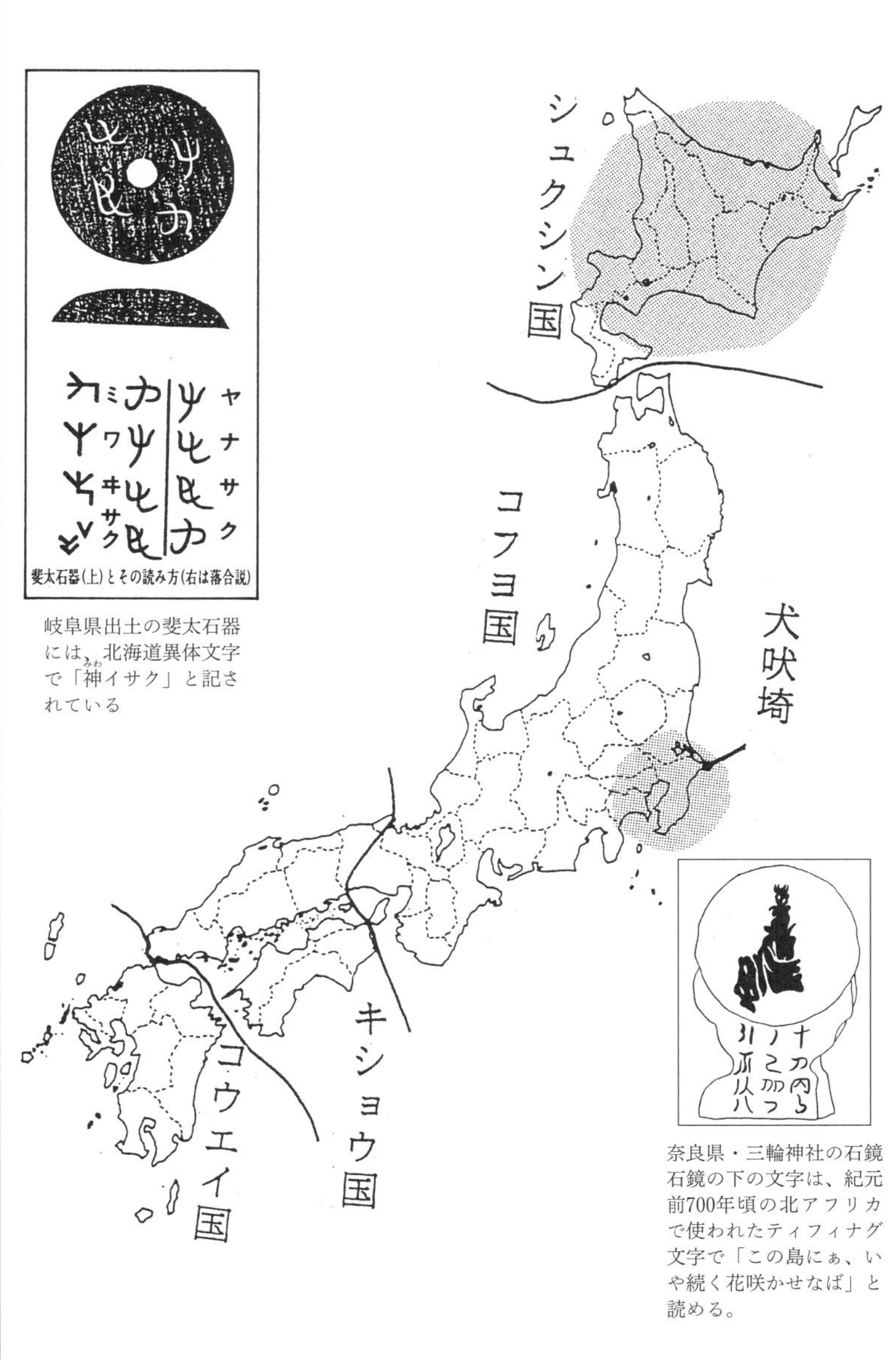

紀元前の日本列島
紀元前700年当時、イスラエル北王国の最後の王ホセア（オシホ／イザナギ／イサク）が、日本に安住の地を求めたとき、列島各地には四つの国があった（『山海経』参照）。

謎の神代文字・探検ガイド

◉神代文字の古典を読む

『神字日文伝』『疑字篇』平田篤胤

『美社神字解』落合一平（直澄）解読

『神代字源考』藤原政興（松本屋）

『掌中神字箋』大国隆正（菱湖堂）

『日文問答』落合直澄（神宮教院）

『大日本皇国神代日文訓』林貞造（武陽如松亭）

『五十連字解』弘尋石（弘進）

『日本古代文字考』落合直澄（吉川半七）

『神世文字論弁々（懲狂人）』矢野玄道（一八七四年成立、玄同舎）

『大日本文字』池田道照（井上景助）

『日本古代文字集』粕谷正光（自家版）

◉国内の未解読文字を調べる

『安曇のふしぎな文字石』中野正實（私家版）
『謎の刻画フゴッペ洞窟』峰山巌［文］・掛川源一郎［写真］（六興出版）
『手宮古代文字』寺田貞次（左文字勉強堂）
『絵文字及源始文字』田崎仁義（磯部甲陽堂）
『小樽古代文字』朝枝文裕（私家版）
『手宮之古代文字』中目覚（私家版）
『フゴッペ洞窟発掘調査概要』史蹟フゴッペ洞窟発掘調査団（余市）
『フゴッペ洞窟』名取武光［著］フゴッペ洞窟調査団［編集］（ニュー・サイエンス社）
『北海道古代文字』朝枝文裕（朝枝千景）
『銅鐸の謎』大羽弘道（光文社）
『日本古代文字の謎を解く』相馬龍夫（新人物往来社）
『古代日本の絵文字』大羽弘道（秋田書店）
『解読日本古代文字』相馬龍夫（新人物往来社）

◉ 海外の未解読文字を調べる

『漢字一元論稿抄録』青井貝次郎(大幽書院)
『日本語の根本的研究』北里闌(紫苑会)
『埃漢文字同源考(東洋ロゼッタ石)』板津七三郎(岡書院)
『古代文字の謎』サイラス・H・ゴードン(津村俊夫訳、教養文庫、社会思想社)
『解読——古代文字への挑戦』矢島文夫(朝日新聞社)
『漢字の話Ⅰ~Ⅱ』藤堂明保(朝日新聞社)
『西安古代金石拓本と壁画展』(毎日新聞社)
『古代文字』日向数夫(グラフィック社)
『世界の文字』西田龍雄(大修館書店)
『紀元前のアメリカ』バリー・フェル(喜多迅鷹・元子訳、草思社)
『アジアの未解読文字』西田龍雄(大修館書店)
『古代文字解読の物語』モーリス・W・M・ポープ(唐須教光訳、新潮社)
『漢字の起源』藤堂明保(現代出版)

『怒りの魏志倭人伝』大川誠市（昭和アート社）
『失われた古代文字の謎』矢島文夫（大和書房）
『日本語はどのようにつくられたか』安本美典（福武書店）
『文字の歴史』アルベルティーン・ガウアー（矢島文夫訳、原書房）
『古代エジプト文字入門』ステファヌ・ロッシーニ（矢島文夫訳、河出書房新社）
『日本原初漢字の証明』大川誠市（六興出版）
『十六菊花紋の謎——日本民族の源流を探る』岩田明（潮文社）
『アメリカ大陸の古代文明』アンリ・レーマン（川田順造訳、文庫クセジュ、白水社）
『甲骨文零拾』陳邦懐（汲古書院）
『象形文字入門』加藤一朗（中公新書）
『線文字Bの解読』ジョン・チャドウィック（大城功訳、みすず書房）
『古代文字の解読』高津春繁・関根正雄（岩波書店）
『文字の歴史』ジョルジュ・ジャン（高橋啓・矢島文夫訳、創元社）
『マヤ文明——世界史に残る謎』石田英一郎（中公新書）
『楔形文字入門』杉勇（中公新書）

『古代文字のひみつ』亀山龍樹（岩崎書店）
『アステカ文明』ジャック・スーステル（狩野千秋訳、文庫クセジュ、白水社）
『文字の文化史』藤枝晃（岩波書店）
『砂漠に埋もれた文字――パスパ文字のはなし』中野美代子（塙新書）
『世界の文字』中西亮（みずうみ書房）
『失われた古代文字99の謎』矢島文夫（産報ブックス）
『なぞの古代文字』亀山龍樹（三省堂）
『日本語の起源』丸山茂夫（アラビア語渋谷教室）

●古史古伝とのかかわりを調べる

『神字起源解』高畠康明（自家版）
『古代埃及と日本』徳政金吾（カムト社）
『神字考』酒井勝軍（国教宣明団）
『日本神代文字論』田多井四郎治（神代文化研究所）
『神武天皇の神字の研究』吉田兼吉（自家版）

『日国是文字源』高畠康寿（世界大祖国史期成会）
『神代の文字』宮崎小八郎（霞ケ関書房）
『にっぽん字の発掘』酒井由夫（山中芸企）
『古事記以前の書――「ウエツフミ」の研究』吾郷清彦（大陸書房）
『日本神代文字――古代和字総覧』吾郷清彦（大陸書房）
『神代文字の謎』藤芳義男（桃源社）
『日本超古代秘史資料』吾郷清彦（新人物往来社）
『伊勢神宮の古代文字』丹代貞太郎・小島末喜（私家版、山雅房発売）
『超古代神字・太占総覧』吾郷清彦（新人物往来社）
『謎の神代文字』佐治芳彦（徳間書店）
『サンカ研究』田中勝也（新泉社）

◉ 探検協会の仮説をチェックする

日本探検協会編著『地球文明は太古日本の地下都市から生まれた!!』飛鳥新社
日本探検協会編著『古代日本、カラ族の黄金都市を発見せよ!!』飛鳥新社

日本探検協会編著『ムー大陸探検事典』廣済堂出版
高橋良典監修『驚異の地底王国シャンバラ——銀河連邦の宇宙都市へようこそ』明窓出版
高橋良典著『諸世紀の秘密』自由国民社
高橋良典著『謎の新撰姓氏録』徳間書店
高橋良典著『太古日本・驚異の秘宝』講談社
高橋良典著『超古代世界王朝の謎』日本文芸社
高橋良典著『謎の古代文字と古史古伝』日本探検協会
高橋良典著『失われた古代文字総覧』日本探検協会
ヴェリコフスキー著、高橋良典訳『世紀末の黙示録』自由國民社
高橋良典著『日本とユダヤ謎の三千年史』自由國民社
高橋良典著『太古、日本の王は世界を治めた！』徳間書店
高橋良典著『縄文宇宙文明の謎』日本文芸社
幸沙代子著『漢字を発明したのは日本人だった！』徳間書店
幸沙代子著『日本が創った超古代中国文明の謎』日本文芸社
橋川卓也著『人類は核戦争で一度滅んだ』学研ムーブックス

「別冊歴史読本」1993年4月号〝古代日本人の大航海と謎の未解読文字〟（高橋良典・幸沙代子筆）新人物往来社
「歴史Eye」1993年8月号〝ムー大陸はどこへ消えた？〟（高橋良典・幸沙代子筆）日本文芸社
「歴史Eye」1993年12月号〝幻の中国超古代王朝〟（高橋良典・幸沙代子筆）日本文芸社
「歴史Eye」1994年1月号〝超古代史「東日流外三郡誌」の真相〟（高橋良典筆）日本文芸社
「歴史Eye」1994年7月号〝古代ユダヤは日本に渡来した!?〟（高橋良典筆）日本文芸社
「SPA!」1990年8月8日号〝日本神話の高天原はインド・デカン高原だ〟（高橋良典筆）扶桑社
「SPA!」1991年2月13日号〝幻の「東大国伝説」を追う〟（高橋良典筆）扶桑社
「ムー」1980年11月号〝大推理・古代核戦争の謎〟（高橋良典監修）学習研究社
「ムー」1990年10月号〝インダス文明の建設者は日本人だった〟（高橋良典筆）学習研究社

◉テーマを決めて、関連情報を収集する

江上波夫ほか編・著『世界考古学事典』平凡社
貝塚茂樹著『殷墟』みすず書房
吾郷清彦著『日本神代文字――古代和字総覧』大陸書房

丹代貞太郎・小島末喜著『伊勢神宮の古代文字』自家版、山雅房発売
倉野憲司校注『古事記』岩波文庫
黒板勝美編『日本書紀』岩波文庫
樋口隆康著『古鏡』新潮社
西林昭一著『中国新出土の書』二玄社
書跡名品叢刊『金文集Ⅰ　殷周』二玄社
金田一京助編『ユーカラ』岩波書店
泉靖一著『インカ帝国』岩波書店
山本健造著『日本起源の謎を解く』星雲社
川守田英二著『日本へブル詩歌の研究』八幡書店
竹内義宮編『神代の万国史』皇祖皇太神宮
南山宏著『宇宙から来た遺跡』講談社
南山宏著『奇跡のオーパーツ』二見書房
峰山巌・掛川源一郎著『謎の刻画――フゴッペ洞窟』六興出版
木村重信著『美術の始源』新潮社

木村重信著『巨石人像を追って』NHKブックス
山崎脩著『インドの石』京都書院
木村政昭著『ムー大陸は琉球にあった！』徳間書店
マルセル・オメ著『太陽の息子たち』大陸書房
アンドレーエヴァ著『失われた大陸』岩波書店
フェリックス・R・パトゥリ著『ヨーロッパ先史文明の謎』佑学社
ウィリアム・フィクス著『古代人の遺言』白揚社
イマヌエル・ヴェリコフスキー著『衝突する宇宙』法政大学出版局
イマヌエル・ヴェリコフスキー著『混沌時代』法政大学出版局
G・R・ジョシュア著『ヴィマニカ・シャストラ』国際サンスクリット・アカデミー
チャンドラ・ロイ編『マハーバーラタ』カルカッタ
ヘロドトス著『歴史』岩波書店
ヨセフ・アイデルバーグ著『大和民族はユダヤ人だった』たま出版
ゼカリア・シッチン著『第10番惑星に宇宙人がいた』二見書房
E・V・デニケン著『宇宙人の謎』角川書店

Ｅ・Ｖ・デニケン著『太古の宇宙人』角川書店
Ｅ・Ｖ・デニケン著『人類が神になる日』佑学社
アンドルー・トマス著『太古史の謎』角川書店
Ｃ・ベルリッツ著『謎の古代文明』紀伊國屋書店
マックレオド著『日本古代史の縮図』日乃出書房
アンリ・ロート著『タッシリ遺跡』毎日新聞社
リーダース・ダイジェスト編『世界最後の謎』リーダーズ・ダイジェスト社
Ｆ・Ｒ・パトゥリ『ヨーロッパ先史文明の謎』佑学社
ガブリエル・マンデル『幻のインダス文明』大陸書房
バリー・フェル『紀元前のアメリカ』草思社
Ｊ・チャーチワード『ムー大陸の謎と神秘』大陸書房
ＰＩＣＯ『夢アセンション予定表』明窓出版
ＰＩＣＯ『まもなく地球は優良惑星になる』徳間書店５次元文庫
高橋良典監修『人類は核戦争で一度滅んだ！』学研ムーブックス

エピローグ

よみがえれ！　太古日本の宇宙文明

日本学術探検協会情報センター室長　三上皓也

本書を読み終えた君たちは、その昔われわれの祖先カラ族が、今は失われた地下都市（シャンバラ）・宇宙船文明（ムー）をもって世界を治めていた時代があったことを感じとってくれたと思う。

その時代にわれわれの祖先は、この地球だけでなく、月や火星、太陽系の遊星にムー文明と呼ばれる壮大な宇宙文明をつくっていた。が、この文明は前一六世紀と前八世紀の二度にわたる大戦と異変で滅び去った。そして、この時期に「天と地のつながり」が断たれ、それまで一つに結ばれていたカラ族の兄弟が天界と地上で別れ別れになってしまったのだ。

それ以来、〝天狗〟や〝ディンギル〟と呼ばれてきた天界の兄弟たちは、太陽系文明を再建するため知られざる努力を続けてきた。過去数千年の間にときおりこの地球を訪問したわれわれの兄弟は、その都度、地球上の各地に日本の神代文字でメッセージを残してきた。

そんなバカなことがあるはずはない、と思っている人は、アメリカやロシア、イギリスでつい最近までさわがれてきたミステリー・サークルの文様が、ムー文明の文字板や日本の神代文字とよく似ていることを自分の目で確かめていただきたい。

今から六七年ほど前、アメリカ・ニューメキシコ州のソッコロに墜落した円盤から見つかった大量の〝宇宙文字〟が日本の神代文字とそっくりなことは、ＮＡＳＡ（アメリカ航空宇宙局）や欧米の研究者の間ではかなり知られている。

〝宇宙人〟の文字の中に漢字とよく似たものがあることは、「天王星から地球にやって来た」とみられている円盤の底部に、「王」と読める文字が刻まれていることからも明らかだ。が、その文字は日本の神代文字で、「クル」と読めるのだ。つまり、イヅモ文字のク（×）とル（)(）を合体させたクルが、円盤底部の「[illegible]」という文字になるのだ。

このような例を見てもわかるとおり、きたるべき宇宙世紀になって、天と地のつながりが再び回復されたとき、日本の神代文字は宇宙文字としてよみがえる。「天王星から来た宇宙船」の底に刻まれた日本の神代文字は、「クル王をまつりなば来る」というメッセージをわれわれに伝えるため地球外の別の星からやって来た、われわれの兄弟のサイン（合図）なのだ。

会長の高橋がこっそりとわれわれに教えてくれたところによると、ＵＦＯの研究者として

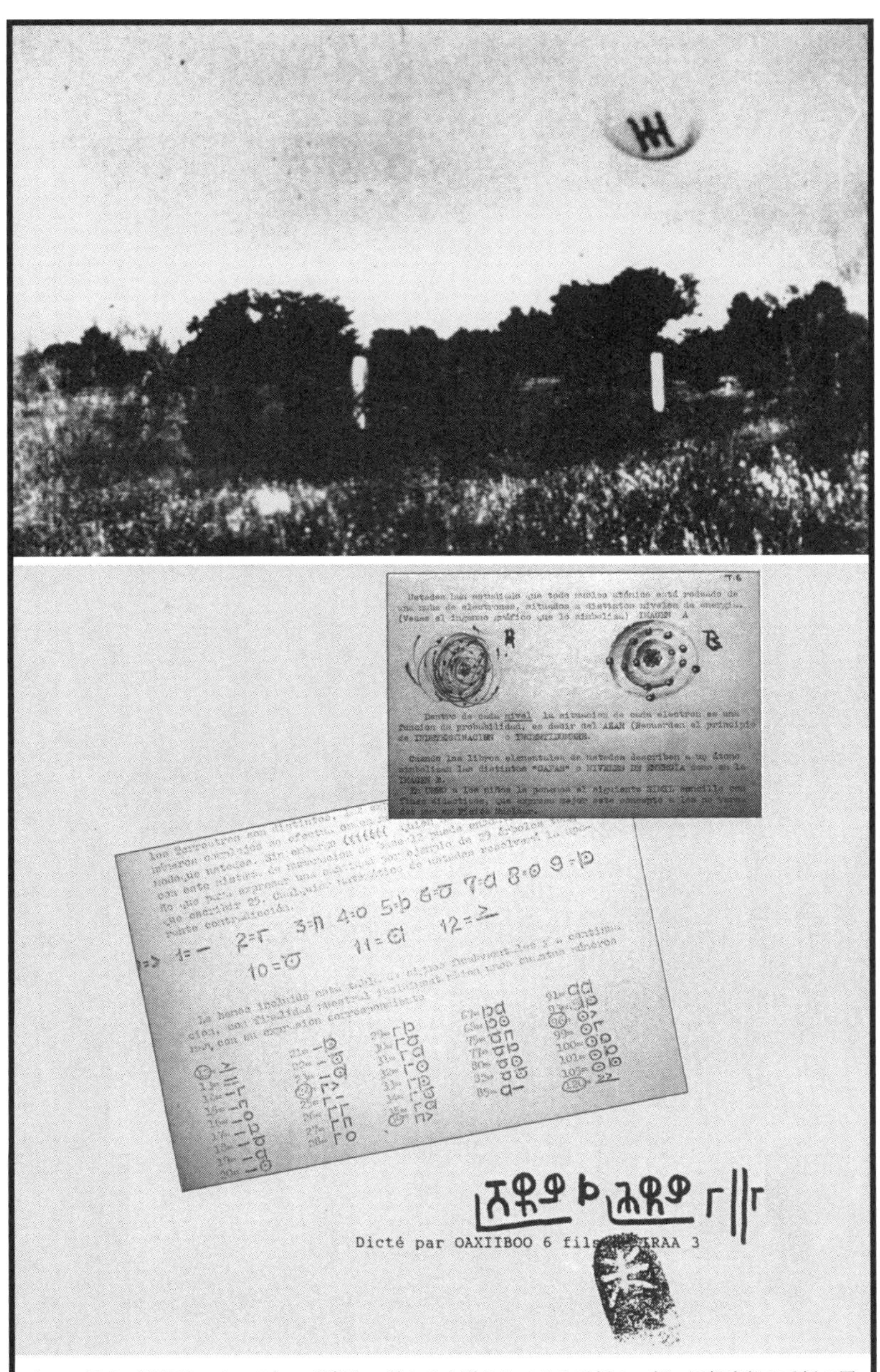

ウンモ星人（宇宙人ユミット）の円盤と、彼らから送られてきた手紙の一部。円盤底部や手紙の署名押印には王と読める文字がある。〔出典：『宇宙人ユミットの謎』徳間書店刊〕

有名なある人物のもとにメッセージをよこしたウンモ星人のサイン（署名）は、日本の神代文字（宇宙文字！）で書かれているのだという。

信頼すべき別の情報によれば、ウンモ星人はすでにきたるべき宇宙世紀に向かって地球再建計画を本格的に進めているといわれる。その計画は、近い将来「終末」を迎える地球に代わって、月と一つになった新しい地球がスタートするために欠かせない月再建計画と連動していて、神代文字の知識がこの秘密計画の真相にかかわっているらしい。ということは、日本の神代文字が、失われたカラ族の太陽系文明復活の秘密を解き明かす大いなる鍵になっているということだ。

こう考えると、本書を手にした君たちは、すでに映画『スターゲイト』で見た、あのふしぎな文字の謎を解き明かして別の星に旅立つ主人公そのものである。君たちこそが、きたるべき宇宙世紀の日本と地球を太陽系の遊星と結びつけ、はるかなる銀河系に〝いのちの輝き〟を広めるために選ばれた戦士なのだ。

時代は今や、宇宙探検！　本書を手にして君たちが地球の兄弟たちと一つになり、再び天界の兄弟たちと出会うことを私も心から願っている。

二〇一二年四月

高橋良典　たかはし よしのり
日本学術探検協会会長、地球文化研究所所長、地球マネジメント学会理事。東京大学経済学部卒。著書に『諸世紀の秘密』（自由国民社）、『大予言事典』（学習研究社）、『太古、日本の王は世界を治めた！』（徳間書店）、『太古日本・驚異の秘宝』（講談社）、『超古代世界王朝の謎』『縄文宇宙文明の謎』（日本文芸社）など多数。

日本学術探検協会
地球文化研究所を母体に、80年代から活動を開始。日本人の祖先カラ族が紀元前の地球各地に残した地下都市と未解読文字の調査を精力的に進めている。主な編著書に『ムー大陸探検事典』（廣済堂出版）、『地球文明は太古日本の地下都市から生まれた!!』『古代日本、カラ族の黄金都市を発見せよ!!』（飛鳥新社）などがある。

本書は1995年10月徳間書店より刊行された『［超図解］縄文日本の宇宙文字――神代（かみよ）文字でめざせ世紀の大発見！』を一部修正加筆し、『カラ族の文字でめざせ！世紀の大発見』として出版したものを改題して再出版したものです。

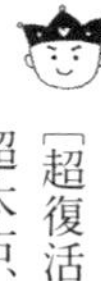

［超復活版］

超太古、世界はカラ族と縄文神代文字で一つに結ばれていた

第一刷　2021年7月31日

編著　日本学術探検協会

監修　高橋良典

発行人　石井健資

発行所　株式会社ヒカルランド

〒162-0821　東京都新宿区津久戸町3-11　TH1ビル6F

電話　03-6265-0852　ファックス　03-6265-0853

http://www.hikaruland.co.jp　info@hikaruland.co.jp

振替　00180-8-496587

本文・カバー・製本　中央精版印刷株式会社

DTP　株式会社キャップス

編集担当　TakeCO

ISBN978-4-86471-967-4

ヒカルランド　好評既刊！

地上の星☆ヒカルランド　銀河より届く愛と叡智の宅配便

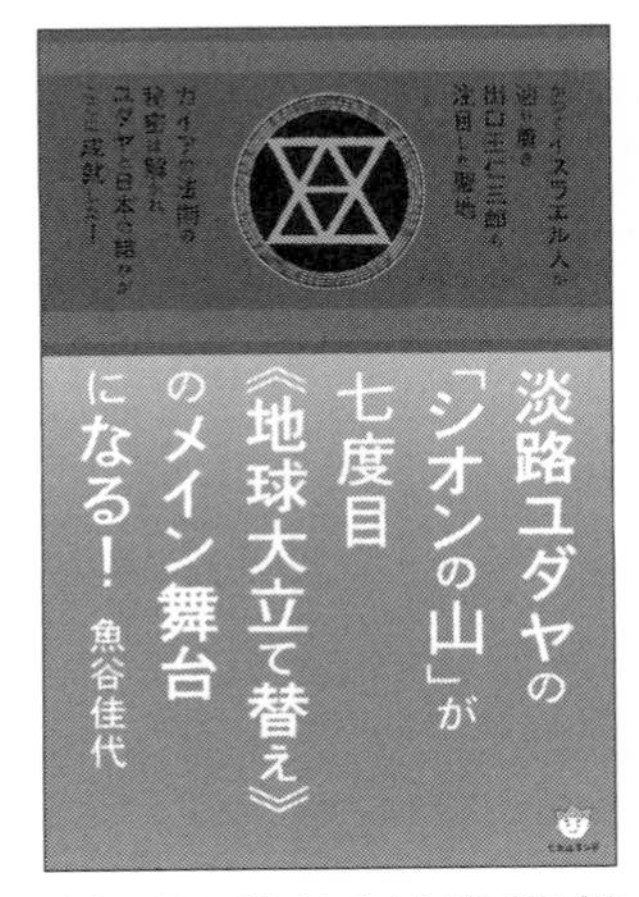

淡路ユダヤの「シオンの山」が七度目《地球大立て替え》のメイン舞台になる！
著者：魚谷佳代
四六ソフト　本体 1,574円+税

[新装版] 世界文明の「起源は日本」だった
著者：上森三郎／神部一馬
四六ソフト　本体 1,852円+税

[ヴィジュアルガイド] 竹内文書
万国世界天皇へ
著者：高坂和導／三和導代
四六ソフト　本体 1,800円+税

イスラエルの「元つ国日本」にユダヤ人が戻ってくる
著者：上森三郎／神部一馬
四六ハード　本体 2,000円+税

ヒカルランド　好評既刊！

地上の星☆ヒカルランド　銀河より届く愛と叡智の宅配便

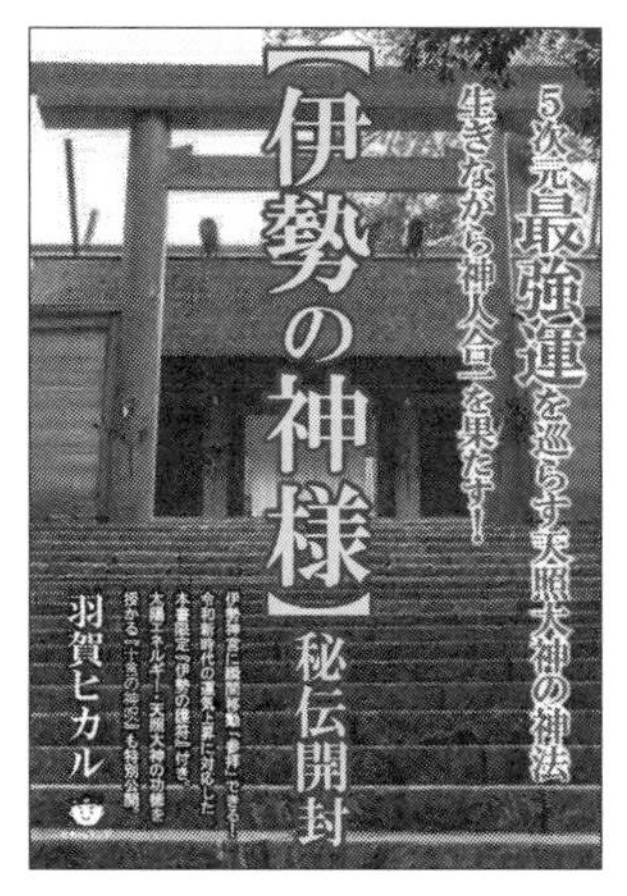

生きながら神人合一を果たす！
【伊勢の神様】秘伝開封
５次元最強運を巡らす天照大神の神法
著者：羽賀ヒカル
四六ソフト　本体 1,800円+税

イズモ族とヤマト族の因縁を解き放つ！
【出雲の神様】秘伝開封
魂振りで開運覚醒の意識次元に繋がる
著者：羽賀ヒカル
四六ソフト　本体 1,800円+税

「笹目秀和」と二人の神仙
この大神業がなければ今の日本も世界も無かった！
著者：宮﨑貞行
四六ハード　本体 2,500円+税

もう一人の「明治天皇」箕作奎吾（みつくりけいご）
著者：水原紫織
四六ハード　本体 2,200円+税